BLADZIJDEN 80-93
*Stratengids
kaart 3–4*

BLADZIJDEN 60-79
*Stratengids
kaart 3–4*

BLADZIJDEN 142-157
*Stratengids
kaart 3–6*

Joodse Wijk
JOSEFOV

Oude Stad
STARÉ MĚSTO

Nieuwe Stad
NOVÉ MĚSTO

0 meter 500

CAPITOOL REISGIDSEN

PRAAG

CAPITOOL REISGIDSEN

PRAAG

VLADIMÍR SOUKUP

VAN REEMST
UITGEVERIJ

HOUTEN

Oorspronkelijke titel: Dorling Kindersley Travel Guides –
Prague
© 2005 Oorspronkelijke uitgave:
Dorling Kindersley Limited, Londen
© 2005 Nederlandstalige uitgave:
Van Reemst Uitgeverij/Unieboek bv
Postbus 97
3990 DB Houten
www.capitoolgids.nl

11de herziene druk 2005

Auteur: Vladimír Soukup
Tekstverzorging: *de Redactie*, Amsterdam
Vertaling: Wybrand Scheffer
Bewerking: Jaap Deinema

Cartografie: Dorling Kindersley Cartography
Omslag: Teo van Gerwen-design, Leende

Alles is in het werk gesteld om ervoor te zorgen dat de
informatie in dit boek bij het ter perse gaan zoveel mogelijk
is bijgewerkt. Gegevens zoals telefoonnummers,
openingstijden, prijzen, exposities en reisinformatie zijn
echter aan veranderingen onderhevig. De uitgever is niet
aansprakelijk voor consequenties die voortvloeien uit het
gebruik van dit boek.

ISBN 90 410 3343 2
NUR 512

INHOUD

Rudolf II (1576-1612)

INLEIDING OP PRAAG

Een terras in Praag

Het Wallensteinpaleis, Kleine Zijde

De Týnkerk

Dop van een Tsjechische bierfles

Een rijtuig op het Plein Oude Stad

Barokke gevels van de huizen aan de oostkant van het Plein Oude Stad

HOE GEBRUIKT U DEZE GIDS

Een dagtochtje plannen in Praag

Deze reisgids zal u helpen uw verblijf in Praag zo aangenaam mogelijk te maken. Het eerste deel, *Inleiding op Praag*, beschrijft de geografische ligging en plaatst het moderne Praag in zijn historische context. Ook leest u hoe het leven in Praag door het jaar heen verandert. *Praag in het kort* is een overzicht van de belangrijkste bezienswaardigheden van de stad. Nadere informatie vindt u in *Praag van buurt tot buurt*. Daar worden de be-zienswaardigheden via kaarten, foto's en gedetailleerde tekeningen beschreven. Drie wandelingen nemen u bovendien mee naar delen van Praag die u anders misschien zou missen. Zorgvuldig nagetrokken tips voor hotels, winkels en markten, restaurants en cafés, sport en vertier vindt u in *Tips voor de reiziger*, *Wegwijs in Praag* adviseert u over van alles dat u ongetwijfeld van pas zal komen tijdens uw verblijf, van het posten van een brief tot het gebruik van de metro.

HOE WORDEN DE BEZIENSWAARDIGHEDEN IN DIT BOEK BEHANDELD?

De vijf wijken van het oude Praag zijn elk van een eigen kleur voorzien. De hoofdstukken beginnen met een inleiding over de buurt, waarbij geschiedenis en karakter van de wijk worden besproken. Dan volgt een gedetailleerde kaart van het hart van de buurt. Door een simpele codering vindt u alle attracties in één oogopslag en aan de markantste bezienswaardigheden worden twee of meer aparte bladzijden gewijd.

Elke wijk is aan een eigen kleur te herkennen.

Oriëntatiekaart

Oriëntatiekaarten laten zien waar u zich bevindt ten opzichte van de rest van de stad.

Een aanbevolen route leidt door de interessantste straten van de wijk.

1 Wijkkaart
Om het u gemakkelijk te maken zijn de bezienswaardig-heden met nummers op de kaart aangegeven. Op deze kaart staan ook haltes van metro's en trams, plaatsen waar u de boot kunt nemen en parkeer-terreinen. Bezienswaardig-heden zijn verdeeld in de catego-rieën kerken, musea en galeries, straten en pleinen, paleizen en parken en plantsoenen.

Het gekleurde gebied wordt op de volgende bladzijden nader onder de loep genomen.

2 Stratenkaart
Deze kaarten geven een lucht-aanblik van het hart van elk van de wijken. De nummering van de bezienswaardigheden correspon-deert met die van de uitgebreide beschrijving van die attracties op de volgende bladzijden.

De ster-attracties verwijzen naar be-zienswaardigheden die u niet màg missen.

OVERZICHTSKAART PRAAG

De gekleurde gebieden (zie binnenkant vooromslag) zijn de vijf aantrekkelijkste wijken. Ze worden in *Praag van buurt tot buurt (blz. 58-157)* uitgebreid besproken. Elders vindt u ze eveneens in kleur terug, bijvoorbeeld op de kaarten in *Praag in het kort (blz. 36-57)*. Ook bij het zoeken naar de beste restaurants in *Tips voor de reiziger (blz. 192-193)*, het uitzoeken van een boottocht *(blz. 55)* of het volgen van de wandelingen *(blz. 173)* helpen de kleuren u op weg.

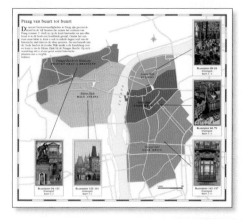

De nummering helpt u de bezienswaardigheid op de kaart van de wijk terug te vinden.

Praktische informatie vertelt u alles wat u moet weten voor een bezoek aan een bezienswaardigheid, inclusief een verwijzing naar de Stratengids *(blz. 244-249)*.

De gevels van mooie gebouwen zijn afgebeeld zodat u ze snel kunt herkennen.

Tips voor de toerist verschaft praktische informatie die voor een bezoek van belang is.

3 Informatie over de bezienswaardigheden

Elke belangrijke bezienswaardigheid wordt apart beschreven. Ze worden behandeld in volgorde van nummering op de kaart van de wijk. Openingstijden, telefoonnummers, toegangsprijzen en de aanwezige faciliteiten worden vermeld en een reeks symbolen, die op de binnenkant van het achteromslag worden verklaard, geven meer informatie.

Een tijdbalk geeft een overzicht van de geschiedenis van het gebouw.

4 De belangrijkste attracties

Historische gebouwen zijn opengewerkt, waardoor het interieur zichtbaar wordt. In de plattegronden van musea en galeries helpt een kleurindeling u de weg te vinden.

Sterren verwijzen naar attracties die u niet mag missen.

Inleiding op Praag

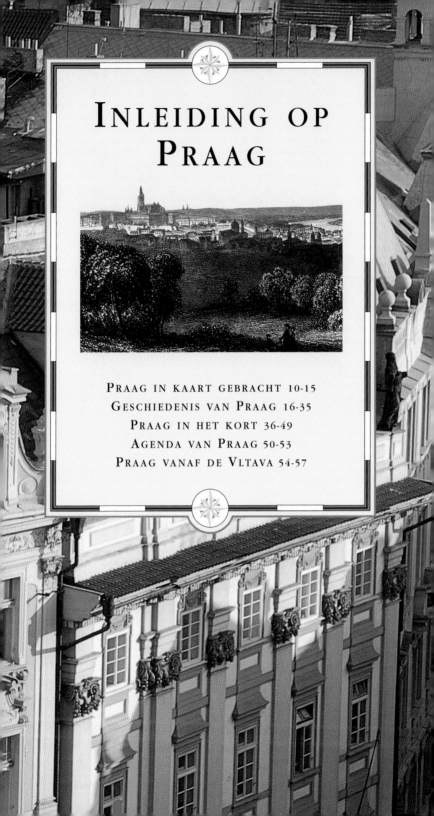

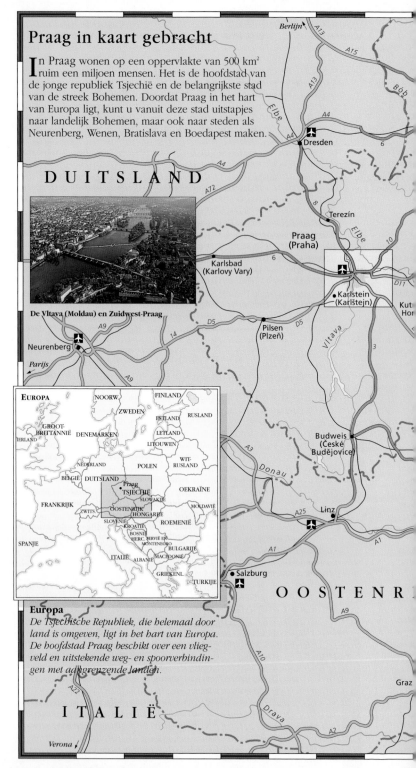

Praag in kaart gebracht

In Praag wonen op een oppervlakte van 500 km² ruim een miljoen mensen. Het is de hoofdstad van de jonge republiek Tsjechië en de belangrijkste stad van de streek Bohemen. Doordat Praag in het hart van Europa ligt, kunt u vanuit deze stad uitstapjes naar landelijk Bohemen, maar ook naar steden als Neurenberg, Wenen, Bratislava en Boedapest maken.

Berlijn
A13
A15
Bób
Elbe
A4
Dresden
A4
A4

DUITSLAND
A72

Terezín

Praag
(Praha)

Elbe

Karlsbad
(Karlovy Vary)

6

Karlstein
(Karlštejn)

Kut
Hor

De Vltava (Moldau) en Zuidwest-Praag

D5

Pilsen
(Plzeň)

D5

Vltava

3

14

Neurenberg
Parijs
A9

EUROPA

NOORW.   FINLAND
ZWEDEN   ESTLAND   RUSLAND
GROOT-   LETLAND
BRITTANNIË DENEMARKEN
IERLAND   LITOUWEN
NEDERLAND   POLEN   WIT-
BELGIË DUITSLAND   RUSLAND
              Praag
           TSJECHIË   OEKRAÏNE
FRANKRIJK   SLOWAKIJE
         ZWITS. OOSTENRIJK MOLDAVIË
            HONGARIJE
       SLOVENIË KROATIE ROEMENIË
         BOSNIE SERVIE EN
         HERC. MONTENEGRO
SPANJE   BULGARIJE
         ITALIË ALBANIE MACEDONIE
              GRIEKENL.
                   TURKIJE

Budweis
(České
Budějovice)

A3
Donau

Linz

A25

OOSTENR

A9

Salzburg

A1

Europa
De Tsjechische Republiek, die helemaal door land is omgeven, ligt in het hart van Europa. De hoofdstad Praag beschikt over een vliegveld en uitstekende weg- en spoorverbindingen met aangrenzende landen.

A22

A10

Graz

ITALIË

Drava

A2

Verona

PRAAG EN OMGEVING

Veltrusy
Neratovice
Lysá n. Labem
Slaný
Kralupy n. Vltavou
Brandýs n. Labem-Stará Boleslav
Elbe
Švermov
Roztoky
Čakovice
Čelákovice
Kladno
Horní Počernice
Ruzyně
Úvaly
Český Brod
Unhošt
Rudná
Řičany
Beroun
Zbraslav
Karlštejn
Jílové u Prahy
Řevnice

Zie volgende bladzijde

0 km 10

Praag en omgeving

De meeste bezienswaardigheden vindt u in het historische centrum van Praag. Deze worden beschreven op de bladzijden 58-157. De bladzijden 160-169 behandelen de attracties buiten het centrum.

POLEN

Oder

Warschau

Breslau

TSJECHIË

Krakow

Ostrava

Brno

Morava

Praag uit de lucht gezien

WENEN

SLOWAKIJE

BRATISLAVA

Váh

BOEDAPEST

HONGARIJE

Rába

Balatonmeer

0 kilometer 50

Zagreb

SYMBOLEN

☐ Praag en voorsteden

✈ Vliegveld

Snelweg

Doorgaande weg

Spoorlijn

Landsgrens

Praag en voorsteden

Praag is een samenstelling van vijf oude steden (blz. 54–165), waar de Vltava (Moldau), een zijrivier van de Elbe, door stroomt. In 1922 werd van Praag en de omliggende 37 dorpen en plaatsjes één stad gemaakt. Met het openbaar vervoer is het hele gebied uitstekend bereikbaar.

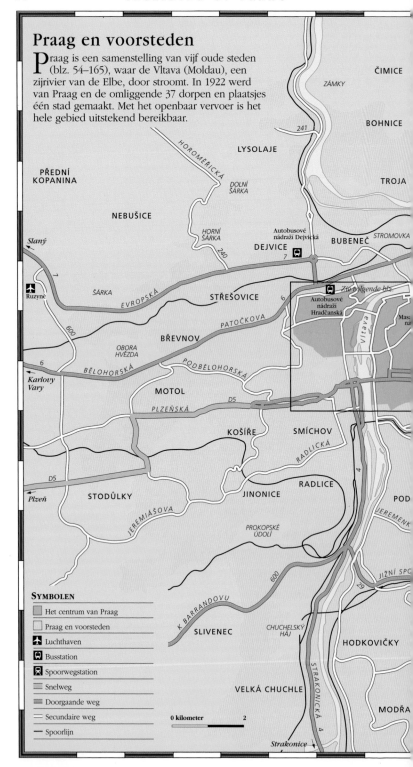

ČIMICE

ZÁMKY

BOHNICE

241

LYSOLAJE

HOROMĚŘICKÁ

TROJA

PŘEDNÍ KOPANINA

DOLNÍ ŠÁRKA

NEBUŠICE

HORNÍ ŠÁRKA

240

Slaný

Autobusové nádraží Dejvická

BUBENEČ   STROMOVKA

DEJVICE
7

Ruzyně

ŠÁRKA

EVROPSKÁ

STŘEŠOVICE

6

Zie volgende blz.

Autobusové nádraží Hradčanská

Masa… ná…

Vltava

PATOČKOVA

600

BŘEVNOV

OBORA HVĚZDA

PODBĚLOHORSKÁ

6
Karlovy Vary

BĚLOHORSKÁ

MOTOL

PLZEŇSKÁ

D5

KOŠÍŘE

SMÍCHOV

RADLICKÁ

D5

Plzeň

STODŮLKY

JINONICE

RADLICE

POD

4

JEREMIÁŠOVA

PROKOPSKÉ ÚDOLÍ

JEREMÉNK

600

JIŽNÍ SPO

29

K BARRANDOVU

SLIVENEC

CHUCHELSKÝ HÁJ

HODKOVIČKY

STRAKONICKÁ 4

VELKÁ CHUCHLE

MODŘA

Strakonice

SYMBOLEN

▪	Het centrum van Praag
□	Praag en voorsteden
✈	Luchthaven
🚌	Busstation
🚆	Spoorwegstation
—	Snelweg
—	Doorgaande weg
—	Secundaire weg
—	Spoorlijn

0 kilometer   2

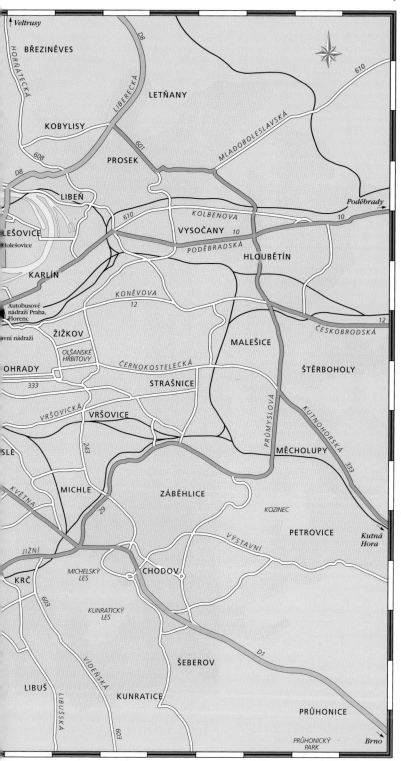

Het centrum van Praag

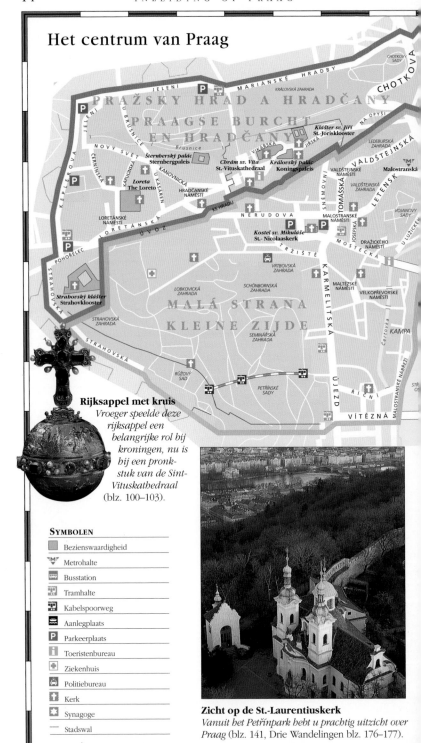

Rijksappel met kruis
Vroeger speelde deze rijksappel een belangrijke rol bij kroningen, nu is hij een pronkstuk van de Sint-Vituskathedraal (blz. 100–103).

SYMBOLEN

	Bezienswaardigheid
ᴹ	Metrohalte
	Busstation
	Tramhalte
	Kabelspoorweg
	Aanlegplaats
P	Parkeerplaats
i	Toeristenbureau
+	Ziekenhuis
	Politiebureau
	Kerk
	Synagoge
—	Stadswal

Zicht op de St.-Laurentiuskerk
Vanuit het Petřínpark hebt u prachtig uitzicht over Praag (blz. 141, Drie Wandelingen blz. 176–177).

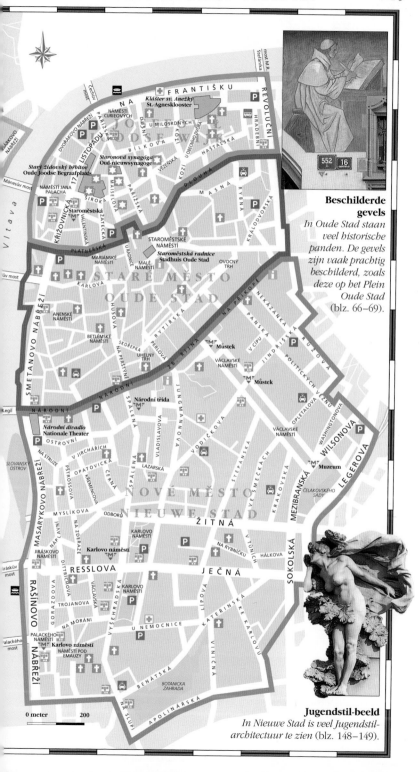

FRANTIŠKU

Klášter sv. Anežky
St.-Agnesklooster

Staronová synagóga
Oud-nieuwsynagoge

Starý židovský hřbitov
Oude Joodse Begraafplaats

NÁMĚSTÍ JANA
PALACHA

Staroměstská

STAROMĚSTSKÉ
NÁMĚSTÍ

Staroměstská radnice
Stadhuis Oude Stad

STARÉ MĚSTO
OUDE STAD

ANENSKÉ
NÁMĚSTÍ

BETLÉMSKÉ
NÁMĚSTÍ

Můstek

VÁCLAVSKÉ
NÁMĚSTÍ

Můstek

NÁRODNÍ

Národní třída

Národní divadlo
Nationale Theater

VÁCLAVSKÉ
NÁMĚSTÍ

Muzeum

NOVÉ MĚSTO
NIEUWE STAD

ŽITNÁ

Karlovo náměstí

JEČNÁ

RESSLOVA

Karlovo náměstí

NÁMĚSTÍ POD
EMAUZY

BOTANICKÁ
ZAHRADA

**Beschilderde
gevels**
*In Oude Stad staan
veel historische
panden. De gevels
zijn vaak prachtig
beschilderd, zoals
deze op het Plein
Oude Stad
(blz. 66–69).*

Jugendstil-beeld
*In Nieuwe Stad is veel Jugendstil-
architectuur te zien (blz. 148–149).*

0 meter   200

GESCHIEDENIS VAN PRAAG

Door zijn centrale ligging is Praag al sinds mensenheugenis een trekpleister voor handelslieden uit alle windstreken. Al in de 10de eeuw was het een bloeiende stad met een markt (op het Plein Oude Stad) en twee forten (de Praagse Burcht en Vyšehrad). De eerste heersers over Praag, de Přemysliden, beslechtten hun talloze familieveten hiervandaan. Zo werd prins Wenceslas in 935 bloedig vermoord door zijn broer Boleslav. Wenceslas werd later heilig verklaard en de voornaamste beschermheilige van Bohemen.

Het wapen van Praag

In de Middeleeuwen maakte Praag vooral onder de Duitse keizer Karel IV een grote bloei door. De stad was in die tijd groter dan Parijs en Londen. Karel, een zeer ontwikkeld man, hechtte veel belang aan de wetenschap en onder hem werd de universiteit van Midden-Europa gesticht. De eerste Tsjechische rector van de universiteit, Jan Hus, werd in 1415 wegens ketterij op de brandstapel ter dood gebracht, hetgeen tot de Hussietenoorlogen leidde. De taborieten, de radicaalste hussieten, werden in 1434 tijdens de Slag bij Lipany verslagen. Een opeenvolging van zwakke heersers bood de Oostenrijkse Habsburgers in de 16de eeuw de kans een uiteindelijk 400 jaar durende heerschappij te vestigen. Een van de meest verlichte Habsburgers was Rudolf II, wiens voorliefde voor kunst en wetenschap tot gevolg had dat de Renaissance wortel schoot in Praag. Rudolf stierf in 1612 en kort daarna leidde een protestantse opstand in de stad tot de Dertigjarige Oorlog. De gevolgen hiervan doorstond Praag slecht en sindsdien leefde de stad alleen in de 18de eeuw nog één keer op. Uit die tijd dateren de vele mooie barokke kerken en paleizen.

In de 19de eeuw ging het nationale bewustzijn een steeds grotere rol spelen. Monumentale gebouwen als het Nationale Museum, het Nationale Theater en het Rudolfinum getuigen van die periode. Maar pas in 1918 werd Praag hoofdstad van een onafhankelijk land, Tsjechoslowakije. Op de Duitse bezetting tijdens de Tweede Wereldoorlog volgde veertig jaar communistische dictatuur, waar pas een eind aan kwam met de 'Fluwelen Revolutie' in 1989. Na de tweedeling van het land in 1993 werd Praag hoofdstad van Tsjechië.

Uitzicht over Kleine Zijde en de Praagse Burcht, 1493

◁ *St.-Wenceslas en St.-Vitus*, door Bartholomaeus Spranger, rond 1600

Vorsten en regenten

De geschiedenis van Praag wordt overheerst door drie dynastieën: de Přemysliden, de Luxemburgers en de Habsburgers. Een Slavische legende wil dat de Přemysliden door prinses Libuše op de troon werden geholpen *(blz. 21)*. Tot haar nakomelingen hoorden Wenceslas en Ottokar II, wiens dood op het slagveld de weg voor het Luxemburgse Huis plaveide. Deze familie bracht een van de grootste vorsten voort die het land ooit meemaakte: Karel IV, koning van Bohemen en keizer van het Roomse Rijk *(blz. 24-25)*. In 1526 kregen de Oostenrijkse Habsburgers de troon in handen. Hun heerschappij duurde tot de onafhankelijkheid van Tsjechoslowakije in 1918, welk land in 1993 werd opgedeeld in Tsjechië en Slowakije.

De legendarische prinses Libuše

1346-1378 Karel IV

1453-1 Ladis Posthu

1310-1346 Jan de Blinde

1140-1172 Vladislav I

935-972 Boleslav I

1230-1253 Wenceslas I

1305-1306 Wenceslas III

1278-1305 Wenceslas II

1034-1055 Břetislav I

900	1000	1100	1200	1300	140
PŘEMYSLIDEN				LUXEMBURGSE HUIS	
900	1000	1100	1200	1300	140

972-999 Boleslav II

1061-1092 Vratislav II

921-935 Wenceslas

1173-1179 Soběslav II

1197-1230 Ottokar I

1253-1278 Ottokar II

1378-1419 Wenceslas IV

1419-1437 Sigismund

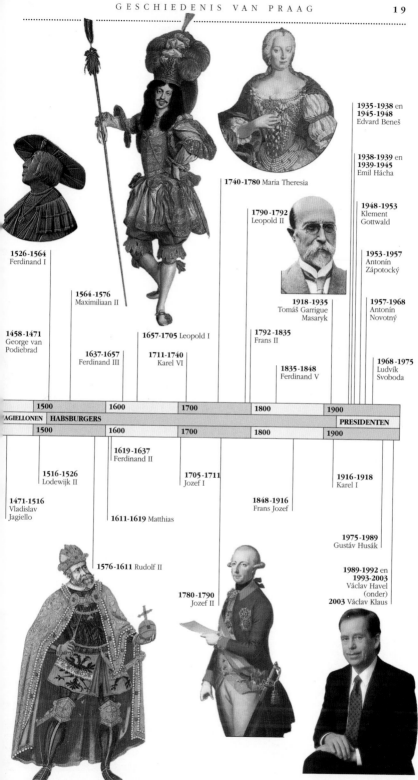

1935-1938 en
1945-1948
Edvard Beneš

1938-1939 en
1939-1945
Emil Hácha

1740-1780 Maria Theresia

1790-1792
Leopold II

1948-1953
Klement
Gottwald

1953-1957
Antonín
Zápotocký

1526-1564
Ferdinand I

1564-1576
Maximiliaan II

1918-1935
Tomáš Garrigue
Masaryk

1957-1968
Antonín
Novotný

1458-1471
George van
Podiebrad

1657-1705 Leopold I

1792-1835
Frans II

1637-1657
Ferdinand III

1711-1740
Karel VI

1835-1848
Ferdinand V

1968-1975
Ludvík
Svoboda

1500 1600 1700 1800 1900

JAGIELLONEN HABSBURGERS PRESIDENTEN

1500 1600 1700 1800 1900

1619-1637
Ferdinand II

1516-1526
Lodewijk II

1705-1711
Jozef I

1916-1918
Karel I

1471-1516
Vladislav
Jagiello

1848-1916
Frans Jozef

1611-1619 Matthias

1975-1989
Gustáv Husák

1576-1611 Rudolf II

1989-1992 en
1993-2003
Václav Havel
(onder)
2003 Václav Klaus

1780-1790
Jozef II

Praag onder de Přemysliden

D e eerste bewoners van de Vltava-vallei waren Keltische stammen, die zich er rond 500 v.C. vestigden. De Germaanse Marco- mannen verjoegen hen vlak voor het begin van de jaartelling, waarna Slavische stammen het gebied aan het begin van de 6de eeuw verover- den. Na veel strijd vestigden de Přemysliden rond 800 de eerste dynastie in de streek. De Praagse Burcht *(blz. 94-110)* en Vyšehrad *(blz. 178-179),* twee forten die honderden jaren de zetel van Tsjechische vorsten waren, dateren uit die periode. Voor Tsjechië was de vrome Wenceslas de belangrijkste heer- ser. Hij regeerde weliswaar slechts kort, maar de St.- Vitusrotonde *(blz. 102),* die onder hem werd gebouwd, is een van de belangrijkste erfgoederen van het land.

Oorring, 9de eeuw

OMVANG VAN DE STAD

▨ *1000*   ☐ *Heden*

De schildknaap van Boleslav
deelt de beslissen- de klap uit.

St.-Cyrillus en St.-Methodius
Deze twee Griekse broers uit Thessaloniki brachten het christen- dom in 863 naar Moravië. Ze doop- ten een van de eerste Přemysliden, Bořivoj, en zijn vrouw Ludmilla, de grootmoe- der van St.-Wenceslas.

De andere moordenaar
vecht met een gezel van de prins.

Oude munt
Tijdens de heer- schappij van Boleslav II (967- 999) werd dit soort zilveren dinars in Vyšehrad geslagen.

Beeld van wild zwijn
Keltische stammen maakten beeldjes van de dieren waar ze in de bossen rond Praag op joegen.

TIJDBALK

Bronzen hoofd van Keltische godin	**623-658** Bohemen maakt deel uit van het rijk van de Frankische koopman Samo		
	600 n.C.		**700**
500 v.C. Kelten in Bohemen, in de 1ste eeuw n.C. door Marco- mannen verdreven	**6de eeuw** Slaven vesti- gen zich tussen Germanen in Bohemen	**8ste eeuw** Tsjechische stam ves- tigt zich in Midden- Bohemen	*Vyšehrad, het eerste Tsjechische fort op de rechter- oever van de Vltava*

Zwaard en helm

St.-Wenceslas werd in de zuidelijke apsis van de St.-Vitusrotonde begraven. Zijn zwaard en helm werden als relikwieën bewaard en maken nu deel uit van de kerkschat van de kathedraal.

Wenceslas zoekt bescherming.

Een monnik sluit de deur voor Wenceslas.

PRINSES LIBUŠE

Volgens de legende stichtte prinses Libuše, hoofd van een West-Slavische stam, de Přemysliden. Zij merkte dat haar volk morde, volgde haar vader op en werd de eerste vrouwelijke heerser. Ze koos een boer (*Přemysl-Oráč*) als gemaal en leider en startte zo een dynastie die 400 jaar aan de macht bleef.

In een visioen zag prinses Libuše de glorietijd van Praag

St.-Vitusrotonde

Dit ronde bouwwerk werd een bedevaartsoord na de dood van de stichter, Wenceslas, in 929. Het stond op de plaats waar zich nu de St.-Wenceslaskapel bevindt.

Romeinse boogvensters

Ronde stenen muren

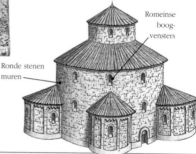

DE MOORD OP PRINS WENCESLAS

In 929 liet Boleslav zijn jonge broer Wenceslas vermoorden. Deze illustratie uit 1006 geeft het moment weer waarop Wenceslas, die net de kerk in wil gaan om de ochtendmis bij te wonen, wordt omgebracht.

Begin [...]stie der [...]ysliden

Vroegchristelijke hanger

921 Wenceslas wordt prins van Bohemen

870 Begin bouw Praagse Burcht

993 Bisschop Adalbert Vojtěch sticht klooster te Břevnov

900

1000

863 St.-Cyrillus en St.-Methodius brengen christendom naar Moravië

929 Dood van Wenceslas

920 Begin bouw St.-Jorisbasiliek in Praagse Burcht

Handschoen van bisschop Adalbert

Praag in de vroege Middeleeuwen

Het belang van de Praagse Burcht nam vanaf het begin van de 9de eeuw toe. De houten gebouwen vielen vaak ten prooi aan brand en werden door stenen bouwwerken vervangen, hetgeen een robuust romaans fort met een paleis en kerken opleverde. Om de oorspronkelijke stadswallen heen vestigden zich – aangemoedigd door eerst Vladislav II en later Ottokar II – handwerklieden en Duitse kooplui. Zo ontstond wat nu Kleine Zijde heet, een plaats die in 1257 stadsrechten verwierf. De Judithbrug verbond Kleine Zijde met Oude Stad.

De beginletter D uit de Codex Vyšehrad

OMVANG VAN DE STAD
■ *1230*   □ *Heden*

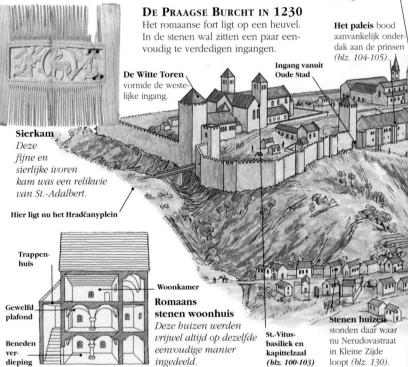

DE PRAAGSE BURCHT IN 1230
Het romaanse fort ligt op een heuvel. In de stenen wal zitten een paar eenvoudig te verdedigen ingangen.

St.-Jorisbasiliek en klooster *(blz. 98 en 106-109).*

Het paleis bood aanvankelijk onderdak aan de prinsen *(blz. 104-105).*

Ingang vanuit Oude Stad

De Witte Toren vormde de westelijke ingang.

Sierkam
Deze fijne en sierlijke ivoren kam was een reliekwie van St.-Adalbert.

Hier ligt nu het Hradčanyplein

Trappenhuis

Gewelfd plafond

Beneden verdieping

Woonkamer

Romaans stenen woonhuis
Deze huizen werden vrijwel altijd op dezelfde eenvoudige manier ingedeeld.

St.-Vitusbasiliek en kapittelzaal *(blz. 100-103)*

Stenen huizen stonden daar waar nu Nerudovastraat in Kleine Zijde loopt *(blz. 130).*

TIJDBALK

1040 Stoffelijk overschot St.-Adalbert naar Praag

1091 Markt Oude Stad voor het eerst genoemd door reizigers

1092-1110 Bewind Bretislav II

1110 Duitse nederzetting in Praag

1140 Stichting Strahovklooster

1050

1100

1070 Vyšehrad wordt tijdelijk onderkomen Tsjechische prinsen

St.-Adalbert met palmentak voor martelaren

1085 Vratislav I wordt eerste koning van Bohemen

1091 Grote brand in Praagse Burcht

1110-1120 Bewind Bořivoj II

1135 Tsjechische prinsen verhuizen van Vyšehrad naar Praagse Burcht

Romaans stenen beeld op toren van Judithbrug

St.-Agnes van Bohemen

Deze vrome vrouw, een zus van Wenceslas I, stichtte een clarissenklooster (blz. 92-93). Ze werd pas in 1989 heilig verklaard.

(blz. 92-93)

WAAR VINDT U HET ROMAANSE PRAAG

Er bevinden zich restanten in de crypte van de St.-Vituskathedraal (blz. 100-103), het George van Podiebrad-paleis (blz. 78) en het koninklijk paleis (blz. 104-105).

St.-Jorisbasiliek
De gewelven in de crypte dateren uit de 12de eeuw (blz. 98).

Vratislav II

De Codex Vyšehrad, een verluchtte samenvatting van het evangelie, werd in 1061 gemaakt ter ere van de kroning van Vratislav.

Bij de Zwarte Toren begon de weg naar de stad Kutná Hora *(blz. 168).*

Plein Kleine Zijde

St.-Martinusrotonde
Dit goed geconserveerde gebouw staat in Vyšehrad (blz. 179).

Ottokar II

De laatste koning der Přemysliden werd op het slagveld gedood toen hij zijn rijk verder trachtte uit te breiden.

Het wapen van Kleine Zijde
In deze 16de-eeuwse miniatuur is een portret van Vladislav II verwerkt.

1233 Stichting van St.-Agnesklooster

1257 Kleine Zijde krijgt stadsrechten

1182 Voltooiing ombouw Praagse Burcht in romaanse stijl

1258-1268 Strahovklooster na brand in gotische stijl herbouwd

| 1200 | 1250 | 1290 |

1212 Ottokar I ontvangt Gouden Bul van Bohemen, ter bevestiging van onafhankelijkheid Bohemen

Gouden Bul van Bohemen

1278 Ottokar II sneuvelt bij Marchfeld

1158 Aanleg Judithbrug *(blz. 136-139)*

De Gouden Eeuw van Praag

In de Late Middeleeuwen bereikte Praag het hoogtepunt van zijn roem. Keizer Karel IV van het Roomse Rijk maakte er zijn hoofdstad van. Met de stichting van een universiteit en de bouw van vele gotische kerken en kloosters wilde hij van Praag het centrum van Europa maken. Stedenbouwkundig droeg Karel

Geschenk van paus Urbanus V, 1368

met de verbouwing van de Praagse Burcht, de vervanging van de Judithbrug door een stenen overspanning en de aanleg van de wijk Nieuwe Stad veel aan de bloei van de stad bij. De zeer vrome Karel bewaarde naast zijn kroonjuwelen ook vele relikwieën in het fort Karlstein *(blz. 168-169).*

OMVANG VAN DE STAD

◻ *1350*   ◻ *Heden*

Karel IV draagt de keizerlijke kroon, afgezet met saffieren, robijnen en parels.

St.-Wenceslas-kapel

Karel bouwde deze kapel in de St.-Vituskathedraal ter onderstreping van zijn afstamming van de Přemysliden (blz. 100-103).

De keizer legt zijn stukje van het kruis in de schrijn.

St.-Wenceslaskroon

De kroon waarmee Karel in 1347 werd gekroond was ontworpen naar vroege Přemyslidische ordetekens.

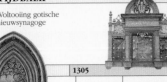

TIJDBALK

1280 Voltooiing gotische Oud-nieuwsynagoge

1344 Praag wordt van bisdom naar aartsbisdom gepromoveerd

Stadhuis, Plein Oude Stad

1333 Karel IV verhuist naar Praag

1305	1320	1335

1306 Einde Přemysliden -dynastie

1338 Jan de Blinde geeft toestemming voor bouw nieuw stadhuis Oude Stad

1310 Bezetting van Praag door Jan de Blinde

Portaal Oud-nieuwsynagoge

Karel, aartsbisschop Jan Očko en Boheemse beschermheiligen op votiefschilderij

St.-Vitus van Meester Theodorik
Dit is een werk uit een serie heiligenschilderingen die de Boheemse schilder voor de Heilige-Kruiskapel in slot Karlstein maakte.

Deze schrijn werd gemaakt om de nieuwe aanwinst in te bewaren.

Universiteitszegel
Het zegel stelt de overhandiging voor van de stichtingspapieren aan St.-Wenceslas.

Bouw Nieuwe Stad
Onder het toeziend oog van Karel werd in de 14de eeuw Nieuwe Stad aangelegd.

KAREL EN ZIJN RELIKWIEËN
Karel was een verwoed verzamelaar van relikwieën. Van de kroonprins kreeg hij rond 1357 een stuk van het kruis van Jezus. Deze muurschildering van de keizer is te zien in fort Karlstein.

WAAR VINDT U HET GOTISCHE PRAAG
Drie van de mooiste gebouwen in Praag behoren tot het gotisch erfgoed: de St.-Vituskathedraal *(blz. 100-103)*, de Karelsbrug *(blz. 136-139)* en de Oud-nieuwsynagoge *(blz. 88-89)*. Ook het Carolinum *(blz. 65)* dateert uit de tijd van Karel IV. De Týnkerk *(blz. 70)* heeft eveneens veel gotische kenmerken weten te behouden.

Carolinum
Dit elegante erkerraam komt uit de universiteit (blz. 65).

Bruggetoren Oude Stad
De decoratie is van de hand van Peter Parler (blz. 139).

1348 Karel IV sticht Karelsuniversiteit

1357 Start bouw Karelsbrug

Beeld Wenceslas IV in St.-Vituskathedraal van Peter Parler

1378 Wenceslas IV bestijgt troon

1391 Bouw Bethlehemkapel

1350 · 1365 · 1380 · 1395

1361 Geboorte Wenceslas IV, oudste zoon van Karel

1378 Karel IV sterft

1348 Karel IV sticht Nieuwe Stad

Bethlehemkapel

Praag tijdens de hussieten

George van Podiebrad

Een onverschrokken leger joeg heel Europa in de 15de eeuw de stuipen op het lijf: de hussieten. Deze volgelingen van de gereformeerde geestelijke Jan Hus boekten dank zij hun ongeëvenaarde fanatisme enkele legendarische militaire successen tegen de katholieke kruisvaarders. Hun grote leider was Jan Žižka, uitvinder van de verplaatsbare artillerie. Een schisma splitste de hussieten in gematigde utraquisten (*blz. 75*) en radicale taborieten. De radicalen werden in 1434 tijdens de Slag bij Lipany verslagen, waarna George van Podiebrad tot koning kon worden gekroond.

Protestbrief edelen

Aan de protestbrief tegen de executie van Jan Hus waren de zegels van honderden Boheemse edelen toegevoegd.

GODS STRIJDERS

De successen van de hussieten werden in de 16de-eeuwse Codex Jena verbeeld. Hier zingen ze hun strijdlied met hun eenogige leider Jan Žižka.

Jan Žižka

De priester hield een vergulde monstrans hoog.

Oorlogsapparaat

Boerenkarren moesten de hussieten tegen aanvallers beschermen. Hun wapenarsenaal bestond onder meer uit kruisbogen, vlegels en een vroege versie van de houwitser.

TIJDBALK

Jan Hus predikt

1402-1413 Jan Hus predikt in de Bethlehemkapel (*blz. 75*)

1415 Jan Hus op de brandstapel in Konstanz

1410 Excommunicatie Jan Hus. Aanleg klok stadhuis Oude Stad

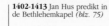
De kelk, het symbool van de utraquisten

1419 Defenestratie raadslieden in stadhuis Nieuwe Stad

1434 Slag bij Lipany

1424 Jan Žižka sterft

1420 Zeges hussieten bij Vitkov en Vyšehrad

De taborieten maakten dodelijke wapens van eenvoudige landbouwwerktuigen

1448 Het leger van George van Podiebrad verovert Praag

| 1400 | 1420 | 1440 |

Satan verkleed als de paus
Men marcheerde door de straten met satirische afbeeldingen over de corruptie in de kerk.

Het vaandel was met een hussitische kelk versierd.

De boeren gebruikten landbouwwerktuigen als wapens.

Hussietenschilden
De openingen tussen de boerenkarren werden afgeschermd met schilden als deze, waarop het wapen van Praag is afgebeeld.

Het boerenleger volgde Jan Žižka.

HERVORMER, JAN HUS

Jan Hus, afkomstig uit een klein Boheems stadje, werd een van de belangrijkste geestelijken van zijn tijd. Veel Tsjechen deelden zijn bezwaren tegen de corruptie en rijkdom van de katholieke kerk, die hij uitte tijdens preken in de Bethlehemkapel in Praag. Zijn enorme populariteit werd ook opgemerkt door het pauselijk gezag en als gevolg daarvan werd hij geëxcommuniceerd. Wenceslas IV, broer van keizer Sigismund, vroeg Hus in 1412 Praag te verlaten. In 1414 wilde Hus zijn leer tijdens het Concilie van Konstanz verdedigen. Ondanks de belofte van een vrijgeleide van de keizer werd hij gevangen genomen. Een jaar later werd hij tot ketter verklaard en op de brandstapel ter dood gebracht.

Jan Hus op de brandstapel
Jan Hus werd na zijn verbranding door de kerk op 6 juli 1415 een martelaar voor de Tsjechen.

1458
Kroning George van Podiebrad *(blz. 172)*

1485 Opstand hussieten in Praag

1492-1502 Bouw Vladislavzaal

| 1460 | 1480 | 1500 |

Een kelk op de Týnkerk toont de verbondenheid met de hussieten

1487 Eerste boek in Praag gedrukt

1485 Koning Vladislav Jagiello start verbouwing Koningspaleis in Praagse Burcht

Vladislav Jagiello

De Renaissance en Rudolf II

De Habsburgers namen de Renaissance met zich mee naar Praag. In de kunst en architectuur domineerden de Italianen, die vooral door keizer Rudolf II op handen werden gedragen. Rudolf gaf niet veel om politiek, hij hield zich liever bezig met wetenschap en kunst verzamelen. Voor kunstenaars, astrologen, astronomen en alchemisten was zijn heerschappij een mooie tijd, maar zijn gebrekkig leiderschap had vele opstanden en een poging van zijn broer om hem af te zetten tot gevolg.

Drinkkan uit de Renaissance Rudolfs kunstverzameling werd tijdens de Dertigjarige Oorlog *(blz. 30-31)* geplunderd.

OMVANG VAN DE STAD

▨ 1550   ▢ Heden

Visvijver

Daliborkatoren

Belvedere

Pergola

Rudolf II
Rudolf, die veel van het bizarre hield, was dol op dit 'groenteportret' van Giuseppe Arcimboldo (1590).

Boomgaard

Formele bloemenperken

Löwenhof

Bureaublad met mozaïek
Aan het hof van Rudolf werden tafelbladen met halfedelstenen ingelegd. Florentijnse tuinen waren daarin een geliefd onderwerp.

Rabbijn Löw
Van deze joodse wijsgeer werd gezegd dat hij een kunstmatig mens had uitgevonden (blz. 88-89).

TIJDBALK

1502 Bouw Vladislavzaal

1526 Ferdinand I als eerste Habsburger op de troon

1541 Grote brand in Kleine Zijde, de Praagse Burcht en Hradčany

1556 Ferdinand I haalt jezuïeten naar Praag

1520   1540   1560

Ferdinand I

1538-1563 Bouw Belvedere

1547 Mislukte opstand vanuit Praag tegen Ferdinand I

Vladislavzaal

Handvest voor textielbewerkers

Gezichtsvermogen
Dit schilderij van Jan Brueghel toont de omvang van Rudolf's verzameling: globes, beelden, schilderijen en wetenschappelijke apparaten.

Balhuis

Tycho Brahe
De Deense sterrenkundige stierf in Praag.

Een overdekte brug verbond het paleis met de tuin.

KONINKLIJKE TUIN
De Praagse Burcht werd van een middeleeuws fort tot een lusthof voor Rudolf en zijn gevolg. In de tuin organiseerde hij toernooien, hield hij paarden en kweekte hij exotische planten.

WAAR VINDT U HET PRAAG UIT DE RENAISSANCE

In de koninklijke tuin *(blz. 111)* is de geest van de Renaissance goed bewaard. De verzameling van Rudolf is te zien in het Sternbergpaleis *(blz. 112-115)*, de galerie van de Praagse Burcht *(blz. 98)* en het Kunstnijverheidsmuseum *(blz. 84)*.

Bij de Twee Gouden Beren
Dit huis uit 1590 is vooral beroemd om zijn symmetrische, houtgesneden deur (blz. 71).

Belvedere
Het reliëfwerk in het paleis is van de hand van Paolo della Stella (blz. 110).

Balhuis
Het sgraffito op de gevel van dit gebouw in de koninklijke tuin is prachtig hersteld (blz. 111).

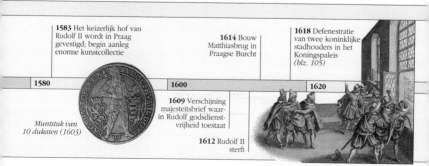

1583 Het keizerlijk hof van Rudolf II wordt in Praag gevestigd; begin aanleg enorme kunstcollectie

1614 Bouw Matthiasbrug in Praagse Burcht

1618 Defenestratie van twee koninklijke stadhouders in het Koningspaleis *(blz. 105)*

1580

1600

1620

Muntstuk van 10 dukaten (1603)

1609 Verschijning majesteitsbrief waarin Rudolf godsdienstvrijheid toestaat

1612 Rudolf II sterft

Het barokke Praag

De Tsjechische adel wees de Habsburgse keizer Ferdinand II in 1619 af als koning van Bohemen en zette Frederik van de Palts op de troon. De Slag bij de Witte Berg in 1620, waar de adel voor hun opstandigheid werd gestraft, betekende het feitelijke begin van de Dertigjarige Oorlog. Niet-katholieken werden wreed vervolgd en het land kwam steeds meer onder Duitse invloed. Deze strijd tegen de protestanten werd geleid door de jezuïeten, die als belangrijkste wapen de restauratie van hun kerken in Praag in barokke stijl hanteerden. Ook veel nieuwe kerken werden in deze stijl gebouwd.

OMVANG VAN DE STAD

☐ *1750*   ☐ *Heden*

Een beeld van Atlas
(1722) siert de top van de toren.

Spiegelkapel

St.-Nicolaaskerk
Deze prachtige barokke kerk in Kleine Zijde was een ontwerp van de familie Dientzenhofer (blz. 128-129).

Druiven-tuin

Het opmeten van de wereld
Kloosters waren soms wetenschappelijke instituten. In Strahov (blz. 120-121) waren de twee bibliotheken met barokke fresco's opgesierd.

St.-Salvator-kerk

TIJDBALK

1620 Slag bij de Witte Berg

Het wapen van Oude Stad, versierd met de keizerlijke adelaar en 12 vlaggen die verwijzen naar de verdediging van de stad tegen de Zweden

1706-1714 Karelsbrug met beeldhouwwerk versierd

1627 Start Contrareformatie in Praag

1625	1645	1665	1685	170

1621 Executie 27 protestantse leiders op Plein Oude Stad

1634 Wallenstein door Ierse huurlingen vermoord

1648 Praagse Burcht bezet door Zweden. Vrede van Münster maakt einde aan Dertigjarige Oorlog

1704-1753 St.-Nicolaaskerk in Kleine Zijde gebouwd

1631 Praag bezet door Saksen

1676-1678 Fort Vyšehrad verstevigd

Slag bij de Witte Berg
*Het leger van de Habsburgers ver-
sloeg de Tsjechen in 1620 bij Bílá
Hora (Witte Berg) ten noordwesten
van Praag* (blz. 163).

Sterrenwacht

De St.-Clemenskerk
bezorgde het hele
complex zijn naam.

**Italiaanse
kapel**

Monstrans
*Monstransen,
die werden ge-
bruikt om de hei-
lige hostie te tonen,
werden allengs sierlijker*
(blz. 116-117).

CLEMENTINUM
De jezuïeten beheersten het onderwijs. Tussen
1653 en 1723 bouwden ze het Clementinum, na
de Praagse Burcht het grootste gebouw in de stad.
Het omvatte drie kerken, kleinere kapelletjes, bibliotheken, collegezalen en een sterrenwacht.

WAAR VINDT U HET BAROKKE PRAAG

De Barok is overal in Praag.
De kerken dateren uit die
tijd of werden naar de stijl
van die pêriode herbouwd.
De St.-Nicolaaskerk *(blz.
128-129)* is de mooiste. Veel
gebouwen in Kleine Zijde
(blz. 122-141), gevels in
Oude Stad *(blz. 60-79)*,
beeldhouwwerk op kerken,
straathoeken en de
balustrade van de Karelsbrug
dateren ook uit die tijd.

Nerudovastraat
*De markante barokke gevel-
steen op nr. 16 is bewaard gebleven* (blz. 130).

Karelsbrug
*Dit beeld van St.-Franciscus
van Borgia werd in 1710 op de
brug geplaatst* (blz. 136-139).

Mozart in Bertramka (blz. 160)

1740 Keizerin Maria
Theresia bestijgt
troon

Maria Theresia

1748 Boheemse
kanselarij raakt alle
macht kwijt

1773 Jezuïeten
ontbonden

1784 Vier steden
samengevoegd tot
de stad Praag

| 1725 | 1745 | 1765 | 1785 |

1757 Belegering
van Praag door
Pruisen

1782 Sluiting
alle kloosters

1787 Mozart bereidt in
Bertramka de première
van *Don Giovanni* in het
Standentheater voor

De wedergeboorte van Praag

Keizer Frans Jozef

In de 19de eeuw maakte Praag een grote bloei door. Het Oostenrijkse gezag liet de teugels vieren, waardoor de Tsjechen gelegenheid kregen hun eigen geschiedenis en cultuur te ontdekken. Tsjechisch werd na vele eeuwen weer de officiële taal en de bouw van monumenten als het Nationale Theater, waar vele Tsjechische architecten en kunstenaars aan meewerkten, versterkte het nationale bewustzijn. Oude Stad en de Joodse Wijk werden ingrijpend opgeknapt en ook naar buiten toe breidde de stad zich fors uit.

OMVANG VAN DE STAD

☐ 1890   ☐ Heden

Libuše van Smetana
Deze opera, geschreven voor de opening van het Nationale Theater (1881), gaat over een oude Tsjechische legende (blz. 20-21).

Dagen van
het jaar

Maanden en tekens van sterrenbeelden draaien om het midden.

**Wapen
Oude Stad**

Rudolfinum
Dit muziektheater aan de oever van de Vltava (blz. 84) *is rijk versierd met muzikale ornamenten.*

KLOK OP TOREN VAN STADHUIS OUDE STAD

Josef Mánes ontwierp in 1866 de nieuwe wijzerplaat van de klok op de toren van Stadhuis Oude Stad. Het werk combineert beelden van Boheemse plattelandsleven met symbolische weergaven van de maanden van het jaar.

TIJDBALK

1805 Napoleon verslaat Tsjechen, Oostenrijkers en Russen in de Slag bij Austerlitz

1833 De Engelsman Edward Thomas introduceert de stoommachine

1818 Oprichting Nationale Museum

Het uurwerk aan de oostkant van toren van het Stadhuis Oude Stad

1848 Bevolking Praag komt in opstand tegen Oostenrijkse leger

1800	1820	1840

1815 Eerste rit van een door stoom aangedreven voertuig

1838-1845 Renovatie Stadhuis Oude Stad

1845 Eerste trein in Praag

1868 F steen Natie Th g

De Slag bij Austerlitz

Affiche Expo 95
Dit affiche van Vojtěch Hynais werd voor de etnografische folkloretentoonstelling van 1895 ontworpen. Het Jugendstil-werk weerspiegelde de herwaardering voor regionale tradities.

WAAR VINDT U HET PRAAG VAN 1900

Vele monumenten, zoals het Nationale Theater, dateren uit deze periode. Het Representatiehuis *(blz. 64)* met muurschilderingen van Mucha is een mooi voorbeeld van Jugendstil-architectuur. De interieurs van het Rudolfinum *(blz. 84)* en het Nationale Theater *(blz. 156-157)* zijn opgesierd met werken van kunstenaars uit de periode rond de eeuwwisseling. Het Museum van de Hoofdstad Praag stelt veel kunst uit die periode tentoon.

December   Boogschutter

Representatiehuis
Nationale deugd is het thema van Alfons Mucha's Jugendstil-interieur.

Joodse Wijk
De krotten in deze wijk werden vanaf 1897 door modernere gebouwen vervangen.

Nationale Museum
Het gebouw is van verre zichtbaar (blz. 147).

Nationale Theater
Muurschilderingen van Tsjechische kunstenaars (blz. 156-157).

Nationale Theater

1881 Het net geopende ale Theater gaat in vlam-op en wordt herbouwd

1883 Heropening Nationale Theater

1891 Wereldtentoonstelling

1896 Elektrische tram vormt eerste openbaar vervoer

1912 Opening Representatiehuis

1914 Begin Eerste Wereldoorlog

1916 Keizer Frans Jozef sterft

1880   1900

1884-1891 Bouw Nationale Museum

1883 Eerste elektrische straatverlichting

1897-1917 Getto Joodse Wijk gesaneerd

Eerste tram

In het boek De brave soldaat Schwejk (blz. 154) worden het Oostenrijkse leger en de oorlog in het algemeen op de hak genomen

Onafhankelijk Praag

Metronoom in Letnápark

Tsjechoslowakije werd binnen 20 jaar na de onafhankelijkheid een speelbal van de internationale politieke chicanes die aan de Tweede Wereldoorlog voorafgingen. Na de oorlog werd het naziregime vervangen door een communistische regering. Het gezag hield de touwtjes jarenlang strak, ondanks pogingen van de intelligentsia om tot eerbediging van de burgerrechten te komen. Uiteindelijk leidde het aanhoudende verzet tot de Fluwelen Revolutie, die de schrijver Václav Havel naar het balkon van de Praagse Burcht voerde en het begin van een nieuw, onafhankelijk Tsjechoslowakije inleidde. In 1993 werden Tsjechië en Slowakije twee aparte republieken.

1945 Op 9 mei wordt het Russische leger na vier dagen opstand stormachtig verwelkomd. In oktober vormt Beneš voorlopige regering

1935 Edvard Beneš volgt Masaryk op als president. De latere Sudetendeutsche Partei van Konrad Henlein trekt veel stemmen

1920 Linkse kunstenaars richten in een Praags café de Devětsilbeweging op

1938 Op Conferentie van München wordt deel Tsjechoslowakije aan Hitler overgedragen

1952 Na het Slánský-proces, het beroemdste schijnproces uit die tijd, worden elf politici als verraders en trotskisten opgehangen

Edvard Beneš

1918	1930	1940	1950

1918	1930	1940	1950

1924 Franz Kafka, schrijver van *Het proces,* sterft

1932 In het Strahovstadion wordt het traditionele turngala *(slet)* gehouden

1942 Heydrich, *Reichsprotektor,* door het Tsjechische verzet vermoord

1955 Het grootste standbeeld van Lenin ter wereld in het Letnápark onthuld

1958 Première van de tekenfilm *De uitvinding van vernietiging* van regisseur Karel Zeman

1948 Communisten grijpen onder Klement Gottwald de macht

1918 Tomáš Masaryk wordt eerste democratisch gekozen president van Tsjechoslowakije

1939 Duitse troepen bezetten Praag. De stad wordt hoofdstad van het nazi-protectoraat Bohemië-Moravië en Emil Hácha is president onder het Duitse protectoraat

Affiche waarop terugkeer van de president (21 december 1918) wordt herdacht

1966 *Houd die trein in het oog* van Jiří Menzel wint Oscar voor beste buitenlandse film

1989 De Fluwelen Revolutie: stakingen en demonstraties leiden tot oprichting Burgerforum door Havel. Een voorlopige regering belooft vrije verkiezingen. President Husák neemt ontslag en Havel wordt zijn opvolger

1968 Alexander Dubček gekozen tot partijsecretaris

1990 Eerste vrije verkiezingen in 60 jaar leveren opkomst van 99 procent op, waarvan 60 procent op de coalitie Burgerforum/Publiek tegen geweld stemt

1992 Tsjechoslowakije wordt opgesplitst in twee delen

1999 De Republiek Tsjechië sluit zich aan bij de NAVO

1962 Stalins standbeeld in het Letná-park verwoest (in 1991 vervangen door een enorme metronoom)

1979 Václav Havel richt Comité op voor ten onrechte vervolgden en wordt gevangengezet

2002 Praag wordt getroffen door de ergste overstroming in 150 jaar

2004 Tsjechië wordt lid van de EU

1970	1985	2000
1970	1985	2000

Tsjecho-aakse Socialisti-Republiek) uitgeroepen

1969 Jan Palach verbrandt zichzelf uit protest tegen de Russische bezetting

1993 Praag benoemd tot hoofdstad Tsjechië

2002 De grootste demonstraties sinds het einde van het communisme dwingen Hodc ertoe om af te treden als directeur-generaal van de staatstelevisie

1967 Partijsecretaris/president Antonin Novotný sluit dissidente schrijvers op

1977 Charta '77, beweging voor mensenrechten, opgericht na arrestatie van de band Plastic People

1984 Jaroslav Seifert, ondertekenaar Charta '77, wint Nobelprijs voor literatuur, maar kan die in de gevangenis niet in ontvangst nemen

1989 Heiligverklaring St.-Agnes van Bohemen *(blz. 92-93)*, 4 november. De Tsjechische dissident Gustav Makarius krijgt opdracht van het Vaticaan een schilderij van de gebeurtenis te maken. De Tsjechische legende dat de heiligverklaring met een wonder gepaard gaat, komt uit als op 17 november de Fluwelen Revolutie begint

Het wapen van de president van Tsjechië voert als motto 'de waarheid wint' en bestaat verder uit de wapens van Bohemen (linksboven, rechtsonder)*, Moravië* (rechtsboven) *en Silezië* (linksonder)

1968 De gematigde Alexander Dubček kondigt met tal van hervormingen de Praagse Lente aan. Op 21 augustus wordt Tsjechoslowakije door het Warschaupact bezet, waarbij meer dan 100 doden vallen

PRAAG IN HET KORT

In het hoofdstuk *Praag van buurt tot buurt* worden bijna 150 attracties beschreven. Deze variëren van het oude Koningspaleis waar de defenestratie in 1618 *(blz. 105)* plaatsvond tot kubistische huizen in de Joodse Wijk uit het begin van deze eeuw *(blz. 91)* en van het rustige Petřínpark *(blz. 141)* tot de drukte op het Wenceslasplein *(blz. 144-145).*

Op de volgende twaalf bladzijden worden de belangrijkste attracties van Praag beschreven. Musea en galeries, kerken en synagogen, paleizen en hun tuinen komen allemaal aan bod. U vindt ook een verwijzing naar de uitgebreidere beschrijving van de bezienswaardigheden. De hieronder genoemde attracties mag u niet missen.

DE TIEN MOOISTE BEZIENSWAARDIGHEDEN VAN PRAAG

Plein Oude Stad
Bladzijde 66-69

Nationale Theater
Bladzijde 156-157

St.-Nicolaaskerk
Bladzijde 128-129

Karelsbrug
Bladzijde 136-139

Stadhuis Oude Stad
Bladzijde 72-74

St.-Vituskathedraal
Bladzijde 100-103

Wallensteinpaleis en -tuin *Bladzijde 126*

Oude joodse begraaf-plaats *Bladzijde 86-87*

Praagse Burcht
Bladzijde 96-97

St.-Agnesklooster
Bladzijde 92-93

◁ **Allegorie van de waakzaamheid (Mucha) in de burgemeesterskamer van het Representatiehuis** *(blz. 64)*

Hoogtepunten: musea en galeries

De meer dan twintig musea en bijna 100 galeries en expositieruimten van Praag vormen een vat vol verrassingen. De religieuze meesterwerken uit de Middeleeuwen wedijveren met de overvloed aan Jugendstil en de grote hedendaagse kunstenaars. Sinds 1989 zijn er veel galeries met modern werk bijgekomen. Vele musea zijn gewijd aan de geschiedenis van het land, de stad en de Pragenaren zijn vaak gevestigd in monumentale gebouwen die op zich al kunstwerken zijn. Op deze kaart vindt u enkele hoogtepunten, op de bladzijden 40-41 staat een uitgebreider overzicht.

St.-Jorisklooster
Een van de fraaie Boheemse barokke werken die hier te zien zijn, is dit portret van de Italiaanse edelsteenbewerker Dionysius Miseroni en zijn gezin door Karel Škréta.

Sternbergpaleis
Het paleis heeft een prachtige verzameling Europese kunst, waaronder Rosenkranzfest van Albrecht Dürer (1506).

Praagse Burcht en Hradčany

Kleine Zijde

Loreto-heiligdom
De kern van de verzameling religieuze sierkunst bestaat uit offergaven van de plaatselijke aristocratie. Gravin Wallenstein schonk deze met juwelen ingelegde boomvormige monstrans in 1721 aan de schatkamer.

Smetanamuseum
De Tsjechische componist staat centraal in dit museum aan de rivier die hem tot een van zijn beroemdste werken inspireerde – de Vltava (Moldau).

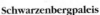

Schwarzenbergpaleis
In dit sierlijke renaissancistische paleis vindt u het Museum voor Militaire Geschiedenis met aandenkens aan vroegere oorlogen.

VLTAVA

Kunstnijverheidsmuseum

De collectie kunst en kunstnijverheid beslaat vijf eeuwen en vooral het glas, meubilair en de grafische kunst zijn erg mooi. Deze beschilderde houten kist dateert uit 1612.

St.-Agnes van Bohemen-klooster *Hier vindt u de 14de-eeuwse* Wederopstanding van Christus *van de Meester van het Třeboň-altaar.*

Maiselsynagoge

In dit en andere gebouwen van het Joods Museum is een van de belangrijkste collecties judaïca onder-gebracht. U ziet er onder meer religieuze attributen, meubilair en boeken. Deze bladzijde komt uit een manuscript van Pesach Haggadah *uit 1728.*

Joodse Wijk

Oude Stad

0 meter   500

Nationale Museum

Het geraamte van een walvis overheerst an-der tentoongesteld materiaal in een van de zeven aan de zoö-logie gewijde zalen. Mineralen en meteo-rieten zijn ook ruim vertegenwoordigd.

New Town

Dvořákmuseum

Deze altviool was eigendom van de invloedrijke 19de-eeuwse Tsjechische componist. U kunt hem samen met andere memorabilia in een sierlijk paleisje bewonderen.

De musea en galeries verkennen

In de musea krijgt u een boeiend beeld van de geschiedenis van de Tsjechen en de joodse bevolking in Praag. Ook de kunst uit de Gotiek, Barok en de periode van de wedergeboorte in de 19de eeuw is opzienbarend. De grote musea kampen met een tekort aan ruimte, maar er wordt gewerkt aan uitbreiding van de mogelijkheden om de kunst tentoon te stellen.

Houtsnijwerk aan de gevel van het Kunst-nijverheidsmuseum

TSJECHISCH SCHILDER- EN BEELDHOUWERK

De omvangrijkste en belangrijkste kunstverzameling in Praag vindt u in de Nationale Galerie. De Tsjechische kunst is over drie gebouwen verdeeld: Middeleeuwse kunst in het **St.-Agnesklooster**, 16de- tot 18de-eeuwse kunst in het **St.-Jorisklooster** en 19de- en 20ste-eeuwse kunst in het **Beurspaleis.**
De **Schilderijengalerie van de Praagse Burcht** herinnert aan de ooit zo grootse kunstverzameling van keizer Rudolf II. Behalve schilderijen

Handel van
Otto Gutfreund (1923), Beurspaleis

ziet u er aanwijzingen die duidelijk maken hoe omvangrijk die collectie vroeger was. In het St.-Jorisklooster vindt u ook renaissancistische en barokke werken uit Bohemen. De collectie bevat onder andere doeken van de barokke schilders Karel Škréta en Petr Brandl. Binnen de muren van de Praagse Burcht bevindt zich verder de St.-Vitusschat. Voor deze collectie religieus getinte werken, met een Madonna uit de school van Meester Theodorik, is momenteel geen expositieruimte beschikbaar.
In het Lapidarium van het **Jaarbeurscomplex** krijgt u een indruk van Tsjechisch beeldhouwwerk door de eeuwen heen. U vindt er ornamenten die van de Karelsbrug afkomstig zijn en de Mariazuil die vroeger op het Plein Oude Stad stond.
In het **St.-Agnes van Bohemen-klooster** kunt u Boheemse en Midden-Europese middeleeuwse schilderijen en beelden zien, waaronder panelen geschilderd door Meester Theodorik en Karel IV. In de Hoofdstedelijke Galerie bevindt zich 19de- en 20ste-eeuwse kunst uit de stad zelf. Het barokke **Trojapaleis**, een dependance van de Hoofdstedelijke Galerie, biedt wisselende tentoonstellingen die worden samengesteld uit de 3000 schilderijen, 1000 beelden en 4000 reproducties die men in bezit heeft. Het prachtige Centrum voor Moderne en Eigentijdse Kunst in het **Beurspaleis** biedt vrijwel elke 19de- en 20ste-eeuwse artistieke

Madonna Aracoeli, 14de eeuw, St.-Vitusschat, Praagse Burcht

beweging. Goed vertegenwoordigd zijn onder andere Romantiek, Art Nouveau en Otto Gutfreund. Er is veel materiaal van avant-gardisten.

EUROPEES SCHILDER- EN BEELDHOUWWERK

In het **Sternbergpaleis** kunt u een heel bijzondere verzameling werken van de grote Europese kunstenaars door de eeuwen heen aanschouwen. De hoogtepunten uit de collectie zijn *Rozenkranzfest* van Albrecht Dürer en *Hooioogst* van Pieter Brueghel de Oudere, maar verder beschikt het museum over vele werken van 17de-eeuwse Hollandse meesters, zoals Rubens en Rembrandt. Het Centrum voor Moderne en Eigentijdse Kunst in het Beurspaleis heeft een prachtige verzameling Picasso's, enkele fraaie bronzen van Rodin en schilderijen van bijna alle vooraanstaande impressionisten, postimpressionisten en fauvisten. Zelfportretten zijn er van Paul Gauguin (*Bonjour monsieur Gauguin*, 1889), Henri Rousseau (1890) en Pablo Picasso (1907). Er worden ook moderne Duitse en Oostenrijkse schilderijen getoond, met werken van Gustav Klimt en Egon Schiele. De Tsjechische avant-gardistische kunst is zeer beïnvloed door *Dans aan de oever* van de Noor Edvard Munch. Meer Europese kunst, vooral van schilders uit de 16de tot 18de eeuw, kunt u in de **Schilderijengalerie van de Praagse Burcht** zien. Er hangen onder meer werken van grote Europese kunstenaars als Titiaan, Rubens en Tintoretto.

MUZIEK

A an twee Tsjechische componisten en één Oostenrijkse zijn speciale musea gewijd. In het **Smetana-**, het **Dvořák-** en het **Mozartmuseum** worden partituren, correspondentie en andere herinneringen aan de drie tentoongesteld. Op het plein voor het Mozartmuseum worden 's zomers concerten gegeven.

Het Museum voor Muziekinstrumenten, Ujezd 40, Praag 1 (tel. 25 75 33 459), bezit vele zeldzame en oude instrumenten en partituren van componisten, zoals van J. Haydn.

GESCHIEDENIS

D e geschiedkundige collectie van het **Nationale Museum** vindt u in de hoofdvestiging aan het Wenceslasplein en in de Praagse Burcht. De verzameling in de Praagse Burcht, ondergebracht in het **Lobkowitzpaleis**, richt zich op het dagelijks leven en de Tsjechische volkscultuur.

Barok Boheems glaswerk (1730), Kunstnijverheidsmuseum

Het **Hoofdstedelijk Museum Praag** heeft de geschiedenis van de stad als onderwerp. U kunt er stijlkamers, historische reproducties en een door de lithograaf Anthonín Langweil gemaakte reconstructie van Praag uit de 19de eeuw bezichtigen. Dependances van het museum in Výtoň aan de Vltava en Vyšehrad richten zich op respectievelijk het oude dorpsleven en de geschiedenis van deze vroegere zetel van vorstenhuizen.

Het renaissancistische **Schwarzenbergpaleis** is een mooie omgeving voor de collectie van het Museum voor Militaire Geschiedenis.

Het Joods Museum is verspreid over onder meer de **Hoge Synagoge**, de **Maiselsynagoge** en de **Oude Joodse Begraafplaats** in de Joodse Wijk. De nazi's legden de basis voor de collectie met hun gruwelijke plan om een 'museum voor een uitgestorven ras' in te richten. Ook zijn er tekeningen van kinderen uit het concentratiekamp Theresienstadt.

KUNSTNIJVERHEID

H oewel de verzameling glaswerk, porselein, tin, meubilair, textiel, boeken en affiches in het **Kunstnijverheidsmuseum** tot de hoogtepunten in Praag behoort, is slechts een klein gedeelte van de collectie te aanschouwen. Zowel in het museum zelf als op andere plaatsen in de stad worden wel regelmatig exposities van onderdelen van de verzameling gehouden.

In andere musea is ook van alles te zien, van de sierlijke monstransen – waaronder een met 6222 ingelegde diamanten – in het **Loretoheiligdom** tot eenvoudig meubilair in het **Hoofdstedelijk Museum Praag**. Een collectie Midden-Amerikaanse kunst uit het precolumbiaanse tijdperk is te zien in het **Náprstekmuseum**.

Astrolabium, 16de eeuw, Technisch Museum

WETENSCHAP EN TECHNIEK

I n de grootste zaal van het **Technisch Museum** vindt u boven de oude auto's, motoren en stoommachines de eerste soorten vliegmachines. In andere afdelingen wordt bijvoorbeeld de ontwikkeling van de elektronica in beeld gebracht. De boeiende sterrenkundige afdeling kan worden gezien als hommage aan Tycho Brahe en Johannes Kepler, die beiden in Praag studeerden en niet de geringste namen zijn op hun gebied.

Hoogtepunten: kerken en synagogen

Aan de heilige gebouwen in Praag kunt u de architectonische ontwikkelingen in Praag goed aflezen. Daarnaast weerspiegelen ze de kerkelijke en politieke strubbelingen en de opkomst en het verval van Praag door de eeuwen heen. Op deze kaart vindt u de architectonische hoogtepunten, een uitgebreidere beschouwing staat op de bladzijden 44-45.

St.-Jorisbasiliek
Dit laat-gotische reliëf toont St.-Joris, die het zwaard heft om de draak neer te steken. U vindt het boven de fraaie renaissancistische zuidelijke ingang.

St.-Vituskathedraal
De St.-Wenceslaskapel is de parel van de kathedraal. De muren zijn versierd met halfedelstenen, verguldsel en fresco's. Het fresco boven het gotische altaar beeldt de vierde vrouw van Karel IV, Elisabeth van Pommeren, biddend uit.

Praagse Burcht en Hradčany

Loretoheiligdom
De relikwieën van de Heilige Maagd zijn al sinds 1626 een bedevaartsplaats. De barokke torenklok klinkt elk uur.

Kleine Zijde

St.-Thomaskerk
Het geraamte van St.-Justinus wordt in een glazen doodskist onder de Kruisiging *van Antonín Stevens bewaard.*

St.-Nicolaaskerk
Dit prachtige, hoogbarokke bouwwerk staat in het hart van Kleine Zijde. De koepel boven het hoofdaltaar is zo hoog dat de eerste gelovigen bang waren dat het elk ogenblik kon instorten.

Týnkerk
Deze kerk met zijn twee spitse torens beheerst de oostkant van het Plein Oude Stad. De combinatie van gotische, renaissancistische en barokke stijlen in het interieur is fascinerend.

Oud-nieuwsynagoge
De oudste Praagse synagoge dateert uit de 13de eeuw. De twaalf druiventrossen die in het hoofdportaal zijn gebeeldhouwd, staan voor de stammen van Israël.

Joodse
Wijk

Oude Stad

St.-Jacobskerk
De in 1374 gewijde kerk werd na een brand in 1689 geheel in barokke stijl herbouwd. Het grafmonument van graaf Jan Vratislav van Mitrovice is typerend voor de grandeur uit die tijd. Door zijn goede akoestiek en het mooie orgel is de kerk erg in trek voor concerten.

Emmaüsklooster
De fresco's in de kruisgangen van drie gotische schilders stellen gebeurtenissen uit het Oude en Nieuwe Testament voor.

Nieuwe Stad

0 meter   500

St.-Petrus en Pauluskerk
Sinds de bouw in de 11de eeuw is deze kerk heel vaak verbouwd, voor het laatst aan het einde van de 19de eeuw. De hoofdingang wordt opgesierd met dit reliëf van Het Laatste Oordeel.

Kerken en synagogen verkennen

Onder Karel IV *(blz. 24-25)* bereikte de bouw van godshuizen, waar al in de 9de eeuw mee was begonnen, zijn hoogtepunt. De eerste sporen van een synagoge dateren uit de 11de eeuw, maar tijdens de renovatie van het joodse getto in de 19de eeuw gingen drie andere verloren. Zowel de Hussieten-oorlogen *(blz. 26-27)* als de diverse regeringen in de 20ste eeuw richtten veel schade aan, maar tegenwoordig zijn de kerken en synagogen weer zo veel mogelijk opgeknapt, en vele kunnen bezocht worden.

Altaar van het kapucijnenklooster

ROMAANSE STIJL

In Praag kunt u nog drie redelijk bewaard gebleven rotonden bekijken. De oudste is de **St.-Martinusrotonde**, de andere zijn de Heilige Kruis- en de St.-Longinusrotonde. Ze zijn erg klein, de doorsnee van het schip is niet meer dan 6 m.

De **St.-Jorisbasiliek** is veruit de best behouden romaanse kerk. Hij werd in 920 door prins Vratislav gebouwd. Na een brand in 1142 volgde

St.-Martinusrotonde, Vyšehrad, 11de eeuw

wederopbouw, maar de kansel met daarboven een paar prachtige fresco's zijn nog juweeltjes uit de laat-romaanse periode.

Branden, oorlogen en veelvuldige renovaties hebben de romaanse kern van het in 1142 door prins Vladislav *(blz. 22-23)* gebouwde **Strahovklooster** niet aangetast.

GOTIEK

De Gotiek bereikte Bohemen rond 1230 en de religieuze architectuur verwerkte de kenmerkende geribbelde gewelven en de lucht- en spitsbogen al snel in de ontwerpen.

Het eerste gotische gebouw was het **St.-Agnes van Bohemen-klooster** dat de zus van Wenceslas I, Agnes, in 1233 liet bouwen. Hoewel de **Oud-nieuwsynagoge** uit 1270 stilistisch nogal afwijkt, blijft het een prachtig voorbeeld van vroeg-gotische bouw. Het mooiste gotische gebouw in Praag is de **St.-Vitus-kathedraal**. Het enorme

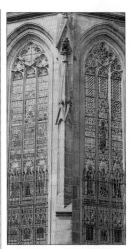

De gotische ramen aan de oostzijde van de St.-Vituskathedraal

schip en de fijne tracering laten de stijl mooi uitkomen. Andere gotische kerken zijn de **Týnkerk** en de **Maria-Sneeuwkerk**.

De gotisch herbouwde **Bethlehemkapel**, waar Jan Hus *(blz. 27)* gedurende 10 jaar predikte, is van historisch belang. De prachtige gotische fresco's in het **Emmaüsklooster** zijn tijdens de Tweede Wereldoorlog zwaar beschadigd.

RENAISSANCE

De Renaissance ontwikkelde zich rond 1530 onder invloed van vele in Praag wonende Italiaanse kunstenaars. De stijl heeft meer wereldlijke dan kerkelijke gebouwen nagelaten. Pas onder Rudolf II (1576-1611) werden er meer kerken gebouwd. In de **Hoge**

KOEPELS EN SPITSEN

Praag is het eenvoudigst te herkennen aan zijn vele kerktorens en -koepels. Wie vanaf een hooggelegen punt op Praag neerkijkt, ziet een bonte verzameling spitsen, koepels en torens: gotische en neogotische gebouwen hebben hele spitse torens, terwijl de barokke kerken rond gevormd zijn. De bovenkant van het Emmaüs-klooster, die na een luchtaanval tijdens de Tweede Wereldoorlog werd vervangen, is een van de zeldzame moderne constructies die de Praagse kerkbouw rijk is. De twee elkaar snijdende spitsen verlevendigen het toch al boeiende silhouet van Praag verder.

gotisch

Týnkerk (1350-1511)

barok

St.-Nicolaaskerk (Kleine Zijde) 1750

Synagoge en de **Pinkas-synagoge** is de stijl uit die tijd terug te vinden: bij eerstgenoemde aan de buitenkant, de andere was oorspronkelijk gotisch. De St.-Rochuskerk in het **Strahovklooster** is het mooiste voorbeeld van het laat-renaissancistische maniërisme.

Renaissancistische gewelven in de Pinkassynagoge (1535)

BAROK

Onder invloed van de Contrareformatie *(blz. 30-31)* werden veel nieuwe kerken gebouwd en oudere aan de stijl van die tijd aangepast. De eerste barokke kerk in Praag was de **St.-Maria de Victoriakerk** uit 1611-1613. De bouw van de **St.-Nicolaaskerk** in Kleine Zijde vergde 60 jaar. Het overdadige interieur en de fresco's maken het tot het belangrijkste barokke gebouw in Praag, vóór het **Loretoheiligdom** (1626-1750) en het daarnaast gelegen **kapucijnenklooster**. Vader en zoon Christoph en Kilian Ignaz Dientzenhofer ontwierpen de beide gebouwen, evenals de **St.-Johannes Nepomuk-op-de-Rotskerk** en de **St.-Nicolaaskerk** in Oude Stad.

Het jezuïtische **Clementinum** bezet een voorname plaats in de geschiedenis van Praag.

De **St.-Salvatorkerk** was het bij de universiteit behorende, invloedrijke godshuis.

De **Klausensynagoge** met zijn gepleisterde tongewelven, waar nu het Joods Museum is gevestigd, werd in 1689 gebouwd. Verder kregen veel oudere gebouwen een opknapbeurt in barokke stijl.

Neogotisch portaal, St.-Petrus en Pauluskerk, 19de eeuw

NEOGOTIEK

De **St.-Vituskathedraal** werd tijdens de 19de-eeuwse neogotische bloei-periode van Praag *(blz. 32-33)* voltooid. De leider van de Neogotiek, Josef Mocker, was omstreden, maar zijn **St.-Petrus en Pauluskerk** in Vyšehrad ontving algemene instemming. De driesche-pige **St.-Ludmillabasiliek** in Náměstí Míru is ook van zijn hand.

Plafond van het schip van de St.-Nicolaaskerk (Kleine Zijde)

barok *neo-gotisch*

...etoheiligdom (1725) **St.-Petrus en Pauluskerk (1903)**

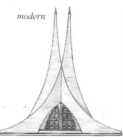

modern

Emmaüsklooster (1967)

Hoogtepunten: parken en paleizen

De parken en paleizen horen zowel historisch als architectonisch tot de belangrijkste monumenten van Praag. Veel paleizen doen dienst als museum of galerie *(blz. 38-41)*, andere worden als muziekzaal gebruikt. De parken variëren van ommuurde formele tuinen met beelden en fonteinen tot weidse vlakten buiten de stadsgrenzen. Hieronder staan de hoogtepunten; de bladzijden 48-49 geven nadere informatie.

Belvedere
Voor dit prachtige zomerpaleis uit de Renaissance staat de Zingende Fontein (1568).

Koninklijke Tuin
De in de 19de eeuw aangebrachte veranderingen hebben het renaissancistische karakter van de tuin niet aangetast. De ingang wordt bewaakt door twee barokke beelden van twee leeuwen uit 1730.

Praagse Burcht en Hradčany

0 meter   500

Kleine Zijde

Slottuin
Deze tuin is in 1891 aangelegd op de oorspronkelijke wallen van de Burcht en biedt een prachtig uitzicht over de stad. Josip Plečnik gaf de tuin zijn huidige aangezicht in 1924.

Wallensteinpaleis
Hertog Albrecht von Wallenstein liet dit barokke paleis tussen 1624 en 1630 bouwen om de Praagse Burcht naar de kroon te steken. Meer dan twintig huizen en een stadspoort moesten voor het paleis en de tuinen wijken. De Venus-en-Adonisfontein (1599) staat voor de sala terrena.

Wallensteintuin
De beelden zijn kopieën van de 17de-eeuwse originelen die in 1648 door de Zweden werden geroofd.

Kolowrattuin
In de Barok werden er diverse paleistuinen met prachtig uitzicht aan de voet van de Praagse Burcht aangelegd.

Kinskýpaleis
De gevel van het roze-wit gepleisterde rococopaleis, waar een deel van de Nationale Galerie in is gevestigd, wordt opgesierd door het wapen van de Kinský's van de hand van Kilian Ignaz Dientzenhofer.

Joodse Wijk

V L T A V A

Clam-Gallaspaleis
De vier reliëfs van Heracles (Matthias Bernard Braun, omstreeks 1715) tonen hoe de held de beelden van het voorportaal torst.

Oude Stad

Lustslot Michna
Dit sierlijke landhuis werd in 1712 door Kilian Ignaz Dientzenhofer ontworpen. Tegenwoordig is het Dvořákmuseum er ondergebracht.

Nieuwe Stad

Kampa-eiland
Het rustige park aan het water werd hier aangelegd na verwoesting van een vroegere tuin in de Tweede Wereldoorlog.

De parken en paleizen verkennen

In de loop der eeuwen heeft Praag een indrukwekkende verzameling parken en paleizen opgebouwd. De paleizen hebben de vele oorlogen goed doorstaan, maar uitbreidingen en herstelwerk hebben vaak wel een nadrukkelijk stempel op het uiterlijk gedrukt. In de 17de eeuw raakten paleistuinen, die door ruimtegebrek elders vaak aan de voet van de Praagse Burcht werden aangelegd, in zwang. Eerst in de 19de eeuw en opnieuw na de omwenteling in 1989 werden veel particuliere tuinen voor het publiek toegankelijk.

Beeld op Kampa-eiland

MIDDELEEUWSE PALEIZEN

Het **Koningspaleis** in de Praagse Burcht is het oudste paleis van de stad. De romaanse kelder was vroeger de begane grond die dateert uit 1135. Vooral tussen 1300 en 1600 is het vaak verbouwd. De laat-gotische Vladislavzaal, het hart van het paleis, dateert uit het einde van de 15de eeuw. Minder bekend is het **George van Podiepradpaleis**. De gewelf-de begane grond van het 13de-eeuwse gebouw is nu de kelder van een later gotisch bouwwerk.

RENAISSANCEPALEIZEN

Het 16de-eeuwse **Schwarzenbergpaleis** is een van de mooiste renaissancistische gebouwen in de stad. De gevel van dit door Italiaanse architecten ontworpen paleis is bewerkt met tweekleurig sgraffito. Ook het **Belvedere** is een

De Zingende Fontein in de Koninklijke Tuin bij het Belvedere

Italiaans ontwerp. De met veel reliëfwerk opgesierde zuilengangen en pilaren maken het tot een van de hoogtepunten in de renaissancistische architectuur. Het eerste laat-renaissancistische bouwwerk in Praag was het **Martinitzpaleis** uit 1563, spoedig gevolgd door het **Lobkovitzpaleis**. De raamkozijnen en verfraaiingen met sgraffito zijn bij de verbouwingen tijdens de Barok gespaard. Het **Aartsbisschoppelijk Paleis** is tijdens de Rococo van een nieuwe gevel voorzien.

BAROKPALEIZEN

Tijdens de Barok is er in Praag heel veel gebouwd. Het **Wallensteinpaleis**, mooi maar pretentieus, dateert uit de vroege Barok, evenals het

De zuidgevel en de formele tuin van het Slot Troja

SIERLIJKE POORTEN EN PORTALEN

Tot de markantste architectonische kenmerken van Praag moeten de luisterrijke poorten en portalen van de paleizen worden gerekend. Uit de Gotiek en de Renaissance is op dit gebied nog veel moois bewaard gebleven, ook al zijn de bijbehorende gebouwen vaak in een latere stijl herbouwd of zelfs verdwenen. De Barok was de vruchtbaarste periode voor de aanleg van sierlijke ingangen en rond de stad is daar nog veel van terug te zien. De beelden van reuzen, helden en mythologische figuren werden niet alleen ter versiering, maar ook ter versteviging van het gebouw gebruikt.

Toegangspoort naar eerste burchtplein, Praagse Burcht (17

al even opzichtige **Czernin-paleis**. In de Hoog-Barok waren er twee stromingen, de protserige Italiaanse en de formele Frans-Weense stijl. **Slot Troja** en **Lustslot Michna** behoren tot de Italiaanse school terwijl het **Sternbergpaleis** aan Hradčanské náměstí Weens aandoet. Jean-Baptiste Mathey, een geestverwant van de Dientzenhofers *(blz. 129)* en een meester in de Barok, ontwierp Slot Troja in 1679. De beelden van reuzen bij de ingang die het gebouw lijken te dragen zijn een terugke-rend motief in de Barok. U ziet ze bij het **Clam-Gallas-** en het **Morzinpaleis** in de Nerudovastraat. Het **Kinskýpaleis** *(blz. 70)* is een prachtig rococo-ontwerp van Kilian Ignaz Dientzenhofer.

Voorjaar in de Koninklijke Tuin van de Praagse Burcht

PARKEN EN TUINEN

De mooiste parken en tuinen vindt u in Kleine Zijde. Hoewel het paleis in barokke stijl is gebouwd, heeft de **Wallensteintuin** de strakke, formele kenmerken van de Renaissance. Diezelfde stijl is te herkennen in de **Koninklijke Tuin** achter de Praagse Burcht. De **Slottuin** op de oude wal van de Burcht is tussen beide wereldoorlogen heringericht. In de 17de en 18de eeuw wedijverde de Praagse adel met elkaar wie er aan de voet van de Burcht de mooiste wintertuin had. Vele horen nu bij ambassades, andere zijn publiek terrein geworden. Twee omliggende tuinen zijn opgegaan in de **Ledebour-tuin**. Vooral in de **Kolowrat-tuin** wordt met trap-pen en terrassen mooi gebruik ge-maakt van de ligging op de steile helling onder de Burcht. Het uitzicht is er schitterend. Ook de **Vrtbatuin**, die op een voormalige wijn-gaard is aangelegd, dateert uit de Barok en biedt mooi uit-zicht. Het park op **Kampa-eiland** was oorspronkelijk de tuin van een paleis aldaar. Het **Petřínpark** is ontstaan door de vele tuinen en boomgaar-den op de Petřínheu-vel samen te voegen. **Vojanpark** is ook een

Stokoude bomen in Stromovka

voormalige boomgaard die in de 13de eeuw werd aange-legd door de aartsbisschop-pen. Een van de weinige voor het publiek toegankelij-ke groene gebieden in Nieuwe Stad zijn de **Botani-sche Tuinen**. In het algemeen bevinden de grotere parken zich buiten het centrum. **Stromovka** was vroeger het koninklijke herten-kamp; het **Letnápark** werd in 1858 op het open Letnáplateau aangelegd.

Slot Troja (omstreeks 1703)   **Clam-Gallaspaleis (omstreeks 1714)**

AGENDA VAN PRAAG

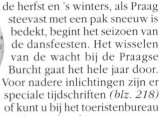

Een paasei

Als de lente in Praag doorbreekt, straalt de bloemenpracht de bezoeker tegemoet. Het muziekfestival De Praagse Lente luidt de opening van het seizoen in. 's Zomers bepalen straatmuzikanten het beeld en staan de prachtige tuinen en parken er op hun mooist bij. Het internationale jazzfestival valt samen met de komst van de herfst en 's winters, als Praag steevast met een pak sneeuw is bedekt, begint het seizoen van de dansfeesten. Het wisselen van de wacht bij de Praagse Burcht gaat het hele jaar door. Voor nadere inlichtingen zijn er speciale tijdschriften *(blz. 218)* of kunt u bij het toeristenbureau *(blz. 218)* terecht, dat u graag met goede tips terzijde staat.

Concert in het Wallensteinpaleis tijdens muziekfestival Praagse Lente

LENTE

Praag ontluikt bij de komst van de eerste voorjaarszon. De stad hervindt zijn kleur en door de talrijke culturele evenementen is de lente een van de leukste tijden voor een bezoek aan Praag. De temperatuur stijgt, de tuinen en parken schudden hun grauwsluier af en onder aanvoering van het muziekfestival De Praagse Lente is er ruime aandacht voor de cultuur.

PASEN

Tweede Paasdag is een nationale feestdag. Pasen is een kerkelijk feest, maar een oud heidens gebruik wil dat Tsjechische mannen hun vrouwen er op deze dag met een wilgentakje van langs geven ter bevordering van de vruchtbaarheid. In antwoord hierop gooien de vrouwen hun belagers met water nat. Het ritueel eindigt vredig als de vrouwen de mannen een beschilderd ei overhandigen. Rond Pasen vinden overal kerkdiensten plaats *(blz. 227)*.

MAART

Mars van Praag naar Prčice *(derde zaterdag in maart)*. Wandeling naar het dorp Prčice ter ere van de lente.

APRIL

Boottochten *(1 april)*. Het seizoen begint voor boottochtjes over de Vltava.
Heksenverbranding *(30 april)* in het Jaarbeurscomplex *(blz. 176)*. Deze traditionele bezemsteelverbrandingen, die de wereld van kwade geesten ontdoen en al 500 jaar worden gehouden, gaan vergezeld van concerten.

MEI

Dag van de Arbeid *(1 mei)*. Nationale feestdag, opgeluisterd met veel cultuur.
Opening van de Praagse Tuinen *(1 mei)*. In de parken en tuinen worden veel zomerconcerten gehouden.
Herdenking Praagse Opstand *(5 mei)*. Om 12 uur 's middags loeien de sirenes en worden er herdenkingen gehouden bij de gedenkplaten voor de gevallenen *(blz. 34)*.
Bevrijdingsdag *(8 mei)*. Nationale feestdag, kransleggingen op de begraafplaatsen in Olšany.
Internationale Praagse boekenbeurs *(tweede week mei)*, Congrespaleis *(blz. 176)*. De beste Tsjechische en buitenlandse schrijvers.
Internationale Marathon Praag *(derde week in mei)*.

MUZIEKFESTIVAL DE PRAAGSE LENTE

Tussen 12 mei en 3 juni biedt dit festival een internationaal programma vol concerten, ballet en opera. De beste musici ter wereld doen aan het festival mee. Het Rudolfinum *(blz. 84)* is het centrale podium, maar er wordt ook in vele kerken en paleizen gespeeld, waarvan een aantal alleen tijdens het festival voor publiek toegankelijk zijn. De opening vindt plaats op de sterfdag van Bedřich Smetana *(blz. 79)*. Eerst is er een dienst bij zijn graf in Vyšehrad *(blz. 178)*, gevolgd door een concert in het Representatiehuis *(blz. 64)*, waar Smetana's beroemdste werk, *Má Vlast* (Mijn land), wordt uitgevoerd. Op dezelfde plaats wordt het festival met Beethovens Negende afgesloten.

Bedřich Smetana

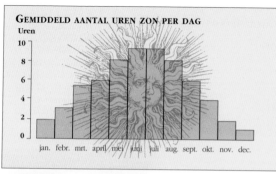

GEMIDDELD AANTAL UREN ZON PER DAG

Uren

jan. febr. mrt. april mei juni juli aug. sept. okt. nov. dec.

Zon in Praag

De langste en warmste dagen vallen in Praag tussen mei en augustus. Op een mooie winterdag ziet een besneeuwd Praag er schitterend uit, maar vaak wordt dit verpest door de smog boven de stad (blz. 53).

Tsjechen en toeristen genieten van de zomer in Vyšehraderpark

ZOMER

De zomer wordt gekenmerkt door warm weer met flink wat buien en heel veel toeristen. Praag is 's zomers heel mooi, maar de Tsjechen zelf gaan in de weekeinden liefst naar de heuvels om de stad heen of naar hun tweede huisje. De achterblijvers verpozen zich rond het water *(blz. 213)* in de directe omgeving van de stad. In Praag zelf gaat alles en iedereen de straat op. Artiesten, muzikanten en hele klassieke orkesten vermaken de bezoekers in de open lucht. Veel cafés zetten de tafels buiten, zodat u uw dorst kunt lessen terwijl u van het vertier geniet.

JUNI

Bootraces *(eerste weekeinde in juni)*. Roeiwedstrijden op de Vltava, ten zuiden van Vyšehrad.
Zomerconcerten *(gedurende de hele zomer)*. De tuinen en parken van Praag *(blz. 46-49)* vormen het populaire decor voor talloze gratis klassieke concerten en optredens van blazersensembles. Het beroemdste en fascinerendste van deze concerten vindt wellicht bij de Křižíkfontein in het Jaarbeurscomplex *(blz. 162)* plaats. Het veelkleurige licht en het ruisende water worden per computer in het ritme van de muziek opgenomen.
Herdenking van de moord op Reinhard Heydrich's moordenaars *(18 juni)*. Deze jaarlijkse mis in de St.-Cyrillus en St.-Methodiuskerk *(blz. 152)* herdenkt hen die in 1942 in deze kerk stierven. **Gouden Praag** *(eerste week in juni)*. Festival van internationaal onderscheiden tv-programma's in het Kaisersteinpaleis.
Naspelen oorlogsgeweld *(ge-*

durende de hele zomer), in de paleizen en tuinen van Praag.
Het Praag van Mozart *(half juni tot eerste week juli)*. Orkesten uit vele landen spelen werk van Mozart in Bertramka *(blz. 160)* en het Liechtensteinpaleis.
Dansfestival *(laatste week in juni)*. Een internationaal festival van moderne dans in het Nationale Theater *(blz. 156)*.

JULI

Herdenking van de Slavische geloofsverkondigers *(5 juli)*. Nationale feestdag ter ere van St.-Cyrillus en St.-Methodius.
Sterfdag Jan Hus *(6 juli)*. Op deze nationale feestdag legt men bloemen op de gedenksteen van Hus *(blz. 26-27)*.

AUGUSTUS

Theatereiland *(de hele maand)*. Tsjechisch toneel en poppentheater op Střelecký eiland.

Het wisselen van de wacht bij de Praagse Burcht

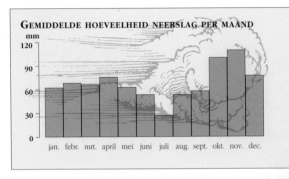

GEMIDDELDE HOEVEELHEID NEERSLAG PER MAAND

mm

jan. febr. mrt. april mei juni juli aug. sept. okt. nov. dec.

Neerslag in Praag

*Regen komt in Praag nooit als een verrassing. Oktober en november zijn de natste maanden, maar ook 's zomers valt er af en toe een bui.
's Winters sneeuwt het regelmatig, maar er valt nooit gevaarlijk veel.*

HERFST

Als de tuinen aan de voet van de Praagse Burcht hun herfstkleuren aannemen en de toeristen de stad verlaten, maakt Praag zich op voor de koude winter. In deze tijd van het jaar ziet u ook veel inwoners van de stad met mandjes zelfgeplukte paddestoelen rondlopen en op de markten is er fruit en groente in overvloed. De beboste oevers van de Vltava krijgen een prachtige roodbruine gloed.
In september en oktober kan het nog lekker weer zijn, maar de eerste sneeuw dient zich vaak al in november aan. De voetbalcompetitie eist in de herfst veel aandacht op en de Grand Pardubice Steeple-chase trekt duizenden liefhebbers van paardenraces.

SEPTEMBER

Praagse Herfst *(begin september)* in het Rudolfinum *(blz. 84)*. Internationaal festival van klassieke muziek.
Herfstbeurs *(wisselende data)*, in Jaarbeurscomplex *(blz. 176)*. Kermis, hapjes, theater, poppenspel en muziek.
Vliegerwedstrijden *(derde zondag in september)*, op het Letnáplateau voor het Spartakstadion. Kinderen doen hier graag mee, maar de inschrijving staat open voor iedereen
St.-Wenceslas *(28 september)* Festival voor religieuze muziek.
Kampioenschap van Bohemen *(laatste zondag in september)*. Deze hardloopwedstrijd van 10 km wordt al sinds 1887 gehouden. De start is in de Praagse voorstad Běchovice, de finish in Žižkov.

Deelnemers aan het internationale jazzfestival

OKTOBER

De Grand Pardubice Steeple-chase *(tweede zondag in oktober)*, in Pardubice, ten oosten van Praag. Deze paardenrace, die al sinds 1874 wordt gehouden, wordt als Europa's moeilijkste wedstrijd beschouwd.
Velká Kunratická *(tweede zondag in oktober)*. Populaire, maar slopende hardloopwedstrijd in het Kunratice-bos. Iedereen mag meedoen.
Sluiting van de Vltava *(begin oktober)*. Symbolische afsluiting van het watersportseizoen. De Vltava wordt met een sleutel tot het voorjaar gesloten.
Internationaal jazzfestival *(wisselende data)*, Lucernapaleis. Dit beroemde festival, dat al sinds 1964 wordt gehouden, trekt muzikanten uit de hele wereld.
Dag van de Republiek *(28 oktober)*. Ondanks de tweedeling van Tsjechoslowakije geldt deze dag, die de stichting in 1918 herdenkt, als nationale feestdag.

NOVEMBER

Viering van de Fluwelen Revolutie *(17 november)*. Vreedzame demonstraties rond het Wenceslasplein *(blz. 144-145)*.

De St.-Vituskathedraal omringd door herfstbomen

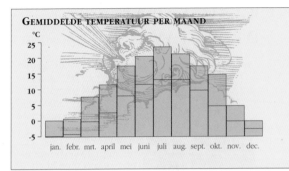

GEMIDDELDE TEMPERATUUR PER MAAND

°C
25
20
15
10
5
0
-5

jan. febr. mrt. april mei juni juli aug. sept. okt. nov. dec.

Temperatuur in Praag

Op de grafiek staan de gemiddelde mini- mum- en maxi- mumtemperaturen per maand aange- geven. 's Zomers kan het behoorlijk warm worden, ter- wijl het 's winters vaak verraderlijk koud is.

WINTER

De aanblik van Praag op een zonnige ochtend, ge- huld in een maagdelijk pak sneeuw, is uniek. Vooral het uitzicht over de daken van Kleine Zijde is prachtig. Helaas is Praag 's winters meestal niet op zijn mooist. Het weer is onvoorspelbaar. Mistige dagen met temperatu- ren boven nul worden snel afgewisseld met dagen waar- bij het kwik daalt tot vijf gra- den beneden het vriespunt. Door de ligging in het dal van de Vltava hangt er vaak een vuile smog boven de stad.

Ter compensatie van het nare klimaat bereikt het theater- seizoen in de winter zijn hoogtepunt. Er zijn vele pre- mières en de dansfeesten in Praag zijn vermaard.

In de dagen voor Kerstmis staan de straten vol vaten met levende karper, van oudsher het hoofdgerecht van een Tsjechisch kerstdiner.

Er staan veel kerstbomen in de stad en overal worden kerstliederen gezongen.

Kleine Zijde in de sneeuw

Vaten vol levende karper, het tra- ditionele Tsjechische kerstmenu

In de meeste kerken worden kerstdiensten gehouden en ook Oud en Nieuw wordt door de hele stad op traditio- nele wijze gevierd.

DECEMBER

Kerstmarkten *(heel decem- ber)*, metrohalte Můstek, 28 řijna, Na Přikopě, Plein Oude Stad. In stalletjes worden kerstversieringen, cadeaus, warme wijn, punch en de traditionele karpers verkocht.

Kerstavond en Kerstmis *(24, 25, 26 december)*. Nationale feestdagen, missen in vrijwel alle kerken in de hele stad.

Zwemwedstrijden in de Vltava *(26 december)*. Honderden ijzervreters nemen een duik in de Vltava. De temperatuur van het water is dan rond de 3 °C.

Oudjaar *(31 december)*. Enkele duizenden mensen komen bijeen op het Wenceslasplein.

JANUARI

Nieuwjaar *(1 januari)*. Nationale feestdag.

FEBRUARI

Dansfeesten *(begin februari)*.
Mattheüsmarkt *(eind februa- ari-begin april)*, Jaarbeurs- complex *(blz. 176)*. Markt, stalletjes en veel ander ver- tier.

NATIONALE FEESTDAGEN

Nieuwjaarsdag (1 janu- ari); **tweede paasdag**; **Dag van de Arbeid** (1 mei); **Bevrijdingsdag** (8 mei); **herdenking van de Slavische geloofsverkon- digers** (5 juli); **sterfdag Jan Hus** (6 juli); **St.-Wen- ceslas** (28 sept.); **stichting Tsjechoslowakije** (28 ok- tober); **val communisme** (17 november); **kerst- avond en Kerstmis** (24, 25, 26 december).

PRAAG VANAF DE VLTAVA

De Vltava (of Moldau) heeft een belangrijke rol in de geschiedenis van Praag gespeeld *(blz. 20-21)* en is al eeuwenlang een bron van inspiratie voor musici, dichters en andere kunstenaars.

Tot in de 19de eeuw trad de Vltava in en om Praag regelmatig buiten zijn oevers. Om de stad tegen het water te beschermen, zijn de oevers van de rivier regelmatig verstevigd en opgehoogd. Zo kon het water niet tot ver in de stad doordringen.

Standbeelden op de smeed-ijzeren Čechův-brug

Tegenwoordig wordt Praag tegen de Vltava beschermd door oevers met betonnen en stenen funderingen. In de Middeleeuwen werd Praag jaarlijks door overstromingen geplaagd. Het land dat veelvuldig onder water kwam te staan, werd met aarde enkele meters opgehoogd en hoewel dit het water niet echt tegenhield, zijn er hierdoor wel veel benedenverdiepingen van romaanse en gotische gebouwen bewaard gebleven *(blz. 78-79)*. In 2002 werd de noodtoestand uitgeroepen toen grote delen van de stad onder water kwamen te staan. De Vltava is voor Praag echter ook een belangrijke verbindingsweg geweest en heeft de stad veel geld opgeleverd. Ook voor het functioneren van watermolens en stuwdammen was de rivier van belang. Zo voorziet de waterkrachtcentrale die in 1912 op het Štvanice-eiland werd gebouwd eenderde van Praag van elektriciteit. Om de rivier bevaarbaar te houden, zijn sluizen en dammen aangelegd en is een deel van de Vltava gekanaliseerd tot waar hij uitmondt in de Elbe. U kunt Praag van het water bekijken door aan te monsteren op een de rondvaart- of raderboten. De boten varen naar het Slot Troja *(blz. 166-167)* en zelfs tot het Slapy-meer; zo krijgen Praag en omgeving een hele nieuwe dimensie.

Uitzicht op de aanlegsteiger van de stoomboot (přístaviště parníků) bij Rašínovo nábřeží

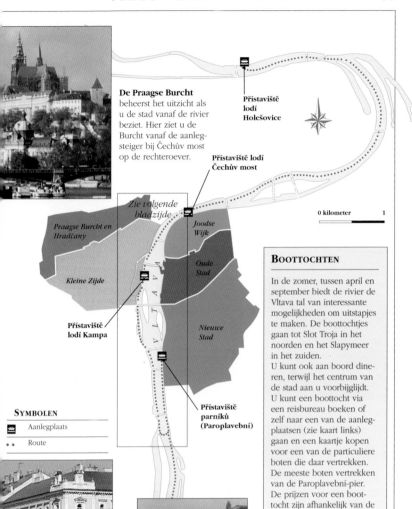

De Praagse Burcht beheerst het uitzicht als u de stad vanaf de rivier beziet. Hier ziet u de Burcht vanaf de aanlegsteiger bij Čechův most op de rechteroever.

Přístaviště lodí Holešovice

Přístaviště lodí Čechův most

0 kilometer 1

Zie volgende bladzijde

Praagse Burcht en Hradčany

Joodse Wijk

Oude Stad

Kleine Zijde

Nieuwe Stad

Přístaviště lodí Kampa

Přístaviště parníků (Paroplavební)

SYMBOLEN

Aanlegplaats

Route

Přístaviště lodí Kampa, een steiger in de Kleine Zijde, is het beginpunt voor enkele georganiseerde boottochten over de Vltava.

BOOTTOCHTEN

In de zomer, tussen april en september biedt de rivier de Vltava tal van interessante mogelijkheden om uitstapjes te maken. De boottochtjes gaan tot Slot Troja in het noorden en het Slapymeer in het zuiden.

U kunt ook aan boord dineren, terwijl het centrum van de stad aan u voorbijglijdt. U kunt een boottocht via een reisbureau boeken of zelf naar een van de aanlegplaatsen (zie kaart links) gaan en een kaartje kopen voor een van de particuliere boten die daar vertrekken. De meeste boten vertrekken van de Paroplavební-pier. De prijzen voor een boottocht zijn afhankelijk van de reisduur en het type boot dat u kiest, maar er is keuze genoeg voor elk budget.

Akasi
Jungmannovo náměstí 9.
Kaart 3 C5.
22 22 43 067.
FAX 22 42 37 235.

Travelex
Národní 28.
Kaart 3 B5.
22 11 05 371.
FAX 22 49 49 002
W www.travelex.cz

Paroplavební (pier)
Rašínovo nábřeží přístaviště.
Kaart 5 A2.
22 49 31 013, 22 49 17 640.
FAX 22 49 13 862.

Rondvaart door Praag

Een boottocht door Praag biedt een prachtig uitzicht op de vele historische gebouwen die de stad rijk is. Hoewel de Slaven in de 9de eeuw de eerste nederzetting op de linkeroever bouwden, heeft de andere kant van de rivier zich sindsdien tot het kloppend hart van Praag ontwikkeld. Ook nu is de linkeroever grotendeels een rustig gebied met veel parken en tuinen. De rivier krijgt een extra dimensie door de grote hoeveelheden zwanen die er tegenwoordig leven.

Hanau-paviljoen
Deze gietijzeren trap hoort bij een paviljoen van de Wereldtentoonstelling van 1891.

Bruggentorens Kleine Zijde
De kleine toren werd in 1158 gebouwd om de toegang tot de Judithbrug te bewaken. De grote toren staat op de resten van een oude romaanse toren en dateert uit 1464 (blz. 136).

Vltava-dam
Langs een van de vele dammen in de Vltava rijst de dichtbegroeide Petřínheuvel op. Deze en andere dammen werden in de 19de eeuw aangelegd om de rivier bevaarbaar te maken.

Het Vltavabeeld staat op de noordpunt van Kindereiland. Hier worden elk jaar kransen gelegd ter herinnering aan de verdronkenen.

Watertoren Kleine Zijde
Deze watertoren uit 1560 voorzag 57 fonteinen in Kleine Zijde van water.

Karlův most

Kampa

Přístaviště lodí Kampa

Groot-prioraat

most Legií

Střelecký ostrov

Plavební kanál

Jiráskův most

Palackého most

Jugendstil-appartementen-complex

Železniční most

0 meter	500

SYMBOLEN

🚊 Tramhalte

⚓ Aanlegplaats

• • Route boottocht

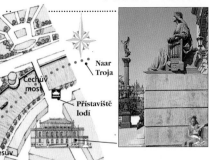

Naar Troja

Přístaviště lodí

Rudolfinum
Dit beeld, dat de muziek als thema heeft, is gemaakt door Antonín Wagner. Het is een van de twee beelden die de ingang van de neorenaissancistische concertzaal sieren (blz. 84).

Het Clementinum, een voormalig jezuïetencollege, is een van de grootste gebouwen van de stad *(blz. 79)*.

De Bruggentoren Oude Stad maakte onderdeel uit van 14de-eeuwse vesting-werken *(blz. 139)*.

Smetana Museum

dam

De Šítkatoren, met zijn barokke dak uit het einde van de 18de eeuw, dateert uit 1495 en was vroeger de watertoren voor Nieuwe Stad.

Slovanský ostrov

Nationale Theater
Dit symbool van de Tsjechische wederopstanding in de 19de eeuw, met prachtig versierd dak, beheerst de rechteroever (blz.156–157).

'Ginger and Fred'-gebouw
In dit mooie, eigenzinnige kantoorgebouw is het stijlvolle restaurant Perle de Prague gevestigd (blz. 203).

Přístaviště parníků

Het standbeeld van František Palacký herdenkt het leven van deze grote Tsjechische historicus. Het beeld dateert uit 1905.

Het Emmaüsklooster werd in 1347 door Karel IV gebouwd. Door de twee moderne torens is het vanaf de rivier een-voudig te herkennen.

Výtoň accijnshuis
Op dit huis, gebouwd om belasting te heffen op het over het water vervoerde hout, vindt u het wapen van Nieuwe Stad uit 1671.

St.-Petrus en Pauluskerk
De neogotische torenspitsen van deze kerk werden in 1903 ontworpen door František Mikeš. Aan deze torens kunt u Vyšehrad al van verre herkennen (blz. 178–179).

PRAAG VAN BUURT TOT BUURT

OUDE STAD

STARÉ MĚSTO

Jan Marek, arts
(1595-1667)

Het Plein Oude Stad en de omliggende wijk vormen het hart van de stad. De bewoning rond de Praagse Burcht breidde zich in de 11de eeuw tot de rechteroever uit en al in 1091 was er sprake van een markt op de plaats waar nu het Plein Oude Stad (Staroměstské náměstí) ligt. Het nogal willekeurige patroon van de straten om het plein dateert ook uit die tijd. In de 13de eeuw verkreeg de wijk stadsrechten, waarna in 1338 het stadhuis werd gebouwd. Samen met gebouwen als het Clam-Gallaspaleis en het Representatiehuis weerspiegelt het stadhuis het rijke verleden van Oude Stad.

DE BEZIENSWAARDIGHEDEN VAN OUDE STAD

Kerken
St.-Jacobskerk ❹
Týnkerk ❽
St.-Nicolaaskerk ⓫
St.-Galluskerk ⓮
St.-Martinus-in-de-muurkerk ⓯
St.-Aegidiuskerk ⓱
Bethlehemkapel ⓲

Musea en galeries
Náprstekmuseum ⓰
Smetanamuseum ㉔

Historische straten en pleinen
Celetnástraat ❸
Plein Oude Stad blz. 66-69 ❼
Mariánsképlein ⓴
Karlova ㉑
Kruisridderplein ㉕

Historische gebouwen en monumenten
Kruittoren ❶
Representatiehuis ❷
Carolinum ❻
Jan Husmonument ❿
Stadhuis Oude Stad
blz. 72-74 ⓬
Huis bij de Twee Gouden Beren ⓭
Clementinum ㉓

Theater
Tyltheater ❺

Paleizen
Kinskýpaleis ❾
Clam-Gallaspaleis ⓳
George van Podiebradpaleis ㉒

BEREIKBAARHEID
De haltes Mústek van metro's A en B en Staroměstská van metro A zijn beide in de buurt. Er rijden geen trams door Oude Stad, maar vanaf de Karelsbrug of het Náměstí Republiky is het een korte wandeling naar het Plein Oude Stad en omgeving.

SYMBOLEN

Stratenkaart *blz. 62-63*

Stratenkaart *blz. 76-77*

🚊 Tramhalte

P Parkeerplaats

◁ **Het publiek slentert langs de terrassen op het Plein Oude Stad**

Onder de loep: oostelijk Oude Stad

Behalve af en toe een paardenkoetsje komt er geen verkeer, de gebouwen zijn stuk voor stuk schitterend, kortom: het Plein Oude Stad (Staroměstské náměstí) zou in geen enkele wereldstad misstaan. Ook de Celetnástraat en Ovocný trh zijn autovrij. 's Zomers staan de kasseien vol terrasjes en hoewel het er dan wemelt van de toeristen, is de unieke sfeer nog heel tastbaar.

Kinskýpaleis
Dit prachtige rococo-paleis doet nu dienst als museum **9**

St.-Nicolaaskerk
De gevel van deze barokke kerk overheerst de noordwestkant van het Plein Oude Stad **11**

S T A R O M Ě S T S K É
N Á M Ě S T Í

M A L É
N Á M Ě S T Í

Ž E L E Z N Á

★ Plein Oude Stad
Deze aquarel van Václav Jansa van het einde van de 19de eeuw laat zien hoe weinig het plein is veranderd **7**

Jan Hus-monument
De hervormer Hus geldt als symbool voor integriteit. Het monument verenigt de hoogte- en dieptepunten van de Tsjechische geschiedenis **10**

Huis bij de Twee Gouden Beren
Het renaissancistische portaal geldt als het mooiste in heel Praag **13**

U Rotta, nu Hotel Rott, is een voormalige ijzerhandel, versierd met kleurrijk werk van de 19de-eeuwse schilder Mikuláš Aleš.

★ Stadhuis Oude Stad
De beroemde astronomische klok trekt elk uur veel nieuwsgierigen **12**

Het Štorch-huis is naar een ontwerp van Mikuláš Aleš beschilderd met een afbeelding van St.-Wenceslas te paard.

0 meter   100

SYMBOOL

– – – Aanbevolen route

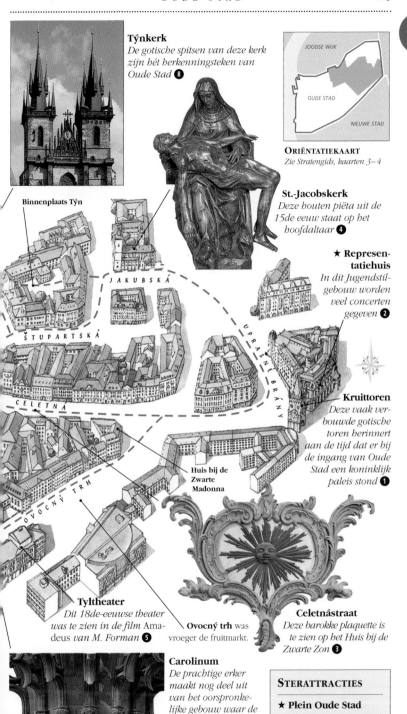

Týnkerk
De gotische spitsen van deze kerk zijn hét herkenningsteken van Oude Stad ❽

ORIËNTATIEKAART
Zie Strategids, kaarten 3–4

JOODSE WIJK

OUDE STAD

NIEUWE STAD

Binnenplaats Týn

JAKUBSKÁ

ŠTUPARTSKÁ

CELETNÁ

OVOCNÝ TRH

U PRAŠNÉ BRÁNY

St.-Jacobskerk
Deze houten piëta uit de 15de eeuw staat op het hoofdaltaar ❹

**★ Represen-
tatiehuis**
*In dit Jugendstil-
gebouw worden
veel concerten
gegeven* ❷

Kruittoren
*Deze vaak ver-
bouwde gotische
toren herinnert
aan de tijd dat er bij
de ingang van Oude
Stad een koninklijk
paleis stond* ❶

**Huis bij de
Zwarte
Madonna**

Tyltheater
*Dit 18de-eeuwse theater
was te zien in de film* Amadeus *van M. Forman* ❺

Ovocný trh was
vroeger de fruitmarkt.

Celetnástraat
*Deze barokke plaquette is
te zien op het Huis bij de
Zwarte Zon* ❸

Carolinum
*De prachtige erker
maakt nog deel uit
van het oorspronke-
lijke gebouw waar de
door Karel IV
gestichte Karels-
universiteit in
gehuisvest was* ❻

STERATTRACTIES

★ Plein Oude Stad

★ Stadhuis Oude Stad

★ Representatiehuis

Kruittoren ❶
PRAŠNÁ BRÁNA

Náměstí Republiky. **Kaart** 4 D3.
Náměstí Republiky. 5, 8, 14.
Geopend *april-okt. dag. 10.00-18.00
uur.*

O p deze plek staat al sinds
de 11de eeuw, toen hier
een van de dertien toegangen
tot op de stad was, een stadspoort. Onder koning Vla-
dislav II werd in 1475 een
begin gemaakt met de bouw
van wat toen de Nieuwe
Toren heette. De toren was
ontworpen naar voorbeeld
van de bruggentoren Oude
Stad, die Peter Parler een
eeuw eerder bouwde. Aan
de verdediging van de stad
droeg de toren niet bij,
hij diende meer om het
naastgelegen koninklijke
onderkomen verder te ver-
fraaien. De bouw kwam acht
jaar later stil te liggen toen
de koning vanwege rellen
de stad moest ontvluchten.
Bij zijn terugkeer in 1485
legde Vladislav zich vooral
toe op de beveiliging van de
Praagse Burcht en werd het
paleis bij de Kruittoren
afgestoten.
In de 17de eeuw werd er in
de toren buskruit opgeslagen.
Het sierlijke beeldhouwwerk
had ernstig te lijden tijdens de
Pruisische bezetting in 1757.

**De Kruittoren met daarachter
Oude Stad**

Het mozaïek *Hommage aan Praag* van Karel Špillar

Representatie-
huis ❷
OBECNÍ DŮM

Náměstí Republiky 5. **Kaart** 4 D3.
22 20 02 111. *Náměstí
Republiky.* 5, 8, 14. **Museum
geopend** dag 10.00–18.00 uur
alleen voor tentoonstellingen.
op afspraak.

H et mooiste Jugendstil-
ge-bouw in Praag vindt u
op de plaats waar het paleis
stond dat tussen 1383 en 1485
onderdak bood aan de ko-
ninklijke familie. Het stond
eeuwenlang leeg, en delen
ervan deden daarna dienst als
seminarie en als militaire aca-
demie. Aan het begin van de
20ste eeuw werd het gesloopt
en vervangen door het huidige gebouw (1905-1911). Dit
culturele centrum werd ontworpen door Antonín Balšá-
nek en Osvald Polívka.
Aan de buitenkant is het
gebouw versierd met pleisterwerk en allegorische beelden.
Boven de hoofdingang ziet u
het halfronde mozaïek *Hommage aan Praag* van Karel
Špillar. De enorme glazen
koepel vormt het dak van
de belangrijkste Praagse

concertzaal, de Smetanazaal,
waar ook dansfeesten worden
gehouden. Alfons Mucha *(blz.
149)* is een van de Tsjechische
kunstenaars uit het begin van
de 20ste eeuw wier werk
binnen te bewonderen is.
Naast de Smetanazaal zijn er
talloze vergaderruimten, kleinere zalen, cafés en restaurants waar bezoekers kunnen
uitrusten en op hun gemak
het flamboyante Jugendstil-
interieur bekij-
ken.
Op 28 oktober
1918 werd in
het Represen-
tatiehuis de on-
afhankelijkheid
van de staat
Tsjecho-Slowakije
(die overigens
niet van lange
duur zou zijn)
uitgeroepen.

**Detail van een v
van Alfons Mu**

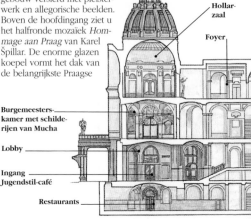

Hollar-
zaal

Foyer

Burgemeesters-
kamer met schilde-
rijen van Mucha

Lobby

Ingang
Jugendstil-café

Restaurants

Celetnástraat ❸
CELETNÁ ULICE

Kaart 3 C3. 🚇 *Náměstí Republiky, Můstek.* **Huis bij de Zwarte Madonna** 📞 *22 42 11 732.* **Geopend** *di-vr 10.00-18.00 uur.* ♿

De Celetnástraat, een van de oudste straten van Praag, loopt over een oude handelsroute naar Oost-Bohemen. De naam is ontleend aan de gevlochten broodjes die hier in de Middeleeuwen werden verkocht. In de 14de eeuw werd de straat opgenomen in de Koninklijke Route *(blz. 174)*, die bij kroningen werd gevolgd. In sommige kelders zijn restanten van romaanse en gotische gebouwen te zien, maar de meeste huizen zijn tijdens de Barok herbouwd. Op nr. 34, het huis bij de Zwarte Madonna, is een kleine maar interessante collectie met Tsjechisch kubisme te zien, zoals schilderijen, beeldhouwwerk, meubels en kunstnijverheid.

St.-Jacobskerk ❹
KOSTEL SV. JAKUBA

Malá Štupartská. **Kaart** 3 C3. 🚇 *Můstek, Náměstí Republiky.* **Geopend** *dag. tijdens het seizoen.* 🚹 📷

Deze barokke kerk was ooit deel van een gotisch klooster voor de minderbroeders. Deze orde, die deel uitmaakt van de franciscanen, werd in 1232 door Wenceslas I naar Praag gehaald. Na een

Het barokke kerkorgel in de St.-Jacobskerk

brand, die volgens geruchten door spionnen van Lodewijk XIV was aangestoken, werd de kerk in barokke stijl herbouwd. De 21 altaren die toen werden toegevoegd, zijn bewerkt met schilderijen van Jiří Heinsch, Petr Brandl en Václav Vavřinec Reiner. Het grafmonument van graaf Vratislav van Mitrovice, ontworpen door Johann Bernhard Fischer von Erlach en gemaakt door Ferdinand Brokof, is de mooiste barokke tombe in Bohemen. Gezegd wordt dat de graaf per ongeluk levend werd begraven; zijn lichaam werd later zittend in het graf teruggevonden. Rechts van de ingang hangt een gemummificeerde onderarm, die daar meer dan 400 jaar geleden terechtkwam nadat een dief poogde de juwelen van de Heilige Maagd van het hoogaltaar te stelen. De akoestiek van de kerk is heel goed en er worden dan ook veel concerten gehouden. Absoluut de moeite van een bezoek waard.

Tyltheater ❺
STAVOVSKÉ DIVADLO

Ovocný trh 1. **Kaart** 3 C3. 📞 *22 42 28 503.* 🚇 *Můstek.* **Geopend** *dag. alleen voor voorstellingen.*

Dit prachtige neoklassieke gebouw werd in 1783 in opdracht van graaf Nostitz ontworpen. Voor Mozart-liefhebbers is het een soort bedevaartsoord *(blz. 212)*, omdat diens opera Don Giovanni hier op 29 oktober 1787 in première ging. De komische musical *Fidlovačka* ging hier in 1834 ook in première. Een van de liedjes uit dat werk, *Waar is mijn vaderland?*, is nu het Tsjechische volkslied.

Carolinum ❻
KAROLINUM

Ovocný trh 3. **Kaart** 3 C4. 📞 *22 44 91 111.* 🚇 *Můstek.* **Gesloten** *voor bezichtiging.* **Geopend** *voor speciale tentoonstellingen.*

Het Carolinum vormt de kern van de in 1348 door Karel IV gestichte Karelsuniversiteit. De kapel en zuilengalerij staan er nog, maar in 1945 werd de binnenplaats in gotische stijl opgeknapt. De universiteit speelde een belangrijke rol tijdens de kerkelijke hervormingen in de 15de en 16de eeuw. De jezuïeten namen het gezag in de universiteit over na de Slag bij de Witte Berg *(blz. 30-31)*.

Plein Oude Stad ❼
STAROMĚSTSKÉ NÁMĚSTÍ

Zie blz. 66-69.

Smetanazaal

Plein Oude Stad: noord- en oostkant ❼

STAROMĚSTSKÉ NÁMĚSTÍ

D e prachtige gebouwen om het Plein Oude Stad
weerspiegelen de kleurrijke geschiedenis van Praag
heel mooi. De witte gevel van de barokke St.-Nicolaas-
kerk beheerst de noordkant van het plein, terwijl de
oostkant wordt gedomineerd door twee gebouwen die
representatief zijn voor de architectuur uit vroeger tijden: het Huis bij de Stenen Klok, dat zijn gotische luis-
ter weer helemaal terug heeft,
en het Kinskýpaleis, een
parel van de Rococo.

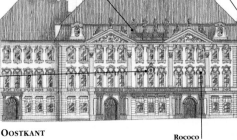

★ **Huis bij de Stenen Klok**
*U herkent dit middeleeuwse
herenhuis aan de klok op
de hoek.*

**Beeldhouwwerk
van Ignaz Platzer
(1760-1765)**

Kinskýpaleis
*Het verfijnde pleisterwerk
aan de gevel van dit rococo-
paleis is van de hand van
C.G.Bossi* (blz. 70).

OOSTKANT

**Rococo
pleisterwerk**

NOORDKANT

★ **St. Nicolaas-
kerk**
*Deze kerk werd
gebouwd voor de
parochie, maar
deed later ook
dienst voor bene-
dictijner monni-
ken, het leger en
als concertzaal*
(blz. 70).

STERATTRACTIES
★ **Týnkerk**
★ **Huis bij de Stenen Klok**
★ **St.-Nicolaaskerk**

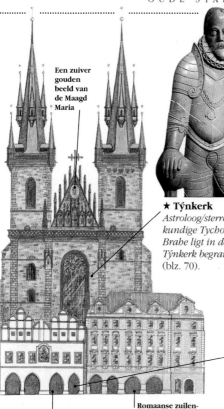

Een zuiver gouden beeld van de Maagd Maria

☐ Noord- en oostkant

⊙ Jan Husmonument

★ Týnkerk
Astroloog/sterren-kundige Tycho Brahe ligt in de Týnkerk begraven (blz. 70).

Ingang Týnkerk

Romaanse zuilen-gang onder een 18de-eeuwse gevel

Týnschool
Het opvallendste kenmerk van dit gebouw, dat van de 14de tot de 19de eeuw als school werd gebruikt, zijn de gotische gewelven.

De gevel van restaurant U Sv. Salvatora's dateert uit 1696

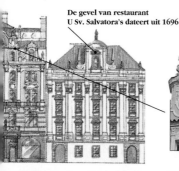

Ministerstvo pro místní rozvoj
Dit Jugendstil-gebouw, ontwor-pen in 1898 door Osvald Polívka voor een verzekeringsmaat-schappij, is nu het ministerie voor Lokale Ontwikkeling.

Staroměstské náměstí, 1793
Wandelaars en rijtuigen bevol-ken het Plein Oude Stad op deze gravure van Filip en František Heger. Links staat het Stadhuis Oude Stad.

Plein Oude Stad: zuidkant ❼
STAROMĚSTSKÉ NÁMĚSTÍ

De zuidkant van het Plein Oude Stad staat in het teken van een bonte verzameling romaanse en gotische gevels. Vooral het blok tussen Celetná- en Železnástraat is erg mooi. Het plein is altijd een druk ontmoetingspunt geweest en tegenwoordig vindt u er behalve een toeristenbureau veel cafés, restaurants, winkels en galeries.

U Lazara (Bij Lazarus)
De romaanse tongewelven bewijzen dat het gebouw al heel oud is, maar in de Renaissance is het grotendeels herbouwd. Op de begane grond is het Staroměstská-restaurant gevestigd.

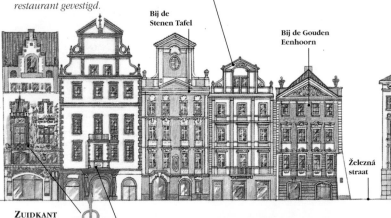

Bij de Stenen Tafel

Bij de Gouden Eenhoorn

Železná straat

ZUIDKANT

★ **Bij de Stenen Ram**
Op de gevelsteen van dit 16de-eeuwse huis zijn een jonge maagd en een ram te zien. Dit huis wordt ook wel Bij de eenhoorn genoemd omdat de eenhoornige ram daaraan doet denken.

★ **Štorchhuis**
Op dit heel verfijnd bewerkte neorenaissancistische huis ziet u een schilderij van St.-Wenceslas te paard van Mikuláš Aleš.

STERATTRACTIES

★ Štorchhuis

★ Bij de Stenen Ram

Melantrichovastraat
Op dit schilderij van Václav Jansa uit 1898 ziet u dit straatje, dat naar het Plein Oude Stad leidt.

Bij de Rode Vos
Een gouden Maagd met Kind kijkt van de barokke gevel van dit oorspronkelijk romaanse huis naar beneden.

☐ Zuidkant

◉ Jan Husmonument

Bij de Os
De gevel van dit huis wordt gesierd door een 18de-eeuws beeld van St.-Antonius van Padua. Het huis ontleent zijn naam aan zijn 15de-eeuwse eigenaar Ochs.

Bij de Ooievaars

Bij de Blauwe Ster

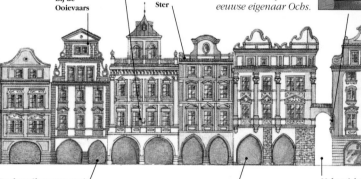

In de zuilengang vindt u de Franz Kafkagalerie.

Restaurant bij de Klok

Melantrichova-straat

TIJDBALK

De koninklijke processie van Leopold II op het Plein Oude Stad in 61791

1338 Oude Stad wordt zelfstandige gemeente

1735 St.-Nicolaaskerk gereed

1948 Klement Gottwald spreekt van balkon Kinský-paleis grote menigte partijleden toe

1300	1450	1600	1750	1900

1200 Het plein is een kruising van handelsroutes en een belangrijke markt

1365 Begin bouw Týnkerk

1621 27 anti-Habsburgse leiders terechtgesteld *(blz. 31)*

1689 Groot deel van Oude Stad in as

1784 Praagse wijken worden één stad

1915 Onthulling van Jan Hus Monument

Detail Husmonument

Beeld van de Heilige Maagd op de Týnkerk

Týnkerk ❽
KOSTEL MATKY BOŽÍ
PŘED TÝNEM

Týnská, Štupartská. **Kaart** 3 C3.
⚡ *22 23 18 186.* ᵀᴹ˅ *Staroměstská, Můstek.* **Geopend** *alleen voor kerkdiensten.* ✝ *ma-vr 16.30 uur, za 13.00 uur, zo 11.30 en 21.00 uur.* Ø

De vele spitsen van deze historische kerk beheersen het Plein Oude Stad. Met de bouw van de huidige kerk werd in 1365 begonnen. De Týnkerk heeft altijd een centrale rol in de Reformatie in Bohemen gespeeld en tussen het begin van de 15de eeuw en 1620 was het de belangrijkste kerk van de hussieten in Praag. De hussitische koning George van Podiebrad ging hier ter utraquistische communie *(zie St.-Martinus-in-de-Muurkerk blz. 75)* en liet een gouden kelk – het symbool van de utraquisten – op de gevel aanbrengen. De kelk werd na 1621 omgesmolten en verwerkt in het beeld van de Heilige Maagd. Het prachtige noordelijke portaal (1390) wordt gesierd door beelden van het Lijden van Christus. Binnen zijn onder andere gotische kruisbeelden, een tinnen doopvont (1414) en een 15de-eeuwse gotische preekstoel te zien. Achter de kerk kunt u op de Týn-binnenplaats een aantal bouwkundige stijlen bekijken.

Kinskýpaleis ❾
PALÁC KINSKÝCH

Staroměstské náměstí 12.
Kaart 3 C3. ⚡ *22 48 10 758.* ᵀᴹ˅ *Staroměstská.* **Geopend** *di-zo 10.00-18.00 uur.* 📷 Ø 🎫

Het wapen van Kinský op het Kinskýpaleis

Kilian Ignaz Dientzenhofer ontwierp dit sierlijke rococo-paleis met zijn roze en wit gepleisterde voorgevel. De beelden op de dakrand, die de vier elementen voorstellen, zijn van Franz Platzer. Štepán Kinský, een diplomaat van de keizer, kocht het in 1768 van de familie Golz. In 1948 sprak de communist Klement Gottwald vanaf het balkon duizenden partijgenoten toe. Deze toespraak leidde de communistische staatsgreep later dat jaar in. De Nationale Galerie gebruikt het paleis nu om er tijdelijke tentoonstellingen te houden.

Jan Hus-monument ❿
POMNÍK JANA HUSA

Staroměstské náměstí. **Kaart** 3 B3.
ᵀᴹ˅ *Staroměstská.*

Centraal op het Plein Oude Stad staat het beeld ter ere van de kerkhervormer Jan Hus *(blz. 26-27).* Nadat het Concilie van Konstanz hem in 1415 tot ketter had verklaard, werd Hus op de brandstapel gebracht. Het monument van Ladislav Šaloun werd op de 500ste sterfdag van Hus onthuld. Er zijn twee groepen mensen te zien, de zegevierende hussitische troepen en de tot ballingschap gedwongen protestanten 200 jaar later. Een jonge moeder symboliseert de nationale wedergeboorte. Hiertussen staat Hus met de uitstraling van een man die liever afscheid van zijn leven dan van zijn overtuiging neemt.

St.-Nicolaaskerk ⓫
KOSTEL SV. MIKULÁŠE

Staroměstské náměstí. **Kaart** 3 B3.
⚡ *22 42 15 402.* ᵀᴹ˅ *Staroměstská.* **Geopend** *di-zo 10.00-16.00, (wo tot 17.00 uur) en april-nov. voor avondconcerten.* ✝ *zo 10.30 uur.* 📷

Op deze plek staat al sinds de 12de eeuw een kerk. Tot de Týnkerk gereed kwam was dit de parochiekerk van Oude Stad. De kerk werd na de Slag bij de Witte Berg *(blz. 30-31)* deel van een benedictijnenklooster. De kerk die er nu staat, is ontworpen door Kilian Ignaz Dientzenhofer en werd in 1735 voltooid. Beelden van Antonín Braun sieren de witte gevel. De kerk werd in 1781 van alle opsmuk ontdaan,

Hussitische strijders op het Jan Husmonument

St.-Nicolaaskerk, Oude Stad

nadat keizer Jozef II de sluiting had geboden van alle kloosters zonder sociale functie.

In de Tweede Wereldoorlog waren er Tsjechische legereenheden in de kerk ondergebracht. Een kolonel redde een aantal kunstenaars van het front en liet ze de kerk restaureren. Kosmas Damian Asam schilderde de fresco's in de koepel over het leven van St.-Nicolaas en St.-Benedictus. In het schip staat een enorme, kroonvormige kandelaar. Na de oorlog werd de kerk aan de Tsjechische hussitische beweging geschonken.

's Zomers vinden hier concerten plaats.

Stadhuis Oude Stad ⓬
STAROMĚSTSKÁ RADNICE

Zie blz. 72-73.

Huis bij de Twee Gouden Beren ⓭
DŮM U DVOU ZLATÝCH MEDVĚDŮ

Kožná 1. **Kaart** 3 B4. Můstek. **Gesloten** voor publiek.

Als u het Plein Oude Stad via de Melanchitrovastraat verlaat, moet u vooral even in het eerste steegje aan uw linkerhand naar het portaal van het Huis bij de Twee Gouden Beren kijken. Het renaissancistische huis dat er nu staat, is in 1567 ontstaan uit de samenvoeging van twee oudere gebouwen. De ontwerper van de toren van de St.-Vituskathedraal *(blz. 100-103)*, Bonifaz Wohlmut, werd in 1590 door de eigenaar van het huis, de koopman Lorenc Štork, gevraagd om het huidige portaal te maken. Het resultaat hoort tot de renaissancistische hoogtepunten van Praag. Op de binnenplaats vindt u een prachtige zuilengang. De 'razende reporter' Egon Erwin Kisch werd hier in 1885 geboren. Deze Duitssprekende joodse schrijver en journalist werd gevreesd vanwege zijn linkse retoriek.

St.-Galluskerk ⓮
KOSTEL SV. HAVLA

Havelská. **Kaart** 3 C4. 22 23 18 186. Můstek. **Geopend** alleen tijdens kerkdiensten. ma-vr 12.15 uur, zo 7.30 uur.

Deze kerk, die uit 1280 dateert, is gebouwd voor de Duitse kolonie die hier in het zogenaamde Gallisstadt (Havelské Město) woonde. In de 14de eeuw ging deze plaats in Oude Stad op. Giovanni Santini-Aichel verzorgde in de 18de eeuw een ingrijpende barokke verbouwing van de kerk, waarbij de gevel met heiligenbeelden van Ferdinand Brokof werd opgesierd. Binnen zijn onder andere diverse schilderijen van Karel Škréta te zien. In de Havelská-straat wordt de bekendste Praagse markt al sinds de Middeleeuwen gehouden, en u vindt er bloemen-, groenten-, kleding- en speelgoedstalletjes.

Een beeld op de gevel van de St.-Galluskerk

Het renaissancistische portaal van het Huis bij de Twee Gouden Beren

Stadhuis Oude Stad ⑫

STAROMĚSTSKÁ RADNICE

Het Stadhuis Oude Stad behoort tot de opvallendste gebouwen in Praag. Het werd in 1338 gebouwd nadat koning Jan de Blinde had besloten tot de instelling van een gemeenteraad. Door voortdurende uitbreiding van het gebouw heeft het nu een bonte verzameling gotische en renaissancistische gevels. In de Tweede Wereldoorlog liep het gebouw grote schade op toen de nazi's de Praagse Opstand in 1945 wilden onderdrukken, en sindsdien is het gebouw grondig gerestaureerd. De toren biedt een fraai uitzicht.

Oude raadzaal
Op deze 19de-eeuwse gravure valt vooral het goed bewaard gebleven 15de-eeuwse plafond op.

Wapen Oude Stad
Het wapen van Oude Stad, dat sinds 1784 voor heel Praag geldt, is te zien boven het opschrift 'Praag, hoofdstad van het koninkrijk'.

PRAGA CAPVT REGNI

Toeristeninformatie en toegang tot de toren

Wisselende tentoonstellingen

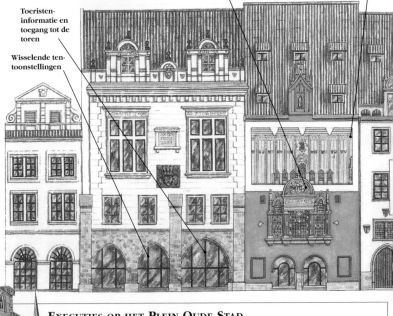

EXECUTIES OP HET PLEIN OUDE STAD

Op een bronzen gedenkplaat onder de erkerkapel zijn de namen te lezen van de 27 protestanten die hier op 21 juni 1621 op last van de katholieke keizer Ferdinand II werden geëxecuteerd. Deze terechtstelling was een gevolg van de Slag bij de Witte Berg *(blz. 30-31)*, waarop een grote protestantse emigratie, de Contrareformatie en verduitsing volgden.

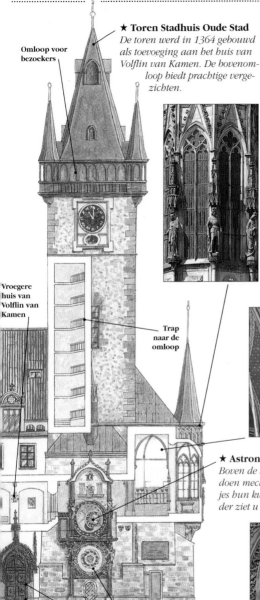

★ Toren Stadhuis Oude Stad
De toren werd in 1364 gebouwd als toevoeging aan het huis van Volflin van Kamen. De bovenomloop biedt prachtige verge-zichten.

Omloop voor bezoekers

Vroegere huis van Volflin van Kamen

Trap naar de omloop

Met mozaïeken versierde hal

Kalender *(blz. 32-33)*

TIPS VOOR DE TOERIST

Staroměstské náměstí 1. **Kaart** 3 C3. 22 42 28 456. Staro-městská (lijn A), Můstek (lijn A & B). 17, 18. **Geopend** april-okt. dag. 9.00-18.00 (ma vanaf 11.00); nov.-maart dag. 9.00-17.00 (ma vanaf 11.00 uur).

Erkerkapel
De oorspronkelijke glas-in-loodramen van de vijfhoekige kapel werden tegen het einde van de Tweede Wereldoorlog verwoest, maar in 1987 gerestaureerd.

Plafond erkerkapel
Het plafond van de in 1381 gebouwde kapel is onlangs in zijn oude pracht hersteld.

★ Astronomische klok
Boven de tekens van de dierenriem doen mechanisch gestuurde beeld-jes hun kunstje (blz. 74); daaron-der ziet u een kalender.

Gotische deur
De laatgotische deur naar het Stadhuis en de toren is bewerkt door Matthias Rejsek. De mozaïe-ken in de hal zijn ontworpen door de Tsjechische schilder Mikuláš Aleš.

STERATTRACTIES

★ Astronomische klok

★ Toren Stadhuis Oude Stad

Stadhuisklok

ORLOJ

Jan Táborský

De eerste klok van het Stadhuis dateert uit het begin van de 15de eeuw. Klokkenmaker Hanuš (echte naam Jan Z Růže), die de constructie in 1490 herbouwde, werd volgens de legende door raadsleden blind gemaakt om te voorkomen dat hij ergens anders een mooiere klok zou maken. Hoewel er sindsdien veel aan is gesleuteld, is het mechaniek nog steeds datgene dat Jan Táborský tussen 1552 en 1572 perfectioneerde.

APOSTELEN

De processie van de twaalf apostelen die elk heel uur te zien is, is de grote trekpleister van de klok. Het geraamte rechts

De Apostelen

IJdelheid en Hebzucht

Arabische cijfers 1-24

De zon van het astronomisch uurwerk staat in Ariës

De dood

De Turk, symbool van de wellust

De apostelen van Vojtěch Sucharda uit 1945. Een eerder exemplaar viel ten prooi aan brand

Het blauw staat voor het daglicht

Kalender van Josef Mánes (blz. 32-33)

van de klok, dat de Dood uitbeeldt, start de voorstelling door aan een touw te trekken. Ondertussen bekijkt hij de zandloper in zijn andere hand. Dan gaan er twee ramen open waar de elf apostelen met Paulus uit naar voren komen. Petrus leidt de processie.

Na dit ritueel klinkt er gekraai van een haan en slaat de klok de tijd. Andere bewegende beelden zijn een hoofdschuddende Turk, IJdelheid die zichzelf in de spiegel bekijkt en Hebzucht die naar middeleeuws gebruik in de gedaante van een joodse woekeraar is uitgebeeld.

ASTRONOMISCHE KLOK

In de ogen van de klokkenmaker was de Aarde overduidelijk het middelpunt van het heelal. De klok werd niet gemaakt om te kunnen zien hoe laat het was, maar om de vermeende rotatie van de zon en de maan om de Aarde uit te beelden. De kleine wijzer van de klok geeft feitelijk drie tijden tegelijk aan. In de buitenste ring wordt de tijd in de Arabische telling aangeduid. Volgens die methode kent een dag 24 uur en begint de telling bij zonsondergang. De romeinse cijfers geven de tijd aan zoals wij dat gewend zijn. Het blauwe deel van de wij-

zerplaat duidt op de periode waarin het daglicht aanwezig is. Dit is de klok naar Mesopotamisch voorbeeld, waarbij de dag in twaalf in lengte variërende uren is verdeeld.

Op de klok is ook de beweging van zon en maan ten opzichte van de tekens van de dierenriem te zien. Deze speelde in Praag in de 16de eeuw een belangrijke rol.

De Dood en de Turk

St.-Martinus-in-de-Muurkerk ⑮

KOSTEL SV. MARTINA VE ZDI

Martinská. **Kaart** 3 B5. ᵀᴹᵁᵀ *Národní třída, Můstek.* 🚊 6, 9, 17, 18, 22. **Geopend** voor concerten.

Deze 12de-eeuwse kerk ontleent zijn naam aan het feit dat hij in de 13de eeuw onderdeel van de nieuwe stadswallen werd. Hier werd de gemeente voor het eerst niet alleen van brood, maar ook van miswijn voorzien. Deze voorziening was een van de dogma's van de gematigde hussieten, de utraquisten. Zij ontleenden hun naam aan het latijnse *sub ut-raque specie*, 'onder beide ge-daanten'. In 1787 werd de kerk in werkplaatsen verdeeld, maar aan het begin van de 20ste eeuw herkreeg hij zijn oorspronkelijke functie.

Náprstek-museum ⑯

NÁPRSTKOVO MUZEUM

Betlémské náměstí 1. **Kaart** 3 B4. 📞 22 22 21 418. ᵀᴹᵁᵀ *Národní třída Staroměstská.* 🚊 6, 9, 17, 18, 22. **Geopend** di-zo 9.00-17.30 uur. 📷 Ⓦ www.aconet.cz/npm

Dit museum werd in 1862 gestart door Vojta Náprstek, die toen net een decennium in ballingschap in de Verenigde Staten had doorgebracht als gevolg van de revolutie in 1848 *(blz. 32-33)*. Zijn museum over moderne industrie werd geïnspireerd door de Victoriaanse musea die hij in Londen had gezien. Het Tsjechisch museum voor de industrie kwam tot stand door de samenvoeging van vijf oudere gebouwen. Hierbij gingen de brouwerij en het huis van zijn familie in het Huis bij de Haláneks (U Halánků) goeddeels verloren. Later verlegde Náprstek zijn belangstelling naar de etnografie en nu bestaat de collectie vooral uit kunstvoorwerpen uit Azië en indiaanse culturen (Azteken en Maya's). Vlakbij (op Smetanovo nábřeží) staat de neogotische Kranners-fontein uit 1850.

Fresco van Václav Vavřinec Reiner op het plafond van de St.-Aegidiuskerk

St.-Aegidiuskerk ⑰

KOSTEL SV. JILJÍ

Husova. **Kaart** 3 B4. 📞 22 42 20 235 ᵀᴹᵁᵀ *Národní třída.* 🚊 6, 9, 17, 18, 22. **Geopend** tijdens kerkdiensten. ✝ ma-vr 7.00 en 18.30, za 18.30, zo 8.30, 10.30, 12.00 en 18.30 uur. 📷

Op het prachtige gotische zuidportaal na is deze kerk helemaal barok. Het gebouw is in 1371 op de restanten van een romaanse kerk neergezet en werd in 1420 een kerk van de hussieten. Het enorme klooster aan de zuidkant is gebouwd door de dominicanen, die de kerk na de nederlaag van de protestanten in 1620 *(blz. 30-31)* van Ferdinand II cadeau kregen. Na de teloorgang van het communisme is de kerk opnieuw aan de dominicanen gegeven.
De fresco's in de gewelven van de kerk zijn van de hand van Václav Vavřinec Reiner, die voor het altaar van St.-Vincent begraven ligt. In het belangrijkste fresco, *De triomf der dominicanen over de ketterij,* zijn St.-Dominicus en de monniken te zien als zij de paus helpen om de kerk tegen ketters te beschermen.

Bethlehemkapel ⑱

BETLÉMSKÁ KAPLE

Betlémské náměstí. **Kaart** 3 B4. ᵀᴹᵁᵀ *Národní třída Staroměstská.* 🚊 6, 9, 17, 18, 22. **Geopend** april-okt. dag. 9.00-18.00 uur, nov.-maart 9.00-5.00 uur. 📷 📷 ♿ 📷 via de Prague Information Service (blz. 219)

De huidige kapel is een getrouwe kopie van het gebouw dat tussen 1391 en 1394 werd neergezet door volgelingen van de radicale predikant Jan Milíč Kroměříže. Hier werd gepreekt in het Tsjechisch. Tussen 1402 en 1413 gebruikte Jan Hus *(blz. 26-27)* de kapel voor zijn preken. Onder invloed van hervormer Wycliffe veroordeelde Hus de corruptie in de Kerk en zette zich in voor een strikte naleving van de Heilige Schrift. Nadat het protestantisme tijdens de Slag bij de Witte Berg *(blz. 30-31)* was verslagen, werd het gebouw overgedragen aan de jezuïeten. Zij verbouwden de kapel en legden zes nieuwe schepen aan. In 1786 scheelde het maar weinig of het gebouw was vervangen door huizen. Na de Tweede Wereldoorlog is de kapel aan de hand van oude tekeningen volledig gerestaureerd.

Tekening van Jan Hus die zijn volgelingen in de Bethlehemkapel toespreekt

Onder de loep: westelijk Oude Stad

De smalle straatjes in de richting van de Karelsbrug liggen er nog precies zo bij als in de Middeleeuwen. Karlova was eeuwenlang de hoofdstraat door Oude Stad. Renaissancistische en barokke gevels omzomen de schilderachtige kronkelende straat. Langs de noordkant van de straat kochten de jezuïeten in de 17de eeuw een groot stuk grond, waar ze vervolgens het Clementinum vestigden.

★ Clementinum
Deze gedenkplaat herinnert aan de stichting van een door de staat gecontroleerd seminarie in 1783 ter vervanging van de oude universiteit ㉓

Kruisridderplein
Roetzwarte beelden kijken van de gevel van de St.-Salvatorkerk uit over het pleintje ㉕

St.-Franciscuskerk

★ Smetanamuseum
Dit museum, gewijd aan de Tsjechische componist Bedřich Smetana, is gevestigd in een neorenaissancistisch huis langs de Vltava ㉔

ANENSK

De Bruggetoren Oude Stad
is in 1380 gebouwd. Het gotische beeldhouwwerk aan de oostzijde werd in het atelier van Peter Parler gemaakt. De ijsvogel was het persoonlijke symbool van Wenceslas IV (zoon van Karel IV), onder wiens heerschappij de toren werd voltooid *(blz. 139).*

Het St.-Agnesklooster werd in 1782 gesloten. Enkele gebouwen worden tegenwoordig gebruikt door het Nationale Theater *(blz. 156-157).*

Karlova (Karelsstraat)
Dit Jugendstil-beeldje van de legendarische prinses Libuše (blz. 21) op nr. 22-24 moet u beslist even gaan bekijken. ㉑

Mariánsképlein

Omdat het zo vaak overstroomde, kreeg dit plein als bijnaam 'de plas'. De beelden op het balkon van het nieuwe stadhuis uit 1911 zijn van de hand van Stanislav Sucharda ⑳

ORIËNTATIEKAART
Zie Stratengids, kaart 3

Clam-Gallaspaleis

Dit paleis is een van de barokke hoogtepunten van Praag en heeft pas een restauratie ondergaan. Het is open voor concerten. ⑲

Sterrenwacht

MARIÁNSKÉ NÁMĚSTÍ

KARLOVA

LILIOVÁ

HUSOVA

ŘETĚZOVÁ

Naar Plein Oude Stad

St.-Aegidiuskerk

De engel op het altaar (1738) is, evenals veel ander beeldhouwwerk, van de hand van František Weiss ⑰

George van Podiebradpaleis

George van Podiebrad woonde hier voordat hij koning werd in 1458 ㉒

Bethlehemkapel

In deze enorme, tussen 1950 en 1960 gerestaureerde kapel spraken Hus en de zijnen grote menigten toe ⑱

0 meter   100

STERATTRACTIES
★ Clementinum
★ Smetanamuseum

Clam-Gallaspaleis ⑲
CLAM-GALLASŮV PALÁC

Husova 20. **Kaart** 3 B4. 📞 *22 42 22 496.* Ⓜ *Staroměstská.* **Geopend** *uitsluitend voor concerten en tijdelijke tentoonstelingen.*

H et interieur van dit barokpaleis was nogal verwaarloosd in de jaren dat het als stadsarchief dienstdeed, maar is nu zorgvuldig gerestaureerd. De Weense hofarchitect Johann Fischer von Erlach ontwierp het paleis, dat tussen 1713 en 1730 werd gebouwd in opdracht van Johann Wenzel Gallas. De beide portalen worden bewaakt door twee paar Heraclesbeelden van de hand van Matthias Braun. Ook in het trappenhuis zijn beelden van Braun te zien. Boven de trap valt het fresco *De triomf van Apollo*

van Carlo Carlone op. In het paleis bevindt zich een klein theater waar Beethoven eigen werk speelde.

Mariánsképlein ⑳
MARIÁNSKÉ NÁMĚSTÍ

Kaart 3 B3. Ⓜ *Staroměstská, Můstek.*

O p dit plein vallen vooral de twee beelden aan weerszijden van het foeilelijke stadhuis (1912) op. Het ene toont een stokoude rabbijn Löw *(blz. 88)* die eindelijk door de engel des doods achterhaald wordt, het andere beeldt de IJzeren Man uit. Deze geest maakte Oude Stad onveilig nadat hij zijn minnares had vermoord. In de tuinmuur van het Clam-Gallaspaleis is in een nisje een beeld van de Vltava te zien. De rivier is weergegeven als een nimf die water uit een kan schenkt.

Karlova ㉑
KARLOVA ULICE

Kaart 3 A4. Ⓜ *Staroměstská.*

De 19de-eeuwse gevelsteen op het Huis bij de Gouden Slang

D eze smalle, slingerende straat, die uit de 12de eeuw stamt, maakte vroeger deel uit van de Koninklijke Route *(blz. 174-175)* die men volgde als er in de Praagse Burcht iemand werd gekroond. Langs Karlova staan nog veel gotische en renaissancistische huizen, waar winkels zijn gekomen ten behoeve van de toeristenstroom tussen de Karelsbrug en het Plein Oude Stad.
Het Huis bij de Gouden Slang (nr. 18) is tegenwoordig een restaurant. De eerste eigenaar, de Armeniër Deodatus Damajan, deelde in het café lasterlijke geschriften uit. De barokke gevel van het Huis bij de Gouden Bron (nr. 3) bevat onder meer reliëfs van heiligen die Praag tegen de pest zouden beschermen.

George van Podiebradpaleis ㉒
DŮM PÁNŮ Z KUNŠTÁTU

Řetězová 3. **Kaart** 3 B4. 📞 *22 22 21 240.* Ⓜ *Národní třída, Staroměstská.* 🚃 *6, 9, 17, 18, 22.* **Geopend** *meisept di-zo 10.00-18.00 uur.* 🎧 📷

I n de uit de 12de eeuw daterende kelder van dit paleis zijn drie prachtige romaanse kamers te zien. Oorspronkelijk was dit de begane grond, maar later is Praag 3 m opgehoogd om de stad tegen overstromingen te beschermen. De 15de-eeuwse eigenaren van het paleis, de heren van Kunštát, breidden het in gotische stijl uit.

Beelden van Matthias Braun bij de ingang van het Clam-Gallaspaleis

Binnen is een tentoonstelling te zien gewijd aan George van Podiebrad, een hussitische koning van Bohemen *(blz. 26-27)*.

Clementinum
KLEMENTINUM

Křižovnické náměstí 4, Mariánské náměstí 5, Seminářská 1. **Kaart** 3 A4. **℡** 22 16 63 111. **M** Staroměstská. **⊞** 17, 18. **Bibliotheek geopend** ma-vr 9.00-22.00 uur, za 8.00-14.00 uur. **Kerk geopend** alleen tijdens kerkdiensten. **†** di 19.00, do 20.00, zo 14.00 en 20.00 uur. **Ø ♿ ▣** maart-okt. dag. 14.00-21.00 uur (za en zo vanaf 10.00 uur). **℡** 60 32 31 241.

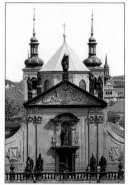

De St.-Salvatorkerk in het Clementinum

K eizer Ferdinand I nodigde de jezuïeten in 1556 uit naar Praag om de Tsjechen tot het katholicisme terug te brengen. Ze namen hun intrek in het St.-Clemen-sklooster van de dominicanen. Het Clementinum werd al snel een concurrent van de utraquistische universiteit, het Carolinum *(blz. 65)*. De eerste jezuïetische kerk in Praag, de St.-Salvatorkerk, dateert uit 1601. De zeven heiligenbeelden van Jan Bendl uit 1659 op de gevel worden 's avonds mooi verlicht. De jezuïeten werden in 1618 verbannen, maar kwamen twee jaar later terug, vastbesloten een einde aan de ketterij te maken. In 1622 gingen de twee universiteiten samen, waardoor de jezuïeten de alleenheerschappij in het hoger onderwijs in Praag kregen. In hun ogen was tweederde van de bevolking heimelijk ketter, hetgeen massale verbranding van Tsjechische boeken tot gevolg had. Tussen 1653 en 1723 werd het Clementinum steeds verder oostwaarts uitgebreid.

Toen de paus de jezuïetenorde in 1773 ontbond, werd het hoger onderwijs geseculariseerd. Het Clementinum werd de Praagse universiteitsbibliotheek, de tegenwoordige Nationale Bibliotheek. De bibliotheek bevat een kostbare verzameling manuscripten en incunabelen, waaronder het *Kroningsevangeliarium van Vyšehrad* uit 1086. In de Spiegelkapel worden klassieke concerten gehouden.

Smetanamuseum
MUZEUM BEDŘICHA SMETANY

Novotného lávka 1. **Kaart** 3 A4. **℡ & FAX** 22 22 20 082. **M** Staroměstská. **⊞** 17, 18. **Geopend** wo-ma 10.00-17.00 uur. **▣ Ø**

I n het neorenaissancistische gebouw waarin vroeger het waterleidingbedrijf was gevestigd, is nu een museum ingericht ter nagedachtenis aan de vader van de Tsjechische muziek, Bedřich Smetana. Er zijn oorspronkelijke handschriften en memorabilia van de componist te zien. Smetana was zeer patriottistisch en droeg veel bij aan de 19e-eeuwse wedergeboorte van zijn land. Op latere leeftijd werd hij steeds dover en zelf heeft hij zijn beroemde *Má Vlast* (Mijn vaderland) nooit gehoord.

Het beeld van Karel IV (1848) op het Kruisridderplein

Kruisridderplein
KŘIŽOVNICKE NÁMĚSTÍ

Kaart 3 A4. **℡** 22 11 08 237. **M** Staroměstská. **⊞** 17, 18. **⊟** 135, 207. **St.-Franciscuskerk geopend** tijdens kerkdiensten. **†** ma-vr 7.00, zo 9.00 uur. **Ø ♿ Galerie Křižovníků geopend** di-zo 10.00-13.00 uur, 14.00-18.00 uur.

V anaf het pleintje voor de bruggentoren Oude Stad hebt u een mooi uitzicht over de Vltava. Aan de noordkant staat de St.-Franciscuskerk (kostel sv. Františka), een voormalige kruisridderkerk. De gevel van de St.-Salvatorkerk, onderdeel van het enorme Clementinum, beheerst de oostzijde. Aan de westkant ligt Galerie Křižovníků, met de kunstcollectie en de schatkamer van de kruisridders. Midden op het plein staat het grote neogotische bronzen beeld van Karel IV, de vorst die 500 jaar geleden de universiteit, het Carolinum *(blz. 65)*, stichtte.

De sgraffito-gevel van het Smetanamuseum

JOODSE WIJK

JOSEFOV

In de Middeleeuwen waren er twee joodse gemeenschappen in Praags Oude Stad. Joden uit het westen woonden rond de Oud-nieuwsynagoge, terwijl de asjkenaziem zich in de buurt van de Oude Sjoel (op de plaats waar nu de Spaanse Synagoge staat) vestigden. Langzamerhand vormden deze twee buurten samen één joods getto. De bewoners werden schaamteloos gediscrimineerd. In de 16de eeuw moesten ze zelfs een gele cirkel dragen om hun schande te

Jugendstil-detail op huis in Kaprova

benadrukken en ze werden voortdurend van brandstichting en vergiftiging van drinkwater beschuldigd. Pas in 1784 bezorgde Jozef II de joden enige bescherming, waarna de buurt Josefov werd genoemd. In 1850 werd de wijk officieel bij Praag gevoegd. Omdat het gebrek aan sanitaire voorzieningen gevaar voor de volksgezondheid opleverde, besloot het stadsbestuur tegen het einde van de 19de eeuw tot een drastische sanering van de in verval geraakte wijk.

DE BEZIENSWAARDIGHEDEN VAN DE JOODSE WIJK

Synagogen en kerken
Pinkassynagoge ❹
Klausensynagoge ❺
Oud-nieuwsynagoge
blz. 88-89 ❻
Hoge Synagoge ❼
Maiselsynagoge ❾
Heilige-Geestkerk ❿
Spaanse Synagoge ⓫
St.-Simon en Judaskerk ⓭
St.-Haštalkerk ⓮

Concertzaal
Rudolfinum ❶

Musea en galeries
Kunstnijverheidsmuseum ❷
St.-Agnes van Bohemen-
klooster blz. 92–93 ⓯

Historische gebouwen
Joods stadhuis ❽
Kubistische huizen ⓬

Begraafplaats
Oude Joodse Begraafplaats
blz. 86-87 ❸

BEREIKBAARHEID
De halte Staroměstská van lijn A van de metro ligt vlakbij de bezienswaardigheden in de Joodse Wijk. U kunt ook tram 17 of 18 naar Náměstí Jana Palacha nemen. Bus 207 gaat naar het St.-Agnes van Bohemen-klooster.

0 meter 250

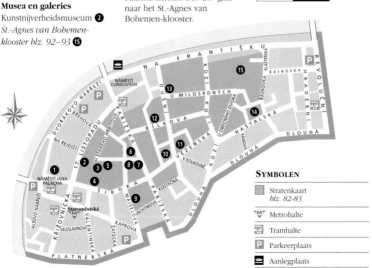

SYMBOLEN

	Stratenkaart *blz. 82-83*
"M"	Metrohalte
	Tramhalte
P	Parkeerplaats
	Aanlegplaats

◁ **Een woud van grafstenen op de Oude Joodse Begraafplaats**

Onder de loep: Joodse Wijk

Hoewel de getto verdwenen is, is er in de synagogen rond de Oude Joodse Begraafplaats nog genoeg van de geschiedenis van de wijk terug te vinden. In de minder oude straten staan voornamelijk prachtige Jugendstil-gebouwen. De straten ten oosten van het vroegere getto leiden naar het vredige St.-Agnesklooster, dat prachtig is gerestaureerd.

Kubistische huizen
Het Kubisme was een van de stijlen die bij de wederopbouw van de Joodse Wijk werden gebruikt ⑫

★ Oude Joodse Begraafplaats
De grafstenen op dit oude kerkhof staan heel dicht op elkaar gepakt ❸

★ Oud-nieuwsynagoge
Dit gotische gebouw met zijn opvallende puntgevels is al meer dan 700 jaar in gebruik ❻

Klausensynagoge
Deze armenbus uit ongeveer 1800 is te zien in het Joods Museum ❺

Hoge Synagoge
De renaissancistische gewelven zijn schitterend ❼

★ Kunstnijverheidsmuseum
Wat er allemaal in het museum te zien is, kunt u aflezen in de glas-in-loodramen in het trappehuis ❷

BŘEHOVÁ

17. LISTOPADU

PAŘÍŽSKÁ

KŘÍŽKOVNÍ…

Pinkassynagoge
Op de muren staan de namen geschreven van ruim 77.000 Tsjechische joden die in de Tweede Wereldoorlog omkwamen ❹

Naar metrostation Staroměstská

Joods stadhuis
De joodse gemeente gebruikt nog altijd dit 16de-eeuwse gebouw ❽

Maiselsynagoge
De synagoge werd in 1591 opgedragen aan burgemeester Mordechai Maisel ❾

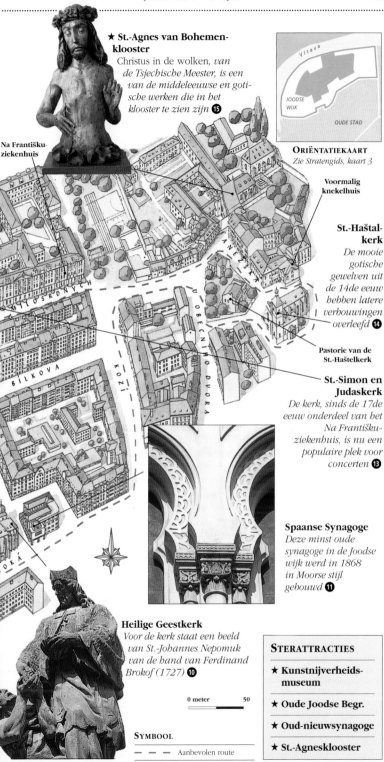

★ St.-Agnes van Bohemen-klooster
Christus in de wolken, van de Tsjechische Meester, is een van de middeleeuwse en gotische werken die in het klooster te zien zijn ⓕ

Na Františku-ziekenhuis

ORIËNTATIEKAART
Zie Strategids, kaart 3

Voormalig knekelhuis

St.-Haštal-kerk
De mooie gotische gewelven uit de 14de eeuw hebben latere verbouwingen overleefd ⓚ

Pastorie van de St.-Haštelkerk

St.-Simon en Judaskerk
De kerk, sinds de 17de eeuw onderdeel van het Na Františku-ziekenhuis, is nu een populaire plek voor concerten ⓘ

Spaanse Synagoge
Deze minst oude synagoge in de Joodse wijk werd in 1868 in Moorse stijl gebouwd ⓙ

Heilige Geestkerk
Voor de kerk staat een beeld van St.-Johannes Nepomuk van de hand van Ferdinand Brokof (1727) ⓙ

0 meter 50

STERATTRACTIES

★ **Kunstnijverheids-museum**

★ **Oude Joodse Begr.**

★ **Oud-nieuwsynagoge**

★ **St.-Agnesklooster**

SYMBOOL

– – – Aanbevolen route

Het podium van de Dvořákzaal in het Rudolfinum

Rudolfinum ❶

Alšovo nábřeží 12. **Kaart** 3 A3. ☎
24 89 31 11 Ⓜ️ *Staroměstská.*
🚋 *17, 18.* 🚌 *135, 207.* **Orkest**
☎ *22 70 59 352.* **Galerie Rudolfinum** ☎ *22 70 59 204.* **Geopend**
di-zo 10.00-18.00 uur. 🚫 ♿ 🔲
Ⓦ www.rudolfinum.cz

Het Rudolfinum, de thuishaven van het Tsjechisch Filharmonisch Orkest, is een van de markantste herkenningspunten aan de Oude-Stadszijde van de Vltava.
Het gebouw is het centrum van het muziekfestival De Praagse Lente (*blz. 50*). Eén van de zalen is de Dvořákzaal, die tot de hoogtepunten van de 19de-eeuwse Tsjechische architectuur behoort.
Het Rudolfinum werd tussen 1876 en 1884 gebouwd naar een ontwerp van Josef Zítek en Josef Schulz en genoemd naar de Habsburgse kroonprins Rudolf. Samen met het Nationale Theater is het het mooiste neorenaissancistische bouwwerk in Praag. Op de attiek staan beelden van Tsjechische, Oostenrijkse en Duitse kunstenaars.
Het gebouw is ook wel bekend als Huis van de Kunstenaars en huisvest de Galerie

Rudolfinum, met een collectie moderne kunst. Van 1918 tot 1939 en na de Tweede Wereldoorlog vonden de zittingen van het Tsjechische parlement er plaats.

Kunstnijverheidsmuseum ❷
UMĚLECKOPRŮMYSLOVÉ MUZEUM

17. listopadu 2. **Kaart** 3 B3. ☎ *25
10 93 111.* Ⓜ️ *Staroměstská.* 🚋
17, 18. 🚌 *135, 207.* **Geopend** *di-zo
10.00-18.00 uur.* 🎨 🚫 🔲

Het in 1885 gestichte museum vond aanvankelijk onderdak in het Rudolfinum. Het huidige onderkomen, een neorenaissancistisch gebouw ontworpen door Josef Schulz, dateert uit 1901. De verzameling glaswerk

behoort tot de grootste ter wereld, maar daarvan wordt slechts een klein gedeelte tegelijk geëxposeerd. Naast het prachtige barokke 19de- en 20ste-eeuwse glas uit Bohemen is er ook mooi middeleeuws en Venetiaans renaissanceglaswerk te zien. Tot de andere bezienswaardigheden in het museum behoren Meissner porselein, wandtapijten en tentoonstellingen over mode, textiel, fotografie en drukwerk.
In de collectie meubilair vallen de fraai bewerkte secretaires en bureaus uit de Renaissance op. Verder is er een entresol met ruimte voor wisselende tentoonstellingen en een zeer grote kunstbibliotheek met meer dan 100.000 titels.

Oude Joodse Begraafplaats ❸
STARÝ ŽIDOVSKÝ HŘBITOV

Zie bladzijden 86-87.

Pinkassynagoge ❹
PINKASOVA SYNAGÓGA

Široká 3. **Kaart** 3 B3. Ⓜ️ *Staroměstská.* 🚋 *17, 18.* 🚌 *135, 207.*
Geopend *april-okt. zo-vr 9.00-18.00
uur, nov.-maart 9.00-16.30 uur.* 🎨
🚫 ♿ Ⓦ www.jewishmuseum.cz

Rabbijn Pinkas stichtte de synagoge in 1479, waarna zijn achterneef Aaron Meshulam Horowitz het gebouw in 1535 verder uitbreidde. Sindsdien is het vaak verbouwd en tijdens opgravingen zijn vele interessante vondsten over het middeleeuwse leven in het getto gedaan, waaronder een *mikva,* een ritueel bad. De kern van het ge-

ICHARD13.XII1890 ALVINA 8.VI1900-16.XI
VII1942 SAMUEL14.XI1896-22II1942 AMSO⟨⟩W1872 RNOŠTIŠ
Z.VII1904-18.XII1943 VLADIMÍR 9.VII1908-25⟨⟩⟨⟩ZENĚK⟨⟩.VI1902.I
15.VI1873-19.X1942 ARNOŠTKA21.VI901⟨⟩944 BEDŘIŠKA2.IV189
MILIE 9.III1913-12.X1944 EVA3.XI1919 ANA29.IV1939 JIŘÍ OMÁŠ16.IV19
8.IX1921-1C.V1942 HERMÍNA10.IV1877-10.VI1942 DA29.V1864-27.XII9
12.I1859-19X1942 KATEŘINA4.VIII1864-19.X1942 LÁRA13.IX1863-
9-19.X1942 MELANIE1.VII1909-26.X1942 MIRZA18.XI1877-17.IV1942
D2 RŮŽENA20.VI1889-26.IX1942 SALLY3.I1858-19.VIII1942 AUBE3-
1.OI1942 LSA2.VI1883-26.X1942 OTYLIE 17.V1875-15.X1942 OTILIE
77-1.III1942 ANNA21.XI18⟨⟩⟨⟩IX1942 JANA23.V1914-1.X1944 JINDŘIŠ
1896-12.X1⟨⟩ WEISSE RNOŠT28.IX1903-28.IX1944 WEISSEL

Namen van nazi-slachtoffers op de muur van de Pinkassynagoge

een hal met gotische gewelven, de vrouwenbeuk werd in de 17de eeuw toegevoegd. In de synagoge worden de Tsjechische joden herdacht die in Theresienstadt en andere concentratiekampen om het leven kwamen. De namen van 77.297 slachtoffers van de Tweede Wereldoorlog zijn bijgeschreven op de muren van de synagoge. Tegenwoordig zijn in het gebouw tekeningen van kinderen uit Theresienstadt te zien.

Klausensynagoge ❺
KLAUSOVÁ SYNAGÓGA

U starého hřbitova 3a. **Kaart** 3 B3.
〽 *Staroměstská.* 🚋 *17, 18.*
🚌 *135, 207.* **Geopend** *april-okt.*
dag. 9.00-18.00 uur, nov.-maart
9.00-16.30 uur. 📷 📵
Ⓦ www.jewishmuseum.cz

Vóór een grote brand in 1689 stonden op deze plaats joodse scholen en gebedshuizen *(klausen)*. De synagoge werd in 1694 voltooid. Het huidige uiterlijk dateert van 1884, toen de synagoge werd verbouwd door de architect B. Münzenberger. Het hoogbarokke gebouw is voorzien van elegante tongewelven en veel sierpleisterwerk. Er liggen tegenwoordig Hebreeuwse oude boeken en manuscripten uitgestald. Ook volgt een tentoonstelling het spoor terug naar de joden

Thorawijzer, die in de **19de eeuw, Klau-** Middeleeu- **sensynagoge** wen in Centraal-Europa woonden. Daarbij zijn volop verwijzingen naar beroemde joden, zoals rabbijn Löw *(blz. 88)*, die volgens de legende de Golem, een kunstmens van klei, had gemaakt. Naast de synagoge staat een gebouw dat sprekend op een klein middeleeuws kasteel lijkt. Dit werd in 1906 door het Praags doodgraverscollege neergezet ten behoeve van ceremoniële begrafenissen.

18de-eeuws thoraschild in de ark in de Hoge Synagoge

Oud-nieuw-synagoge ❻
STARONOVÁ SYNAGÓGA

Zie bladzijden 88-89.

Hoge Synagoge ❼
VYSOKÁ SYNAGÓGA

Červená 4. **Kaart** 3 B3.
〽 *Staroměstská.* 🚋 *17, 18.*
🚌 *135, 207.* **Geopend** *april-okt.*
dag. 9.00-18.00, nov.-maart 9.00-
16.30 uur. 📷 📵

De bouw van de Hoge Synagoge werd, net als die van het joods stadhuis, betaald door Mordechai Maisel, die rond 1575 burgemeester van de joodse stad was. De twee gebouwen vormden lange tijd één complex en de ingang van de synagoge bevond zich op de eerste verdieping van het raadhuis. Pas in de 19de eeuw werden de twee gebouwen gescheiden en kreeg de synagoge een eigen opgang. De oorspronkelijke renaissancistische gewelven en het sierpleisterwerk zijn nog te bezichtigen. Een tentoonstelling toont thoramantels, gordijnen en ander

religieus textiel. Verder zijn er zilveren schilden te zien ter versiering van de ark, de bewaarplaats van een aantal antieke thorarollen.

Joods stadhuis ❽
ŽIDOVSKÁ RADNICE

Maislova 18. **Kaart** 3 B3.
Ⓒ & **FAX** *22 23 19 002.* 〽 *Staroměstská.* 🚋 *17, 18.* 🚌 *135, 207.*
Gesloten *voor bezichtiging.*

Het oorspronkelijke joodse stadhuis vormt de kern van dit sierlijke, uit 1577 daterende gebouw. In 1763 onderging het een gedaanteverwisseling in laatbarokke stijl. De laatste veranderingen dateren van 1908, toen de zuidvleugel werd vergroot. De klokkentoren op het dak heeft een markante groene spits. De joodse gemeenschap kreeg toestemming om een toren te bouwen als dank voor haar aandeel in de verdediging van de Karelsbrug tegen de Zweden *(blz. 30-31)*. Op een van de puntgevels is een tweede klok te zien. Deze is versierd met Hebreeuwse afbeeldingen en draait, omdat het in Hebreeuws van rechts naar links wordt gelezen, in de 'verkeerde' richting. Tegenwoordig is in het gebouw de Raad der Joodse Gemeenschap in Tsjechië gevestigd.

Gevel en toren van het Joods stadhuis

Oude Joodse Begraafplaats ❸

STARÝ ŽIDOVSKÝ HŘBITOV

Meer dan 300 jaar lang mochten joden hun doden uitsluitend op dit terrein begraven. Hoewel het sinds de opening in 1478 wel iets is uitgebreid, is het verschil tussen toen en nu maar klein. Door ruimtegebrek liggen de doden tot twaalf verdiepingen hoog boven elkaar begraven. Hoewel er 12.000 grafstenen te zien zijn, wordt geschat dat er wel 100.000 doden zijn begraven. Moses Beck was in 1787 de laatste die hier ter aarde werd besteld.

Uitzicht over de begraafplaats naar de westzijde van de Klausensynagoge

De joodse drukkers
Mordechai Zemach en zijn zoon Bezalel liggen onder een vierkante grafsteen begraven.

De Pinkas-synagoge is de op één na oudste in Praag (blz. 84).

Grafsteen David Gans
Het graf van deze schrijver-sterrenkundige (1541-1613) is versierd met reliëfs van een davidster en een gans, vanwege zijn naam.

Het oudste graf is van rabbijn Avigdor Kara (1439).

Rabbijn David Oppenheim (1664-1736)
Deze opperrabijn bezat de grootste collectie Hebreeuwse boeken en manuscripten van Praag.

Klausen-synagoge (blz. 85)

De grafsteen van **Moses Beck**

Hoofd-ingang

Op de Nephele-heuvel werden kinderen begraven die vóór hun eerste verjaardag stierven.

★ **14de-eeuwse grafstenen**
In de muur om het kerkhof heen zijn gotische grafstenen verwerkt die van een nog oudere joodse begraafplaats afkomstig zijn.

TIPS VOOR DE TOERIST

Široka 3 (hoofdingang). **Kaart** 3
B3. 22 23 17 191 (reserverin-
gen), 22 48 10 099 (Joods Museum). Staroměstská.
17, 18 naar Staroměstská. **Geopend** april-okt. zo-vr 9.00-18.00
uur; nov.-maart zo-vr 9.00-16.30
uur (tot 30 min. voor sluiting).
www.jewishmuseum.cz

Het Praagse doodgraverscollege
*Dit in 1564 opgerichte gezelschap voerde ceremo-
niële begrafenissen uit en verrichtte nuttig werk
voor de gemeenschap. Hier worden de handen na
een begrafenis gewassen.*

**Het Kunstnijverheids-
museum
(blz. 84)**

★ Grafsteen rabbijn Löw (1520-1609)
*Dit is het meest
bezochte graf van het
kerkhof. Bezoekers
leggen hier hon-
den kiezelstenen neer
en doen een wens ten
teken van hun
respect.*

**Aula van het
doodgravers
college**

Mordechai Maisel
(1528-1601) was
burgemeester van
de joodse stad en
filantroop.

★ Grafsteen Hendela Bassevi
*Dit rijk versierde graf (1628) werd
gemaakt voor de mooie vrouw van
de eerste Praagse joodse edelman.*

VOOR EEN BETER BEGRIP VAN DE GRAFSTENEN

Sinds het einde van de
16de eeuw werden joodse
grafstenen versierd met
tekens die duidden op de
achtergrond, de naam of
het beroep van de over-
ledene.

**Zegenende
handen:
familie Cohen**

**Schaar:
kleermaker**

**Hertenbok:
familie
Hirsch of Zvi**

**Druiven:
zegening of
overvloed**

Oud-nieuwsynagoge 6

STARONOVÁ SYNAGÓGA

Davidster in Červenástraat

Deze synagoge uit 1270 is de oudste in Europa en een van de eerste gotische gebouwen in Praag. Hij heeft de branden, de sanering van de wijk in de 19de eeuw en vele jodenvervolgingen overleefd. Inwoners van de Joodse Wijk gebruikten deze synagoge vaak als schuilplaats, en ook nu fungeert hij nog als centrum voor de Praagse joden. Aanvankelijk heette hij de Nieuwe Synagoge, maar na de komst van een nieuw gebouw werd de naam veranderd.

Oostkant van de synagoge

De 14de-eeuwse trapgevel

★ Joods vaandel

Deze historische vlag van de Praagse joden is versierd met een davidster; in het midden is de hoed geborduurd die joden in de 14de eeuw moesten dragen

Deze ramen zijn deel van 18de-eeuwse uitbreidingen waardoor vrouwen de kans kregen de dienst te bekijken.

Kandelaar

RABBIJN LÖW EN DE GOLEM

Rabbijn Löw was geleerde, schreef filosofische werken en leidde de talmoedische school waar de thora werd bestudeerd. Daarnaast dichtte men hem bovenaardse krachten toe. Er werd gezegd dat hij de Golem, een man van klei, tot leven had gebracht door een toversteen in diens mond te leggen. De Golem maakte amok en Löw moest het toversteentje weer wegnemen en het schepsel verstoppen.

Rabbijn Löw en de Golem

★ Vijfdelig ribgewelf

Het vijfdelig ribgewelf wordt gedragen door twee achthoekige pilaren.

Rechterschip
De gloed van kaarsen in bronzen kroonluchters licht de bezoekers van dit deel van de synagoge bij.

Tips voor de toerist

Pařížská en Červená. **Kaart** 3 B2. 22 23 17 191. Staroměstská. 17, 18 naar Staroměstská, 17 naar juridische faculteit. **Geopend** zo-do 9.00-18.00 uur, vr 9.00-17.00 uur. **Gesloten** joodse feestdagen. ma-vr 8.00 uur. www.jewishmuseum.cz

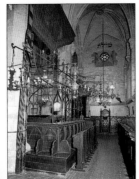

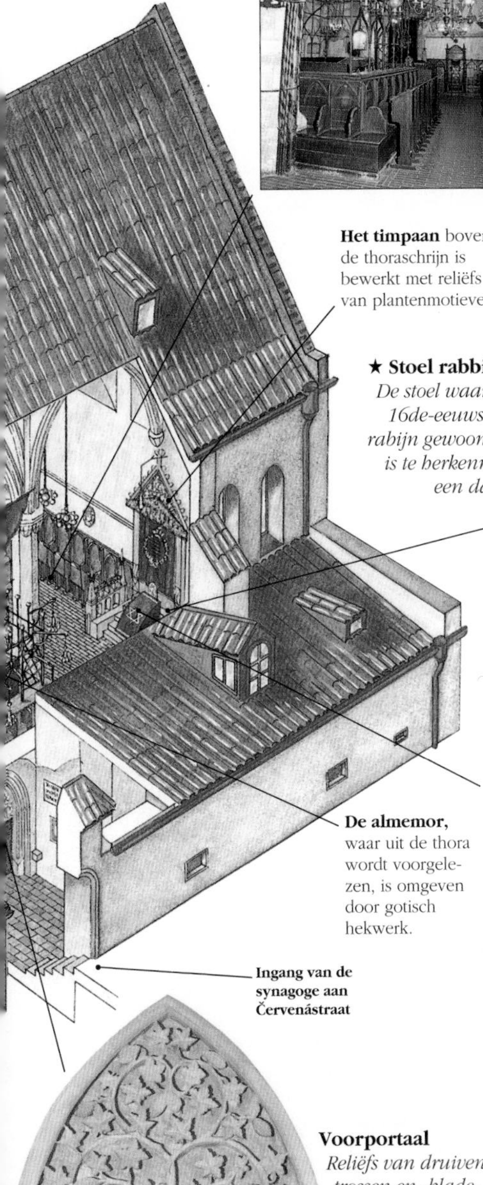

Het timpaan boven de thoraschrijn is bewerkt met reliëfs van plantenmotieven.

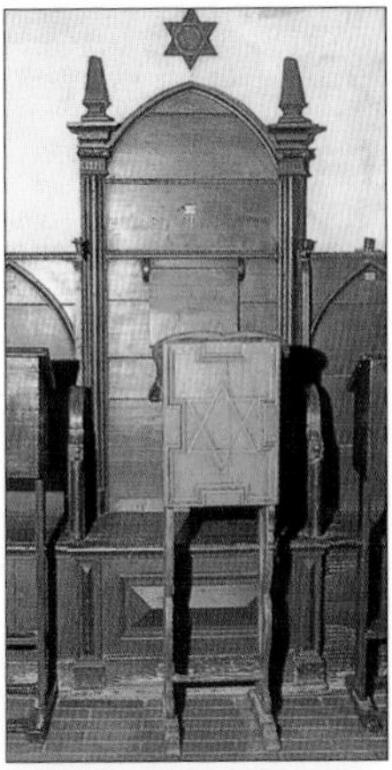

★ Stoel rabbijn Löw
De stoel waarin deze 16de-eeuwse opperrabijn gewoonlijk zat, is te herkennen aan een davidster.

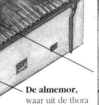

De almemor, waar uit de thora wordt voorgelezen, is omgeven door gotisch hekwerk.

Ingang van de synagoge aan Červenástraat

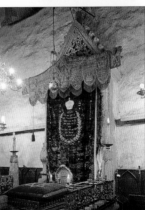

Thoraschrijn
Hier, in het grootste heiligdom van de synagoge, worden de thorarollen bewaard.

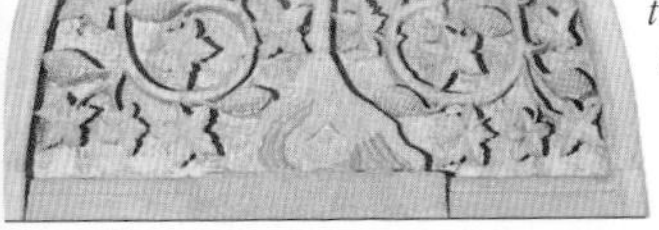

Voorportaal
Reliëfs van druiventrossen en -bladeren sieren het portaal aan de zuidkant van de synagoge.

Sterattracties

- ★ Stoel rabbijn Löw
- ★ Vijfdelig ribgewelf
- ★ Joods vaandel

Een zilveren thorakroon (18de eeuw) in de Maiselsynagoge

Maiselsynagoge ❾
MAISELOVA SYNAGÓGA

Maiselova 10. **Kaart** 3 B3. Staroměstská. 17, 18. 135, 207. **Geopend** april-okt. zo-vr 9.00-18.00 uur; nov.-maart 9.00-16.30 uur. www.jewishmuseum.cz

Deze synagoge werd tegen het einde van de 16de eeuw gebouwd als privé-gebedsruimte voor burgemeester Mordechai Maisel en zijn familie. Maisel had een fortuin verdiend door keizer Rudolf II geld te lenen voor diens oorlog tegen de Turken. Het oorspronkelijke gebouw ging in 1689 tijdens een enorme brand in de wijk in vlammen op, waarna de huidige synagoge werd neergezet. Zijn gotische aangezicht heeft hij pas begin 20ste eeuw gekregen, na een verbouwing door de architect Alfred Grotte, die werd voltooid in 1905. In de jaren 1963-1964 volgde een drastische restauratie van het inte-rieur in opdracht van het Joods Staatsmuseum, waarna het gebouw in gebruik werd genomen als expositieruimte.
In de synagoge is een boeiende tentoonstelling ingericht waar joods smeedwerk van zilver en andere metalen te zien is. De collectie bevat onder andere thorakronen, wapenschilden en kruisbloemen, die werden

gebruikt om de thorarollen te versieren. Ook thorawijzers, die de dienst deden om de tekst te volgen als uit het boek werd voorgelezen, zijn ruim vertegenwoordigd, en verder zijn er tinnen huwelijksaankondigingen, lampen en kandelaars te zien. De ironie wil dat het grootste deel van de collectie door de nazi's naar Praag werd gebracht; zij wilden hier een museum voor verdwenen volken beginnen.

Heilige-Geestkerk ❿
KOSTEL SV. DUCHA

Dušní, Široká. **Kaart** 3 B3. Staroměstská. 17. 135, 207. **Geopend** tijdens kerkdiensten. zo 17.00 uur.

Op het smalle strookje christelijk grondgebied dat in de Middeleeuwen de West-Europese joden van de asjkenaziem scheidde, staat de Heilige-Geestkerk. De 14de-eeuwse gotische kerk was aanvankelijk een deel van een benedictijnenklooster. Dat klooster werd tijdens de Hussietenoorlogen (*blz. 26-27*) verwoest en later niet hersteld.
De kerk werd bij de grote brand in 1689 zwaar beschadigd. De oorspronkelijke gotische steunberen en de hoge vensters zijn behouden, maar het schipgewelf werd na de brand in barokke stijl

herbouwd. Ook het meubilair is voornamelijk barok. Het hoogaltaar dateert uit 1760 en het altaarschilderij *St.-Jozef* is van de hand van Jan Jiří Heintsch (1647-1712). Ferdinand Brokof maakte het beeld van St.-Johannes Nepomuk dat voor de kerk staat (*blz. 83*). Binnen zijn enkele oudere beeldhouwwerken te zien: een 14de-eeuwse piëta (de hoofden zijn minder oud, uit 1628), een laatgotisch beeld van St.-Anna en bustes van St.-Wenceslas en St.-Adalbert uit het begin van de 16de eeuw.

Heilige-Geestkerk

Spaanse Synagoge ⓫
ŠPANĚLSKÁ SYNAGÓGA

Vězeňská 1. **Kaart** 3 B2. Staroměstská. 17. **Geopend** april-okt. zo-vr 9.00-18.00 uur; nov.-maart zo-vr 9.00-16.30 uur. www.jewishmuseum.cz

Hier stond vroeger de Oude School (Stará škola), de oudste synagoge van Praag. In de Oude School concentreerden in de 11de eeuw de asjkenaziem, de oosterse joden, zich, terwijl de West-Europese joden vooral naar de Oud-nieuwsynagoge trokken. Deze twee gemeenschappen waren destijds strikt gescheiden. De eerste Spaanse synagoge op deze plaats werd gebouwd door joden die op de vlucht waren voor de Spaanse Inquisitie.

Motief van de Tien Geboden op de gevel van de Spaanse Synagoge

De huidige stamt uit de 19de eeuw. Het ontwerp is zowel van binnen als van buiten op de Moorse bouwstijl geïnspireerd. Het sierpleisterwerk doet aan het Alhambra in Spanje denken, vandaar de naam Spaanse Synagoge. Er is een tentoonstelling over de Boheemse joden gehuisvest. .

Kubistische Huizen ⓬
KUBISTICKÉ DOMY

Elišky Krásnohorské, 10 -14. **Kaart** 3 B2. Ⓜ *Staroměstská.* 🚊 *17, 18.* ***Gesloten** voor bezichtiging.*

Toen de Joodse Wijk rond het begin van de 20ste eeuw werd gesaneerd, konden Praagse architecten naar hartelust experimenteren. De meeste huizen zijn met Jugendstil-motieven bewerkt, maar op de hoek van Bílkova en Elišky Krásnohorské staat een rij huizen met heel eenvoudige gevels met steeds terugkerende patronen. Deze stijl, de kubistische architectuur, werd rond de Eerste Wereldoorlog populair in Bohemen en Oostenrijk, maar sloeg verder niet erg aan. Dit huizenblok dateert uit 1919-1921.
Op Elišky Krásnohorské 7 ziet u twee vreemd gevormde Atlassen die de erkers torsen. Dit ontwerp is op het Kubisme geïnspireerd, evenals het Huis bij de Zwarte Moeder Gods in de Celetnástraat *(blz. 174-175).*

St.-Simon en Judaskerk ⓭
KOSTEL SV. ŠIMONA A JUDY

U milosrdných. **Kaart** 3 B2. Ⓜ *Staroměstská.* 🚊 *17, 18.* 🚌 *135, 207.* ***Geopend** voor concerten.* Ⓦ www.festival.cz

Deze kerk werd tussen 1615 en 1620 door de Bohemer Broederschap gebouwd. De in het midden van de 15de eeuw opgerichte Broeders kwamen met de utraquisten *(blz. 75)* overeen dat de gemeente tijdens de communie behalve brood

Kubistische Atlassen op een gevel in de Elišky Krásnohorskéstraat

ook miswijn kreeg. Verder was de Broederschap nogal conservatief: ze hield vast aan het celibaat en de biecht. Na de Slag bij de Witte Berg *(blz. 30-31)* werd ze uit Europa verbannen.
De kerk ging hierna over in handen van de Barmhartige Broeders en werd onderdeel van een ziekenhuis en een klooster. De ingang zou zijn gebouwd aan het schavot waarop in 1621 27 Tsjechen werden geëxecuteerd. In de 18de eeuw herbergde het klooster de eerste zaal voor anatomische lessen en ook nu is er nog een ziekenhuis in gevestigd, het Na Františku. Het orgel werd bespeeld door grote componisten, onder wie Joseph Haydn en Wolfgang Amadeus Mozart. In de kerk worden nu concerten gegeven.

De barokke gevel van de St.-Simon en Judaskerk

St.-Haštalkerk ⓮
KOSTEL SV. HAŠTALA

Haštalské náměstí. **Kaart** 3 C2. 🚊 *5, 8, 14.* 🚌 *135, 125, 207.* ***Geopend** onregelmatig.* 🕙 *zo 17.00 uur.* 🚫 ♿

Het vredige pleintje ontleent zijn naam aan de kerk. De kerk, een van de mooiste voorbeelden van gotische architectuur in Praag, werd in de 14de eeuw op de resten van een romaans huis gebouwd, dat al wordt vermeld in een document uit 1234. Na de grote brand van 1689 moest de kerk grotendeels worden herbouwd, maar het dubbele schip aan de noordkant is nog oorspronkelijk. Mooie slanke pilaren dragen hier een verfijnd ribgewelf.
In de sacristie zijn resten van muurschilderingen uit 1375 te zien en de bewerkte metalen doopvont dateert uit 1550, maar verder is de inrichting vooral barok. In het gotische schip staat een beeldengroep uit het atelier van de barokbeeldhouwer Ferdinand Maximilian Brokof, die de *Calvarieberg* (1716) voorstelt.

St.-Agnes van Bohemenklooster ⓯
KLÁŠTER SV. ANEŽKY ČESKE

Zie bladzijden 92-93.

St.-Agnes van Bohemenklooster ⓯

KLÁŠTER SV. ANEŽKY ČESKÉ

Dit klooster werd in 1234 voor de clarissen gesticht door Agnes, de zus van koning Wenceslas I. Het klooster, een van de eerste gotische gebouwen in Bohemen, kwam in 1782 leeg te staan en raakte in verval. Dankzij een ingrijpende restauratie in de jaren zestig ziet het er weer prachtig uit.

Deel van beeld van St.-Agnes, Josef Myslbek

Het gebouw wordt nu gebruikt door de Nationale Galerie voor het exposeren van middeleeuwse kunst uit Bohemen en Midden-Europa. Door een recente uitbreiding van de tentoonstellingsruimte kan deze in een veel bredere Midden-Europese context getoond worden.

Eerste verdieping

★ **Votiefpaneel van aartsbisschop Jan Očko van Vlašim**
Op dit gedetailleerde paneel, rond 1370 geschilderd door een onbekende kunstenaar, knielt Karel IV voor de H. Maagd in de hemel.

Begane grond

Trap naar zalen op de eerste verdieping

★ **Maria-Boodschap**
Dit paneel, rond 1350 geschilderd door de beroemde Meester van Hohenfurth, is een van de oudste en mooiste werken in het museum.

STERATTRACTIES

★ **Maria-Boodschap van de Meester van Hohenfurth**

★ **Strakonice-madonna**

★ **Votiefpaneel van aartsbisschop Jan Očko van Vlašim**

Café-terras

Kruisgang
De gotische bogen in de kloostergang dateren van de 14de eeuw.

MUSEUMWIJZER
De permanente collectie is te vinden op de eerste verdieping van het oude klooster, in een lange zaal en kleinere ruimten rond de kruisgang. De werken zijn chronologisch gerangschikt.

TIPS VOOR DE TOERIST

U milosrdných 17. **Kaart** 3 C2.
22 48 10 628. Náměstí Republiky, Staroměstská. 17 naar rechtenfaculteit (Právnická fakulta), 5, 8, 14 naar Dlouhá třída. **Geopend** di-zo 10.00-18.00 (laatste rondleiding: 17.00).

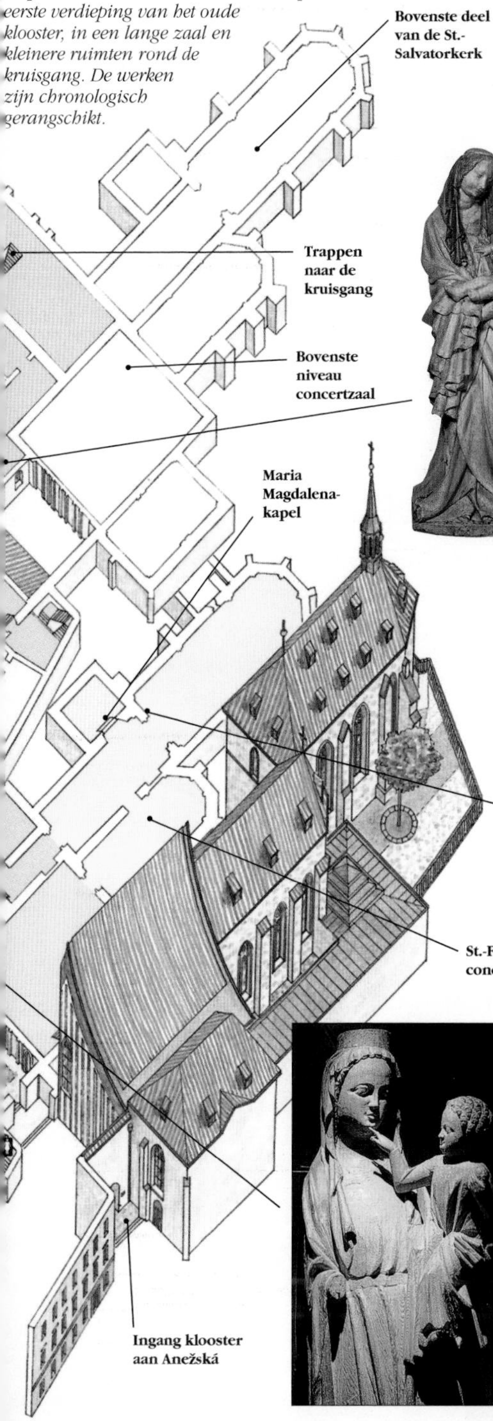

Bovenste deel van de St.-Salvatorkerk

Trappen naar de kruisgang

Bovenste niveau concertzaal

Maria Magdalena-kapel

Variant op de Krumlov-madonna
Dit ontroerende beeld van moeder en kind, daterend van rond 1400, werd gemaakt door een onbekende beeldhouwer, een navolger van de Meester van de Krumlov-madonna.

St.-Salvatorkerk
Dit kapiteel is versierd met de hoofden van vijf Bohemer koninginnen; er is er ook een met vijf Přemyslidische koningen.

St.-Franciscuskerk en concertzaal

★ Strakonice-madonna
Dit 700 jaar oude beeld vertoont gelijkenissen met de klassieke Franse beeldhouwkunst, zoals die in Reims.

SYMBOLEN

☐	Middeleeuwse en vroeg-renaissancistische kunst
☐	Kruisgang
☐	Kerken
☐	Concertzaal
☐	Speciale tentoonstellingen
☐	Geen expositieruimte

Ingang klooster aan Anežská

PRAAGSE BURCHT EN HRADČANY

PRAŽSKÝ HRAD A HRADČANY

De geschiedenis van Praag begon in de 9de eeuw, toen prins Bořivoj de Praagse Burcht stichtte. Door zijn strategische ligging boven de oever van de Vltava werd de Burcht al snel een machtscentrum. Binnen de kasteelmuren staan onder andere een paleis, drie kerken en een klooster. Met de bouw van de wijk Hradčany, ten westen van de Burcht, werd in 1320 begonnen.

Glas-in-loodraam in de St. Vituskathedraal

Vooral Karel IV en Vladislav Jagiello verbouwden hem ingrijpend. Na een brand in 1541 werden de gebouwen in renaissancestijl herbouwd. Onder Rudolf II vierden kunst en cultuur er hoogtij, maar de Habsburgers gebruikten de Burcht slechts sporadisch. Sinds 1918 is het de zetel van de Tsjechische president. De wisseling van de wacht vindt elk uur plaats. Om 12.00 uur klinkt er fanfaremuziek bij.

DE BEZIENSWAARDIGHEDEN VAN DE PRAAGSE BURCHT EN HRADČANY

Kerken en kloosters
St. Vituskathedraal
(blz. 100-103) ❷
St. Jorisbasiliek ❺
Kapucijnenklooster ⓳
Loretoheiligdom
(blz. 116-117) ⓴
Strahovklooster
(blz. 120-121) ㉓

Paleizen
Koningspaleis
(blz. 104-105) ❹
Lobkowiczpaleis ❽
Belvedere ⑪
Aartsbisschoppelijk Paleis ⑭
Martinitzpaleis ⑯
Černínpaleis ㉑

Historische gebouwen
Kruittoren ❸
Daliborkatoren ❾

Musea
Schilderijengalerij van de Praagse Burcht ❶
St. Jorisklooster blz. 106-109 ❻
Rijschool ⑬
Sternbergpaleis blz. 112-115 ⑮
Schwarzenbergpaleis ⑰

Historische straten
Gouden Straatje ❼
Nieuwe Wereld ⑱
Pohořelec ㉒

Parken en tuinen
Slottuin ❿
Koninklijke Tuin ⑫

SYMBOLEN

| | Stratenkaart *zie blz. 96–97* |

🚋 Tramhalte

🅿 Parkeerplaats

ℹ Toeristenbureau

— Burchtwal

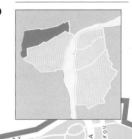

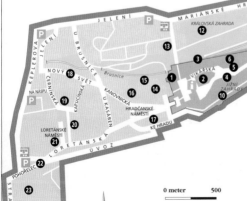

BEREIKBAARHEID
U kunt tram 22 of 23 naar Pražský hrad (Praagse Burcht) of Pohořelec nemen. Als u zin hebt in een wandelingetje, neem dan tram 12, 18, 20, 22 of 23 naar Malostranské náměstí in Kleine Zijde, vanwaar u via Nerudova naar de Burcht kunt lopen. Vanaf metro Malostranská komt u er via de Staré zámecké schody (Oude burchttrappen).

0 meter 500

◁ **De hoofdingang van de Praagse Burcht**

Onder de loep: Praagse Burcht

De Praagse Burcht is, ondanks vele oorlogen en branden, uitgegroeid tot een uniek bouwkundig complex. Van de gotische St. Vituskathedraal tot de renaissancistische uitbreidingen van de laatste Habsburger die er echt woonde: geen bouwstijl is er niet vertegenwoordigd. Tussen 1753 en 1775 werden de binnenpleinen heringericht naar laat-barokke en neoclassicistische mode. In 1918 werd de Praagse Burcht zetel van de regering van Tsjechoslowakije en de tegenwoordige president van de Tsjechische republiek heeft hier zijn kantoor.

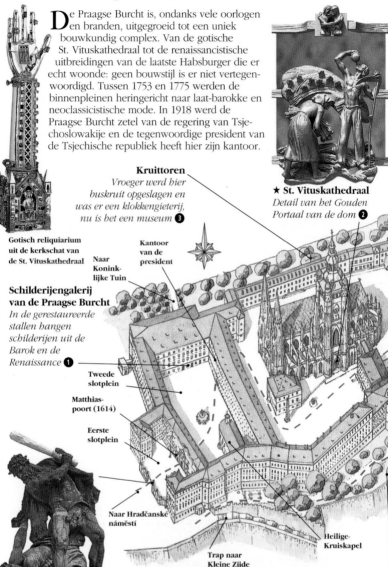

Kruittoren
Vroeger werd hier buskruit opgeslagen en was er een klokkengieterij, nu is het een museum ❸

★ St. Vituskathedraal
Detail van het Gouden Portaal van de dom ❷

Gotisch reliquiarium uit de kerkschat van de St. Vituskathedraal

Kantoor van de president

Naar Koninklijke Tuin

Schilderijengalerij van de Praagse Burcht
In de gerestaureerde stallen hangen schilderijen uit de Barok en de Renaissance ❶

Tweede slotplein

Matthiaspoort (1614)

Eerste slotplein

Naar Hradčanské náměstí

Heilige-Kruiskapel

Trap naar Kleine Zijde

Op de poort staan replica's van 18de-eeuwse beelden van Strijdende giganten van Ignaz Platzer.

Slottuin
De tuinen langs de zuidelijke wal staan vol 18de-eeuwse beelden ❿

★ Gouden Straatje
In dit mooie laantje woonden vroeger de kannoniers en wachters van de Burcht ❼

ORIËNTATIEKAART
Zie Stratengids, kaart 2

Witte Toren

Daliborkatoren
Deze toren ontleent zijn naam aan de eerste man die hier gevangen zat ❾

Oude slot-trappen naar metrostation **Malostranská**

J I R S K A

Lobkowitzpaleis
Hier is de afdeling geschiedenis van het Nationale Museum gehuisvest ❽

★ St. Jorisbasiliek
De gewelven van de St.-Ludmillakapel zijn opgesierd met 16de-eeuwse fresco's ❺

★ St.-Jorisklooster
Het klooster herbergt renaissancistische en barokke kunst, zoals dit 16de-eeuwse schilderij, De wederopstanding van Christus van B. Spranger ❻

SYMBOOL

– – – Aanbevolen route

0 meter   60

★ Koningspaleis
In dit paleis zijn vele prachtige gotische en renaissancistische zalen te zien. In de Landtafelzaal hangen de wapens van beambten die hier werkten ❹

STERATTRACTIES

★ St. Vituskathedraal

★ Koningspaleis

★ St. Jorisbasiliek en -klooster

★ Gouden Straatje

Schilderijengalerij van de Praagse Burcht ❶

OBRAZÁRNA PRAŽSKÉHO HRADU

Praagse Burcht, tweede binnenplaats.
Kaart 2 D2. 📞 *22 43 73 368.*
🚊 *Malostranská, Hradčanská.* 🚋
22, 23. **Geopend** *dag. 10.00-18.00
uur.* 🖼 📷 ⚡ 🌐 www.hrad.cz

In 1965 werden de stallen van de Burcht tot museum verbouwd om de kunst te exposeren die tijdens en na Rudolf II *(blz. 28-29)* werd verzameld. Ondanks plundering door de Zweden in 1648 is er nog een interessante collectie te zien. Behalve veel schilderijen uit de 16de-18de eeuw bevat de verzameling ook beeldhouwwerk, waaronder een kopie van een buste van Rudolf II door Adriaen de Vries. Hoogtepunten zijn Titiaans *Toilet van een jonge vrouw, De bijeenkomst van de Olympische goden* van Rubens en *De centaur Nessus ontvoert Deïanira* van Reni. Meester Theodorik, Veronese, Tintoretto en de Tsjechische barokschilders Kupecký en Brandl zijn als groten vertegenwoordigd. De Schilderijengalerij bezit vele voortreffelijke schilderijen uit de collectie van Rudolf II. Tijdens een verbouwing werden resten van de Mariakerk ontdekt. Deze kerk was de eerste op het terrein en werd in de 9de eeuw gebouwd door prins Bořivoj, de eerste christelijke Přemyslidische vorst *(blz. 20-21).*

St. Vituskathedraal ❷

CHRÁM SV. VÍTA

Zie bladzijden 100-103.

Kruittoren ❸

PRAŠNÁ VĚŽ

Praagse Burcht, Vikářská. **Kaart** 2 D2.
📞 *22 43 73 368.* 🚊 *Malostranská,
Hradčanská.* 🚋 *22, 23.* **Geopend**
*april-okt. 9.00-17.00; nov.-maart
9.00-16.00 uur.* 🖼 📷 🎞
🌐 www.hrad.cz

Op deze plaats werd rond 1496 al een toren gebouwd door Benedikt Ried, de architect van koning Vladislav II. Dit bouwwerk ging in 1541 in vlammen op, waarna de nieuwe toren huis en werkplaats voor klokkengieter-wapensmid Tomáš Jaroš werd. Hij goot onder andere de grote klok van de St. Vituskathedraal, de Sigismund. Onder Rudolf II (1576-1612) werd de toren een alchemistenlaboratorium. Edward

De Kruittoren, gezien van de overkant van de slotgracht

Kelley, een van de avonturiers die hier werkten, overtuigde de keizer dat hij lood tot goud kon omsmelten. De toren werd ernstig beschadigd toen het buskruit ontplofte tijdens het beleg van de Zweden in 1648. De toren bleef echter opslagplaats voor buskruit tot 1754. Daarna werden er woningen in gemaakt voor de kosters van de St. Vituskathedraal. Rond 1960 werd van de toren een museum, gewijd aan de klokkengieterij van Jaroš en de alchemie ten tijde van Rudolf II, gemaakt.

Koningspaleis ❹

KRÁLOVSKÝ PALÁC

Zie bladzijden 104-105.

St. Jorisbasiliek ❺

BAZILIKA SV. JIŘÍ

Jiřské náměstí. **Kaart** 2 E2. 📞 *22 43
73 368.* 🚊 *Malostranská, Hradčanská* 🚋 *22, 23.* **Geopend** *april-okt.
dag. 9.00-17.00 uur; nov.-maart dag.
9.00-16.00 uur.* 🖼 📷 ⚡ 🌐
www.hrad.cz

Deze basiliek, gebouwd onder prins Vratislav (915-921), is de mooiste nog

Toilet van een jonge vrouw **van Titiaan in de Schilderijengalerij**

bestaande romaanse kerk in Praag. In 973 werd hij vergroot tijdens de aanleg van het St. Jorisklooster en na een verwoestende brand in 1142 herbouwd. In de 14de eeuw volgde een nieuwe verbouwing onder leiding van Peter Parler, waarbij de Ludmillakapel werd toegevoegd. De twee enorme torens en het grimmige interieur zijn heel nauwgezet gerestaureerd. De gevel met de beelden van de kerkstichters (J.G. Bendl) dateert uit de 17de eeuw.

In de kerk ligt St. Ludmilla, weduwe van prins Bořivoj *(blz. 20-21)* begraven. Ludmilla werd de eerste christelijke martelares van Bohemen toen zij – verzonken in gebed – in opdracht van schoondochter Drahomíra werd gewurgd. Ook de Přemyslid Vratislav ligt hier begraven. Zijn eenvoudige grafkist staat rechts in het schip bij de wenteltrap naar het koor. Om het graf van Boleslav II (973-999) staat een imposant barok hekwerk.

St. Jorisklooster ⑥
KLÁŠTER SV. JIŘÍ

Zie bladzijden 106-109.

Gouden Straatje ⑦
ZLATÁ ULIČKA

Kaart 2 E2. "M" *Malostranská, Hradčanská.* 🚋 22, 23.

Dit smalle, schilderachtige straatje is genoemd naar de goudsmeden die hier in de 17de eeuw woonden. Langs de kant van de kasteelmuur staan de huisjes die Rudolf II

Een klein huis in het Gouden Straatje

De gevel en torens van de St. Jorisbasiliek

in de 16de eeuw voor zijn boogschutters bouwde. Een eeuw later betrokken de goudsmeden de huisjes, maar in de 19de eeuw was het straatje vervallen en wonden er armen en misdadigers. Halverwege de 20ste eeuw werden de huizen ontruimd en kreeg het straatje een opknapbeurt. Tegenwoordig zijn er boek- en souvenirwinkeltjes gevestigd en is het altijd vol met toeristen.

In het Gouden Straatje hebben enkele beroemde schrijvers gewoond, waaronder Nobelprijswinnaar Jaroslav Seifert en Franz Kafka *(blz. 68)*, die hier enkele maanden bij zijn zus onderdak vond. Hij schreef er in 1916-1917 de meeste verhalen van de bundel *Ein Landarzt.* Seifert werkte in de jaren dertig in een nu niet meer bestaand huisje aan zijn dichtbundel *Osm dní* (Acht dagen).

Vanwege de naam van het straatje doen er nogal wat legenden de ronde. Zo zou het hier vroeger gewemeld hebben van de alchemisten die op straat goud voor Rudolf II trachtten te maken. Hun werkplaatsen bevonden zich echter aan Vikářská, de weg tussen de kathedraal en de Kruittoren.

Lobkowitzpaleis ⑧
LOBKOVICKÝ PALÁC

Jiřská 3. **Kaart** 2 E2. ☎ *25 75 35 979.* "M" *Hradčanská.* 🚋 *22, 23.* **Geopend** di-zo 9.00-17.00 uur. 🖼 Ⓟ ♿ 🖵 **Speelgoedmuseum** ☎ *22 43 72 294.* **Geopend** dag. *9.30-17.30 uur.* W *www.nm.cz*

Dit is een van de paleizen die werden gebouwd nadat een brand in 1541 bijna heel Hradčany in de as had gelegd. Het complex dateert uit 1570 en op de gevel is nog steeds het originele sgraffito te zien. Zijn huidige uiterlijk dankt het grotendeels aan Carlo Lurago, die het in de 17de eeuw in barokke stijl verbouwde voor de familie Lobkowitz. De mooiste zaal is de 17de-eeuwse eetzaal, met fresco's van F. Harovnik.

16de-eeuws sgraffito op de gevel van het Lobkowitzpaleis

Het paleis is onderdeel van het Nationale Museum. De schitterende permanente expositie behandelt de Tsjechische geschiedenis van de eerste nederzettingen tot de revolutie van 1848 met documenten, schilderijen, juwelen, glas, beelden en wapens. Ook zijn er kopieën van de kroonjuwelen te zien, die in de St. Vituskathedraal worden bewaard. Tegenover het paleis op nr. 6 staat een prachtig speelgoedmuseum, waarvan de collectie stukken bevat uit de periode van het Oude Griekenland tot heden.

St. Vituskathedraal ❷

KATEDRÁLA SV. VÍTA, VÁCLAVA A VOJTĚCHA

In 1344 werd onder koning Jan begonnen met de bouw van wat nu hét herkenningspunt van Praag is. De Fransman Matthias van Atrecht was de eerste bouwmeester, na zijn dood nam de Zwaab Peter Parler het over. Zijn metselaarsloge werkte aan de kathedraal tot de Hussietenoorlogen begonnen. De kerk, waar de kroonjuwelen en de kroon van koning Wenceslas *(blz. 20-21)* worden bewaard, werd pas in de 19de en 20ste eeuw afgebouwd.

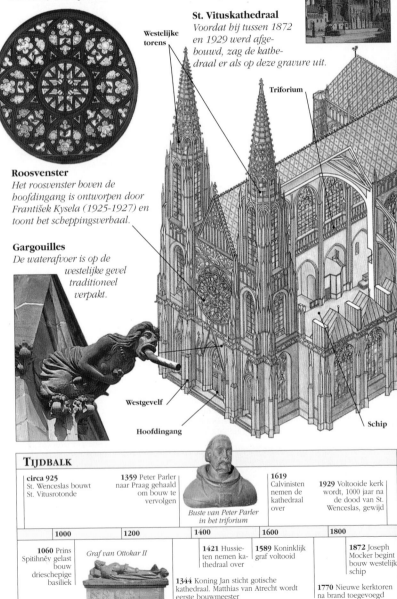

St. Vituskathedraal
Voordat hij tussen 1872 en 1929 werd afgebouwd, zag de kathedraal er als op deze gravure uit.

Westelijke torens

Triforium

Roosvenster
Het roosvenster boven de hoofdingang is ontworpen door František Kysela (1925-1927) en toont het scheppingsverhaal.

Gargouilles
De waterafvoer is op de westelijke gevel traditioneel verpakt.

Westgevelf

Hoofdingang

Schip

TIJDBALK

circa 925
St. Wenceslas bouwt St. Vitusrotonde

1359 Peter Parler naar Praag gehaald om bouw te vervolgen

Buste van Peter Parler in het triforium

1619 Calvinisten nemen de kathedraal over

1929 Voltooide kerk wordt, 1000 jaar na de dood van St. Wenceslas, gewijd

1000	1200	1400	1600	1800

1060 Prins Spitihněv gelast bouw drieschepige basiliek

Graf van Ottokar II

1421 Hussieten nemen kathedraal over

1589 Koninklijk graf voltooid

1872 Joseph Mocker begint bouw westelijk schip

1344 Koning Jan sticht gotische kathedraal. Matthias van Atrecht wordt eerste bouwmeester

1770 Nieuwe kerktoren na brand toegevoegd

★ Luchtbogen
De sierlijke steunberen die aan de buitenkant van de kathedraal zijn aangebracht, zijn prachtig bewerkt.

TIPS VOOR DE TOERIST

Praagse Burcht, derde slotplein. **Kaart** 2 D2. Hradčanská, Malostranská. 22, 23 naar Praagse Burcht (Pražský hrad) of U Prašného mostu. **Kathedraal geopend** nov–maart 9.00-16.00; april-okt. 9.00-17.00 uur (behalve tijdens diensten). **Kerktoren geopend** dag. 10.00-16.00; bij slecht weer **gesloten**.

De renaissancistische klokkentoren is met een barok topje afgewerkt.

Koor

★ St. Wenceslaskapel
Wenceslas hield zich aan de koperen ring in het noordportaal van de kapel vast toen hij door zijn broer Boleslav werd vermoord (blz. 20-21).

Naar het Koningspaleis *(blz. 104-105)*

Het graf van St. Wenceslas ligt op een met halfedelstenen afgezet altaar.

★ Gouden Portaal
Dit was tot de 19de eeuw de hoofdingang. Boven de ingang ziet u een door Venetiaanse ambachtslieden gemaakt mozaïek van Het Laatste Oordeel.

Gotische gewelven
De sierlijke, uitwaaierende pilaren die de drie gotische gewelven dragen, horen tot de kenmerkendste werken van Peter Parler.

STERATTRACTIES

★ **St. Wenceslaskapel**

★ **Gouden Portaal**

★ **Luchtbogen**

Rondleiding door de St. Vituskathedraal

Een rondgang door de kathedraal voert u door 1000 jaar geschiedenis. Bij de hoofdingang ziet u prachtige voorbeelden van neogotische architectuur, waarna de kapellen aan de zijkant van het schip **Hoofdingang: de moord op St. Wenceslas** relikwieën en kunst, variërend van schilderijen uit de Renaissance tot modern beeldhouwwerk, openbaren. Neem vooral de tijd om de met juwelen bezaaide St. Wenceslaskapel te bewonderen. U kunt de kathedraal daarna via de 14de-eeuwse Gouden Poort verlaten.

② **Koor**
Peter Parler werkte vanaf 1372 aan het koor. De hoogte van de ruimte wordt benadrukt door de schoonheid van de gotische tracering.

Orgel (1757)

Nieuwe sacristie

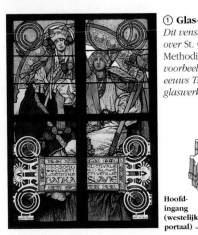

① **Glas-in-loodramen**
Dit venster van Alfons Mucha over St. Cyrillus en St. Methodius *is een van de voorbeelden van 20ste-eeuws Tsjechisch glaswerk.*

Hoofd-ingang (westelijk portaal)

Thun-kapel

St. Ludmilla-kapel

DE VIER FASEN VAN ST. VITUS

Bij opgravingen zijn restanten van de noord-apsis van de oorspronkelijke St. Wenceslas-rotonde en van de later gebouwde basiliek onder de kathedraal gevonden. De neogotische westvleugel is veel later gebouwd, maar het oorspronkelijke ontwerp is nauwkeurig aangehouden.

SYMBOLEN

☐ Rotonde, 10de eeuw

☐ Basiliek, 11de eeuw

☐ Gotische kathedraal, 14de eeuw

☐ 19de- en 20ste-eeuwse aanbouw

Leopold II wordt in 1791 gekroond tot koning van Bohemen. Mozart componeerde zijn opera *La Clemenza di Tito* voor deze gelegenheid.

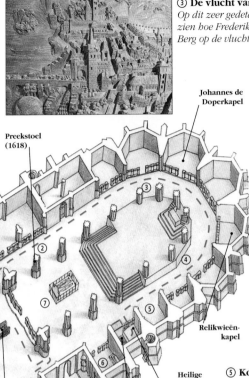

③ De vlucht van Frederik van de Palts
Op dit zeer gedetailleerde houtsnijwerk is te zien hoe Frederik na de Slag bij de Witte Berg op de vlucht slaat (blz. 31).

Johannes de Doperkapel

Preekstoel (1618)

Relikwieën-kapel

Heilige Geestkapel

Trap naar crypte

Gouden Poort

Uitgang crypte

④ Grafmonument St. Johannes Nepomuk
Dit van massief zilver gemaakte praalgraf uit 1736 eert de heilige die symbool was van de Contrareformatie (blz. 137).

⑤ Koninklijk oratorium
Het gewelf van dit laat-gotische oratorium is met gebeitelde naturalistische takken bedekt.

⑥ Crypte
Een trap leidt naar de graven van onder andere Karel IV en zijn vier vrouwen. Hier zijn ook resten van de eerste gebouwen op deze plek te zien.

⑧ St. Wenceslas-kapel
Aan de muren zijn fresco's met taferelen uit de Bijbel en het leven van St. Wenceslas te zien. Elk voorwerp is hier een kunstwerk – in dit gouden torentje werden hostie en wijn voor de Heilige Communie bewaard.

⑦ Koninklijk graf
In dit familiegraf liggen Ferdinand I, zijn geliefde vrouw Anna en zijn zoon Maximiliaan II begraven.

SYMBOOL

– – – Aanbevolen route

Koningspaleis ❹

KRÁLOVSKÝ PALÁC

De prinsen van Bohemen gingen hier wonen nadat de Praagse Burcht in de 11de eeuw tot een stenen fort was uitgebouwd. In het paleis zijn drie architectuurstijlen te onderscheiden. De romaanse kelders zijn resten van het rond 1135 door Soběslav I gebouwde paleis, Ottokar II en Karel IV voegden hier nieuwe verdiepingen aan toe en Vladislav Jagiello legde de bovenste laag met de enorme gotische Vladislavzaal aan. Onder de Habsburgers werkten er ambtenaren in het paleis en was het de zetel van de Boheemse Landdag. In 1924 werd het paleis gerestaureerd.

Ruitertrap
Deze vlakke, brede trap met zijn gotische gewelf werd gebruikt door ridders om te paard naar de toernooien in de Vladislavzaal te gaan.

In de oude landsrechtkamer kwam vroeger het parlement bijeen. Na de brand van 1541 herbouwde Bonifaz Wohlmut de zaal in 1563.

Via een luchtbrug kunt u van het paleis naar het Koninklijk Oratorium in de St. Vituskathedraal oversteken.

14

4

3

2

5

Vladislavzaal
Op dit schilderij van Aegidius Sadeler uit de 17de eeuw is te zien dat het hof wel wat op een markt leek. Het prachtige ribgewelf werd ontworpen door Benedikt Ried.

Ingang

1

TIJDBALK

Ottokar II, 1230-1278	**1253** Ottokar II bouwt paleis nieuw op		**1618** Defenestratie uit Boheemse Kanselarij
1041 Burcht belegerd, paleis in vlammen		**1541** Groot deel van Burcht door brand verwoest	**1766-1768** Theresiavleugel toegevoegd

900	1100	1300	1500	1700	1900

Einde 9de eeuw Prins Bořivoj sticht Praagse Burcht	**1340** Karel IV verbouwt paleis	**1370-1387** Verbouwing Allerheiligenkapel	
1135 Start herbouw door Soběslav I	**1502** Benedikt Ried voltooit, na negen jaar werk, Vladislavzaal	*Bewerkte deur van een kantoor in het Koningspaleis*	**1924** Paleis wordt geheel gerestaureerd

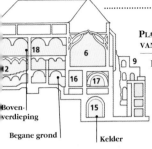

PLATTEGROND EN DOORSNEE VAN HET KONINGSPALEIS

De doorsnee toont de drie verdiepingen waar het paleis uit bestaat. Op de plattegrond is te zien hoezeer de Vladislavzaal het hart van het complex is.

Boven-verdieping

Begane grond

Kelder

TIPS VOOR DE TOERIST

Praagse Burcht, derde slotplein. **Kaart** 2 D2. ☎ 22 43 73 368. ◾ Hradčanská, K Brusce op en door de Koninklijke tuin; Malotranská, links via Klárov naar de oude burchttrap. ◾ 22, 23 naar Praagse Burcht. **Geopend** dag. 9.00-16.00 uur (april-okt. tot 17.00 uur). Toegang tot 1 uur voor sluiting. ◾ ◾ ◾ ◾ www.hrad.cz

De Allerheiligenkapel werd door Peter Parler voor Karel IV ontworpen. Het gewelf werd bij de brand van 1541 verwoest en is daarna herbouwd.

De Theresia-vleugel was opslagplaats voor de archieven.

Boheemse Kanselarij
Deze 17de-eeuwse Hollandse kachel siert de vroegere koninklijke vertrekken van de Habsburgers. Hier vond in 1618 de Tweede Praagse Defenestratie plaats.

SYMBOLEN

☐	Romaans en vroeggotisch
☐	Laatgotisch
☐	Herbouwd na de brand van 1541
☐	Barok en later

1 Adelaarsput
2 Kleine zaal
3 Groene kamer
4 Slaapkamer
5 Romaanse toren
6 Vladislavzaal
7 Boheemse Kanselarij
8 Wenteltrap
9 Terras
10 Allerheiligenkapel
11 Oude landsrecht-kamer
12 Ruitertrap
13 Nieuwe Hof van appel
14 Paleistuin
15 Zaal van het romaanse paleis
16 Vertrek oude Landtafel
17 Paleis Karel IV
18 Landtafelzaal

DEFENESTRATIE VAN 1618

Schilderij van Václav Brožík, 1889

Meer dan 100 protestantse edelen bestormden het paleis op 23 mei 1618 uit protest tegen de troonsbestijging van de onbuigzame Habsburgse aartshertog Ferdinand. Twee door Ferdinand benoemde katholieke stadhouders, Jaroslav Martinic en Vilém Slavata, moesten verantwoording afleggen. Na een woordenwisseling werden de twee met hun secretaris, Philip Fabritius, uit het oostelijke raam gegooid. Ze vielen 15 m diep, maar overleefden het doordat ze in een mesthoop belandden. Dit incident was de directe aanleiding tot de Dertigjarige Oorlog.

Landtafelzaal
In deze zaal hangen de wapens van ambtenaren die hier tussen 1561 en 1774 werkten.

St. Jorisklooster ❻

KLÁŠTER SV. JIŘÍ

Het eerste klooster van Bohemen werd in 973 door prins Boleslav II vlak bij het Koningspaleis gebouwd. Zijn zus Mlada was de eerste abdis. Na vele verbouwingen werd het klooster in 1782 een legerbarak. Tussen 1962 en 1974 werd het gebouw gerestaureerd en nu is de collectie Boheemse barokke kunst van de Nationale Galerie er gevestigd. U ziet er werk van enkele barokke meesters, zoals de schilders Karel Škréta, Petr Brandl en Václav Vavřinec Reiner, en de beeldhouwer Matyáš Bernard Braun.

★ Landschap met Orpheus en dieren
Dit werk van voor 1720 van de barokke meester Václav Vavřinec Reiner is anders dan gebruikelijk, doordat hij een figuur uit de Griekse mythologie heeft toegevoegd.

Trap naar boven-verdieping

★ Portret van een pratende apostel
Dit schilderij van Petr Brandl uit 1725 is sindsdien bejubeld als een van de beste Tsjechische kunstwerken. Het is beroemd om de sterke suggestie van beweging.

Trap naar de uitgang

Begane grond

Ingang museum van Jiřské náměstí

St.-Joris-basiliek *(blz. 98–99)*

STERATTRACTIES

★ Portret van een pratende apostel van Petr Brandl

★ Landschap met Orpheus en dieren van V. V. Reiner

★ Zelfportret van Jan Kupecký

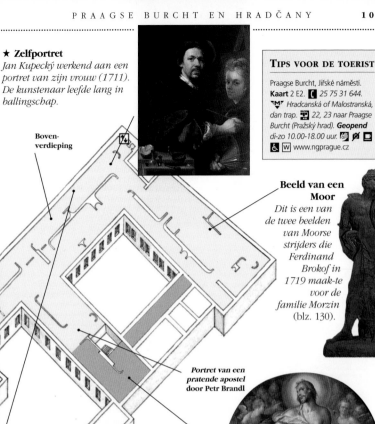

★ Zelfportret
Jan Kupecký werkend aan een portret van zijn vrouw (1711). De kunstenaar leefde lang in ballingschap.

**Boven-
verdieping**

TIPS VOOR DE TOERIST

Praagse Burcht, Jiřské náměstí.
Kaart 2 E2. ☎ 25 75 31 644.
Ⓜ Hradcanská of Malostranská,
dan trap. 🚊 22, 23 naar Praagse
Burcht (Pražský hrad). **Geopend**
di-zo 10.00-18.00 uur. 📷 🚫 🔲
♿ Ⓦ www.ngprague.cz

Beeld van een Moor
Dit is een van de twee beelden van Moorse strijders die Ferdinand Brokof in 1719 maak-te voor de familie Morzin (blz. 130).

Portret van een pratende apostel door Petr Brandl

Stilleven met horloge
De vergankelijkheid van het leven speelde een belangrijke rol in de stillevens van Johann-Adalbert Angermeyer (1674-1740).

Grafschrift van goudsmid Mikuláš Müller
Dit werk van Bartholomeus Spranger belichaamt de maniëristische stijl, die geliefd was aan het hof van Rudolf II.

SYMBOLEN

☐ Maniërisme tijdens Rudolf II

☐ Barokke Tsjechische kunst

☐ St. Annakapel

☐ St. Jorisbasiliek

☐ Speciale tentoonstellingen

☐ Geen tentoonstellingsruimte

MUSEUMWIJZER
De permanente collectie vindt u op de eerste verdieping van het klooster. Het begint met een kleine collectie maniëristische kunst en u kunt de ontwikkeling van de Tsjechische barokke schilder- en beeldhouwkunst in de 17de en 18de eeuw volgen.

De collectie van het St.-Jorisklooster

De prachtige collectie geeft een goede indruk van de schilderkunst en het beeldhouwwerk uit een van de periodes uit Praags geschiedenis die zo duidelijk zichtbaar is in de architectuur van de stad: de Barok. De Boheemse school van barokke kunst produceerde indrukwekkende bijbelse schilderijen en beelden van heiligen en engelen in flamboyante houdingen. Er zijn ook collecties werk uit de tijd voorafgaand aan de barok: niet alleen de late Gotiek, maar ook schilderijen en beelden van de maniëristische school, gemaakt onder bescherming van Rudolf II.

Dürer. Het *Votiefaltaarstuk van Zlíchov*, van rond 1520, toont een knielende ridder met de H. Maagd, St.-Andreas, Christus en de Dood.

Beeld van St.-Judas Thaddeüs door Matyáš Bernard Braun (1712)

VROEG 16DE-EEUWSE TSJECHISCHE KUNST

Sommige werken in de collectie laat-gotische kunst van het museum vertonen grote overeenkomsten met Duitse en Italiaanse schilderijen uit dezelfde tijd. De beste Boheemse schilder uit deze periode is de Meester van het Litoměřice-altaar, die begin 16de eeuw actief was. Zijn indrukwekkendste werken zijn een altaardrieluik met *De Heilige Drie-eenheid* en *Onze-Lieve-Vrouwe Visitatie*. Er zijn ook enkele prachtige reliëfs van een houtsnijder die zijn werk signeerde met de initialen I.P. Zijn stijl is die van de zogenaamde Donauschool en zijn figuren zijn duidelijk beïnvloed door de Duitse schilder en graveur Albrecht

MANIËRISME UIT DE TIJD VAN RUDOLF II (CA. 1600)

Voordat de Barok Bohemen bereikte, was er een korte periode waarin Praag het centrum van het noordelijke Maniërisme was. Deze term wordt gebruikt voor een stijl die na de Renaissance in Italië ontstond. Veel 16de-eeuwse schilders en beeldhouwers probeerden de overdreven poses van Michelangelo's latere werk te overtreffen, alleen maar om een verrassend effect te bereiken. Een typisch voorbeeld hiervan is *Het laatste oordeel* van Josef Heintz. Een succesvoller exponent van deze stijl

was Bartholomeus Spranger uit Antwerpen. Hij overleed in Praag in 1611 in dienst van keizer Rudolf II *(blz. 28–29)*. Rudolf, die dol was op het ongebruikelijke en kunstmatige, hield erg van maniëristische kunstenaars en nodigde veel van hen uit aan zijn hof in Praag te komen werken. Hoewel het Maniërisme aan de hoven van Europa al uit de mode was, vertegenwoordigen de schilderijen die onder zijn bescherming werden gemaakt de laatste opleving van deze stijl. Zij maakten indruk op de volgende generatie kunstenaars die opkwam na de Dertigjarige Oorlog en die de stijl van de Boheemse school van barokke kunst bepaalde.

Rudolfs grote verzameling raakte verspreid toen de Praagse Burcht in 1648 geplunderd werd, maar de paar werken die hier te zien zijn, geven een beeld van zijn smaak. Het beste zijn waarschijnlijk de schilderijen van de in Duitsland geboren Hans von Aachen en de beelden van de Hollander Adriaen de Vries. Er zijn ook beelden van Hans Mont en Benedict Wurzelbauer.

Niet al het werk hier is typisch maniëristisch. De landschappen van Roelant Savery, bijvoorbeeld, tonen oprecht gevoel voor de schoonheid van de Boheemse bossen dat tijdens een verblijf van acht jaar in Praag (1604-12) groeide.

De Heilige Drie-eenheid van de Meester van het Litoměřice-altaar (ca. 1515)

De jacht (ca. 1610) van Roelant Savery, schilder aan het hof van Rudolf II

TSJECHISCHE KUNST UIT DE BAROK

Er zijn veel aangename verrassingen in deze uitgebreide collectie barokke kunst. Karel Škréta is de grondlegger van de Tsjechische barokke schilderkunst. De vijf jaar die hij aan het begin van zijn carrière doorbracht in Italië hadden een grote invloed op zijn werk. Hij is de belangrijkste vertegenwoordiger van de realistische trend in Tsjechische barokkunst. Van zijn religieuze schilderijen toont *Carolus Borromeüs bezoekt de zieken* realistische personages en details, net als de *Geboorte van St.-Wenceslas*. Zijn grote groepsportret van Dionysius Miseroni, de Italiaanse edelsteenslijper, en zijn gezin, biedt een interessante blik in een werkplaats en op het werkstuk, een kristallen miskelk, dat daar gemaakt wordt. Veel van zijn latere werk, zowel portretten als altaarstukken, vertonen Hollandse en Vlaamse invloed. Van de schilderijen met religieuze onderwerpen zijn die van Petr Brandl beslist het mooiste. De oude mannen die op veel van zijn werken voorkomen, zijn prachtig geschilderd. Erg ontroerend is het schilderij van *Simeon en het kindeke Jezus*. Het museum geeft een goed beeld van zijn werk als portretschilder, maar helaas zijn zijn doeken van Praag en plattelandskerken hier niet vertegenwoordigd. Jan Kupecký, een tijdgenoot van Brandl, was Tsjech van geboorte, maar woonde voorna-melijk in het buitenland. Hij had een grote clientèle onder de middenklasse en aristocratie in heel Midden-Europa en zijn portretten behoren tot de hoogtepunten van de tentoonstelling. Het grote portret van Karl Bruni, een schilder van miniaturen, illustreert duidelijk de vorm en inhoud van de barokke portretkunst aan het begin van de 18de eeuw.

De belangrijkste bijdrage van Václav Vavřinec Reiner aan de ontwikkeling van de Boheemse barokke schilderkunst waren zijn opvallend gekleurde fresco's en levendige landschappen. De diverse schilderijen hier geven een beeld van zijn kunst, vooral twee van zijn schetsen, een voor de plafondschildering in de Praagse St.-Gilliskerk, en de ander voor het Loretoheiligdom van de geboorte van Jezus. Het *Landschap met Orpheus en dieren* en *Landschap met vogels* zijn erg fraai.

Let ook op het kleine stilleven met bloemen en wild van de Zwitserse schilder Johann Rudolf Bys en zijn leerling Johann-Adalbert Angermayer. Er zijn ook interessante werken van Jan Jiří Heinsch, Jan Kryštof Liška en Michal Václav Halbax. De overgang naar de Rococo is zichtbaar in het werk van Boheemse kunstenaars als Antonín Kern, Norbert Grund en František Xaver Palko.

De beelden zijn voornamelijk van de 18de-eeuwse kunstenaars wier werk zo vele barokke kerken in de stad siert: Ferdinand Brokof, Matthias Braun en Ignaz Platzer. Verschillende van de meer flamboyante heiligen en engelen zijn in beschilderd hout, een onverwachte band met het polychrome houtsnijwerk uit de Gotiek.

Hedvika Francesca Wussin van Jan Kupecký (1710)

De oude kerker in de Daliborkatoren

Daliborkatoren ❾
DALIBORKA

Praagse Burcht, Zlatá ulička.
Kaart 2 E2. Malostranská.
18, 20, 22, 23. **Geopend** op verzoek.

Deze 15de-eeuwse toren was een van de versterkingen die koning Vladislav Jagiello *(blz. 26-27)* aan de Praagse Burcht toevoegde. De toren deed ook dienst als kerker en ontleent zijn naam aan de eerste gevangene, Dalibor van Kozojedy. Deze jonge ridder kreeg de doodstraf omdat hij enkele gevluchte horigen had verborgen. Tot zijn terechtstelling werd hij in een onderaardse cel opgesloten die slechts via een gat in de bodem bereikbaar was. De legende wil dat Dalibor in het cachot viool leerde spelen. Mensen die hem een warm hart toedroegen, kwamen luisteren en gaven via het gat eten aan de gevan-

gene. Dat kwam van pas, want vaak kregen gevangenen helemaal niets te eten. Smetana gebruikte dit verhaal in zijn opera *Dalibor*. Sinds 1781 wordt de toren niet meer als gevangenis gebruikt. De kerker is deels te bezichtigen.

Slottuin ❿
JIŽNÍ ZAHRADY

Praagse Burcht (toegang vanaf Hradčanské náměstí). **Kaart** 2 D3. Malostranská, Hradčanská. 18, 20, 22, 23. **Geopend** april-okt. dag. 10.00-18.00 uur. www.hrad.cz

De tuin beslaat de smalle groenstrook aan de voet van de Burcht vanwaar u uitzicht over Kleine Zijde hebt. Het geheel is een samenvoeging van een heleboel kleinere tuinen, waarvan het oudste deel (Rajská zahrada) uit 1562 dateert. Hier staat een rond paviljoen, dat in 1617 voor keizer Matthias werd gebouwd. Op het bewerkte houten plafond staan de emblemen van de 39 landen die samen het Habsburgse Rijk vormden. De tuinen langs de vesting (Zahrada Na valech) zijn in de 19de eeuw aangelegd. Er is een moestuintje en het werd beroemd als de plaats waar de twee stadhouders van de keizer belandden toen zij bij de Defenestratie in 1618 uit het raam werden gegooid. Ferdinand II liet er twee gedenkpalen plaatsen. Tussen 1920 en

1930 werden de tuinen helemaal opgeknapt door Josip Plečnik. Hij bouwde onder andere de Plečniktrap, die naar de hogere tuinen en een uitkijkterras leidt. In de Hartigtuin, onder dat terras, staat de barokke muziekzaal van Giovanni Battista Alliprandi. De beelden van de vier klassieke godinnen zijn van Antonín Braun.

Muziekzaal van Alliprandi in de vroegere Hartigtuin

Belvedere ⓫
BELVEDÉR

Praagse Burcht, Koninklijke Tuin. **Kaart** 2 E1. Malostranská, Hradčanská. 18, 20, 22, 23. **Geopend** alleen tijdens tentoonstellingen. www.hrad.cz

Ferdinand I liet het Belvedere, een van de mooiste Italiaans-renaissancistische gebouwen ten noorden van de Alpen, voor zijn vrouw Anna neerzetten. Het overwelfde

Het Belvedere werd ook wel het zomerpaleis van keizer Ferdinand I genoemd

De allegorie van de nacht **van Antonín Braun met daarachter de sgraffi-to-bewerking van de gevel van het Balhuis in de Koninklijke Tuin**

huis wordt ook wel het Koninklijke Zomerpaleis (Královský letohrádek) genoemd. Het dak doet denken aan een omgekeerd scheepscasco van blauwgroen koper. De hoofdarchitect was Paolo della Stella, die zelf de sierlijke bewerking van de arcaden voor zijn rekening nam. De bouw begon in 1538, werd gehinderd door de grote brand in 1541, maar uiteindelijk in 1564 voltooid. Midden in de formele tuin voor het Belvedere staat de Zingende Fontein. Deze naam komt voort uit het geluid dat het water maakt als het in het bronzen bassin onder de fontein klettert, maar u moet wel vlakbij komen om het goed te kunnen horen. De fontein werd gegoten door klokkenmaker Tomáš Jaroš *(blz. 98)*. Tijdens de belegering van 1648 plunderden de Zweden ook het Belvedere, waardoor veel kunstschatten voor Praag verloren gingen. Zo werd het 16de-eeuwse brons van Adriaen de Vries *Mercurius en Psyche* gestolen. Het staat nu in het Louvre. Tegenwoordig is het Belvedere een galerie.

Koninklijke Tuin ⑫
KRÁLOVSKÁ ZAHRADA

Praagse Burcht, U Prašného mostu. **Kaart** 2 D2. ᴹᵞ *Malostranská, Hradčanská.* 🚊 *22, 23.* **Geopend** *mei-okt. dag. 10.00-18.00 uur.* 📷 ♿ Ⓦ www.hrad.cz

Deze tuin werd in 1535 voor Ferdinand I aangelegd. Hoewel er sindsdien heel wat aan veranderd is, zijn gebouwen als het Belvedere en het Balhuis (Míčovna, ontworpen door Bonifaz Wohlmut in 1569) bewaard gebleven. Het bijzondere sgraffito waarmee de buitenmuren zijn versierd, werd aangebracht door in de buitenste pleisterlaag van de muur een ontwerp te tekenen dat de contrasterende laag daaronder zichtbaar maakte. De Koninklijke Tuin is een heerlijke plek om te wandelen, vooral in de lente, als duizenden tulpenbollen uitkomen; ze groeiden hier het eerst in heel Europa.

Het wapen van Příchovský

Rijschool ⑬
JÍZDÁRNA

Praagse Burcht. **Kaart** 2 D2. 📞 *22 43 73 368.* ᴹᵞ *Malostranská, Hradčanská.* 🚊 *22, 23.* **Geopend** *10.00-18.00 uur tijdens tentoonstellingen.*

De 17de-eeuwse Rijschool grenst aan een kant aan U Prašného mostu, de weg naar de noordzijde van de Praagse Burcht. In de jaren twintig van de vorige eeuw werd het een expositieruimte, waar nog steeds belangrijke schilder- en beeldhouwkunst te zien is. Van de tuin hebt u uitstekend zicht op de St. Vituskathedraal en de noordwal van de Burcht.

Aartsbisschoppelijk Paleis ⑭
ARCIBISKUPSKÝ PALÁC

Hradčanské náměstí 16. **Kaart** 2 D3. 📞 *22 03 92 111.* ᴹᵞ *Malostranská, Hradčanská.* 🚊 *22, 23.* **Gesloten** *voor bezichtiging.*

Nadat het oorspronkelijke aartsbisschoppelijke onderkomen in Kleine Zijde tijdens de Hussietenoorlogen *(blz. 26-27)* was verwoest, kocht Ferdinand I dit paleis in 1562, toen er een nieuwe katholieke kerkvader in Praag aantrad. Sindsdien huist hier de aartsbisschop van het land. Vooral in de periode die volgde op de Slag bij de Witte Berg *(blz. 30-31)* was het een symbool voor de herwonnen macht van de katholieken in Bohemen. Johann Wirch ontwierp de opzienbarende crèmekleurige rococogevel rond 1760 voor aartsbisschop Antonín Příchovský. Diens wapen hangt fier boven het portaal.

Sternbergpaleis ⑮
ŠTERNBERSKÝ PALÁC

Zie bladzijden 112-115.

Sternbergpaleis ⓫

ŠTERNBERSKÝ PALÁC

In 1796 richtte Franz Josef Sternberg een vereniging ter bescherming van het Boheemse culturele erfgoed op. Edelen uit het hele land gaven hun mooiste kunstwerken aan de vereniging, die onderdak vond in het vroeg-18de-eeuwse Sternbergpaleis. Sinds 1949 is de verzameling Europese kunst van de Nationale Galerie, met een fraaie serie oude meesters, ondergebracht in het barokke gebouw.

★ Geleerde in zijn studeervertrek
Rembrandt gebruikte in dit schilderij (1634) scherpe details om het wijze gezicht van de oude geleerde te verbeelden.

Eerste etage

Kardinaal Cesi's tuin in Rome
Henrick van Cleves schilderij (1548) geeft een waardevol beeld van een antiquiteitenverzameling uit de Renaissance. De tuin werd later verwoest.

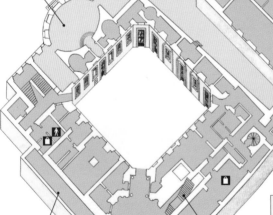

Tuinzaal

Trap naar twee etage

Begane grond

Trappen naar eerste etage

Kaartverkoop

Doorgang naar Hradčanské náměstí

STERATTRACTIES

★ Christus van El Greco

★ Geleerde in zijn studeervertrek van Rembrandt

★ Het martelaarschap van de H. Thomas van Rubens

Wat betreft Eden
(1618)
*Roelandt Savery be-
studeerde aan het hof
van keizer Rudolf II
modellen van exoti-
sche dieren die door
Perzische edelen
naar Praag waren
gebracht.*

TIPS VOOR DE TOERIST

Hradčanské náměstí 15. **Kaart**1
C2. 20 51 46 349. Hra-
dčanská, Malostranská. 22,
23 naar Praagse Burcht (Pražský
hrad) of Pohořelec. **Geopend** di-
zo 10.00-18.00 (laatste rondleiding: 17.00 uur).

★ Het martelaarschap van de H. Thomas
*Dit prachtige doek is van
Peter Paul Rubens, de
belangrijkste Vlaamse
schilder van
de 17de eeuw.*

**Chinees
Kabinet**

**Tweede
etage**

**p naar
eden en de
gang**

★ Christus
*Dit portret door El Greco
uit de jaren 1590
benadrukt de menselijkheid
van Christus. Tegelijkertijd
verschaft de aparte
rechthoekige halo om het
hoofd het schilderij de
kwaliteiten van een antiek
ikoon.*

De bewening van Christus
*Dankzij de bevroren, ge-
beeldhouwde figuren is dit
een van de mooiste schil-
derijen van Lorenzo Monaco
(1408).*

MUSEUMWIJZER
*Het museum is verdeeld over
drie verdiepingen rond de
centrale binnenhof van het
paleis. De begane grond, bereikbaar vanaf de binnenhof,
herbergt Duitse en Oostenrijkse kunst uit de 15de tot
19de eeuw. De trap naar de
collecties op de bovenverdie-
pingen ligt tegenover de kassa
bij de hoofdingang.*

SYMBOLEN

- Duitse en Oostenrijkse kunst 1400–1800
- Vlaams en Hollands 1400–1600
- Italiaanse kunst 1400–1500
- Romeinse kunst
- Vlaams en Hollands 1600–1800
- Franse kunst 1600–1800
- Iconen, klassieke en oude kunst
- Venetië 1700–1800 en Goya
- Spaanse kunst 1600–1800
- Napels en Venetië 1600–1700
- Italiaanse kunst 1500–1600
- Geen tentoonstellingsruimte

De collectie van het Sternbergpaleis

De verzameling Europese kunst van de Nationale
Galerie behoort tot de beste collecties van vergelijkbare omvang. Sinds de uitstekende 19de- en
20ste-eeuwse tentoonstellingen in 1996 naar het
Veletrzní-paleis (blz. 164–165) verhuisden heeft
het Sternbergpaleis zijn permanente collectie
vooral uitgebreid met Italiaanse middeleeuwse
kunst, Napolitaanse kunstenaars uit de 17de en
18de eeuw, Hollandse en Vlaamse kunst en
Duitse werken uit de 15de tot de 17de eeuw. Er
is ook een fraaie collectie brons uit de Renaissance en na jaren van restauratie
wordt ook het fascinerende Chinese
Kabinet weer vertoond.

*Johannes
de Doper
van Rodin*

in 1506. Keizer Rudolf II kocht
het schilderij en bracht het vervolgens naar Praag.
De twee knielende mensen
voor Maria en Kind, zijn Maximiliaan (de betovergrootvader
van Rudolf) en paus Julius II.
Andere belangrijke Duitse
schilders uit de Renaissance
van wie hier werk te zien is,
zijn Hans Holbein de Oudere
en de Jongere en Lucas
Cranach de Oudere. Van die
laatste hangen er vier werken,
waaronder het treffende *Adam
en Eva* wier naaktheid de
geest van de Renaissance
weergaf, getemperd door de
Reformatie van Luther.

ICONEN, KLASSIEKE EN OUDE KUNST

In een klein zaaltje op de
eerste verdieping bevinden
zich kunstwerken die enigszins buiten de rest van de
collectie vallen. Zo is er het
Portret van een jonge vrouw
uit de 2de eeuw, dat werd
ontdekt tijdens opgravingen
in de 19de eeuw bij Fayoum
in Egypte.
Het merendeel van de ten-
toongestelde werken zijn
echter iconen van de orthodoxe Kerk uit verschillende
Oost-Europese landen – sommige Byzantijns, andere Italo-
Grieks of Russisch. Twee van
de mooiste exemplaren zijn
de 16de-eeuwse *Bewening
van Christus* uit Kreta en
*Intocht van Christus in
Jeruzalem* uit Rusland.

Intocht van Christus in Jeruzalem,
16de-eeuwse Russische ikoon

DUITSE EN OOSTENRIJKSE KUNST (1400-1800)

Een van de beroemdste
schilderijen in het
Sternbergpaleis is het *Rosenkranzfest* van Albrecht Dürer,
geschilderd tijdens het verblijf
van de kunstenaar in Venetië

ITALIAANSE KUNST (1300-1800)

Twee- en drieluiken en
schilderijen uit de Tos-
caanse en Noorditaliaanse
kerken vormen de hoofdmoot
van de schitterende collectie
in deze zalen, die de bezoeker niet mag overslaan. Veel
komt oorspronkelijk uit de
d'Este-verzameling in Slot
Konopiště *(blz. 169)*. Vooral
de driehoekige doeken met
heiligen van de 14de-eeuwse
Pietro Lorenzetti en *De Bewening van Christus* van Lorenzo Monaco zijn het bekijken
waard.
Een fascinerend onderdeel
van de collectie wordt gevormd door bronzen beelden
uit de Renaissance. Deze bij
de 15de-eeuwse Italiaanse
adel populaire kleine bronzen
beelden waren eerst afgietsels
van beroemde of opnieuw
ontdekte kunstwerken uit de
Klassieke Oudheid. Later
begonnen beeldhouwers het
medium vrijer te gebruiken –
Padua specialiseerde zich bijvoorbeeld in afbeeldingen
van kleine dieren – en men
maakte ook decoratieve huis-
houdelijke gebruiksvoorwer-
pen zoals olielampen, inkt-
potten en deurkloppers. Deze
kleine verzameling omvat werken van alle belangrijke
Italiaanse steden op Mantua
na. Ofschoon men in musea
uit de hele wereld variaties
kan vinden, zijn hier enkele
objecten die zowel unieke als
schitterende voorbeelden van
het ambacht zijn.

Rosenkranzfest **van Dürer (1506)**

Don Miguel de Lardízábal **(1815) door Francisco Goya**

Tussen de 16de-eeuwse Italiaanse werken hier bevinden zich enkele aangename verrassingen, zoals *St.-Hiëronymus* van de Venetiaanse schilder Tintoretto, in *De geseling van Christus* en *Portret van een oudere man* van een andere Venetiaan, Jacopo Bassano. Er is ook een expressief portret door de Florentijnse maniërist Bronzino van *Eleanora van Toledo*, de vrouw van Cosimo de' Medici.

VLAAMSE EN HOLLANDSE KUNST (1400-1800)

Er zijn twee rijke en gevarieerde verzamelingen Vlaamse en Hollandse kunst, met landelijke taferelen door Pieter Brueghel de Oude tot portretten van Rubens en Rembrandt.
Een hoogtepunt in de eerste is *Aanbidding der Wijzen van het Oosten* door Geertgen tot Sint Jans. Een ander vroeg werk is *Lucas tekent Maria* door Jan Gossaert (1515), een van de eerste duidelijk door de Italiaanse Renaissance

beïnvloede Hollandse kunstwerken. De verzameling uit de 17de eeuw omvat verscheidene belangrijke werken, met name van Peter Paul Rubens die in 1639 twee schilderijen aan de augustijnen van de St.- Thomaskerk *(blz. 127)* zond. De originelen werden in 1896 aan het museum uitgeleend en vervangen door kopieën. Het geweld en het drama van *De marteldood van de H. Thomas*

Eleanor van Toledo **(1540s) door Agnolo Bronzino uit Florence**

contrasteert sterk met de geestelijke rust van *St.-Augustinus*. Twee andere fraaie portretten zijn Rembrandts *Geleerde in zijn studeervertrek* en *Portret van Jasper Schade* van Frans Hals. Er is ook werk van minder prominente kunstenaars, dat wel de kwaliteit van de Gouden Eeuw vertegenwoordigt.

SPAANSE, FRANSE EN ENGELSE KUNST (1400-1800)

De Franse kunst wordt voornamelijk vertegenwoordigd door de 17de-eeuwse schilders Simon Vouet (*De zelfmoord van Lucretia*), Sébastien Bourdon en Charles Le Brun, maar er zijn ook bronzen van Rodin. De Spaanse kunst is nog slechter vertegenwoordigd, maar twee van de mooiste werken zijn de schrijnende *Christus* door El Greco (het enige in Tsjechië) en het portret van de politicus *Don Miguel de Lardízábal* van Goya.

HET CHINESE KABINET

Na verscheidene jaren moeilijk restauratiewerk is deze curiositeit weer geopend voor het publiek. De rijk gedecoreerde kleine kamer was deel van de oorspronkelijke inrichting van het Sternberg-paleis en ontworpen als een intieme, rustige salon. In de keur van decoratieve stijlen heeft men Barok vermengd met motieven en technieken uit het Verre Oosten, die aan het begin van de 18de eeuw in de mode waren. Het gewelfde plafond bevat onder zijn geometrische decoraties de Ster van de Sternbergs. De zwart gelakte muren zijn verfraaid met kobaltblauwe en witte medaillons in gouden lijsten en in de vergulde schappen stond ooit zeldzaam porselein.

Loretoheiligdom ⓴

LORETA

Het Loretoheiligdom is sinds het in 1626 werd gebouwd altijd een soort bedevaartsoord geweest. Cathařina Lobkowitz, een Tsjechische aristocrate die de legende over het Santa Casa van Loreto graag levend wilde houden, maakte de bouw mogelijk. Op de binnenplaats staat een kopie van het huis dat werd geacht aan Maria te hebben toebehoord. In 1661 bouwde men de kruisgangen om het Santa Casa heen, 60 jaar later volgde de barokke voorgevel. Ferdinand II gebruikte de magie van het Loretoheiligdom om het katholicisme in Bohemen te herstellen *(blz. 30-31)*.

Cathařina Lobkowitz, stichtster van het Santa Casa

Klokkentoren
Claudy Fremy goot de 30 klokken van de barokke toren in de periode 1691–1694 in Amsterdam.

St.-Jozef-kapel

Fontein met beeld van de Wederopstanding

St.-Francis-cuskapel

St.-Anna-kapel

Ingang Loretánské náměstí

★ Loretoschat
Deze vergulde, met diamanten afgezette monstrans maakt deel uit van de Loretoschat, waarvan de meeste stukken uit de 16de tot 18de eeuw afkomstig zijn.

STERATTRACTIES
★ Loretoschat
★ Santa Casa
★ Geboortekerk

Barokke ingang
Ondřej Quitainer maakte de beelden van Jozef en Johannes de Doper die op het balkon boven de ingang staan.

★ Santa Casa
Gipsen beelden van profeten uit het Oude Testament en reliëfs van het leven van Maria sieren de kapel.

TIPS VOOR DE TOERIST

Loretánské náměstí, Hradčany.
Kaart 1C3 22 05 16 740.
22, 23 naar Pohořelec. **Geopend**
di-zo 9.00-12.15, 13.00-16.30 uur.
za 7.30, zo 18.00 uur.

★ Geboortekerk
Langs de muren van deze 18de-eeuwse kerk ziet u gruwelijke geraamten met dodenmaskers op. De fresco's zijn van de hand van Václav Vavřinec Reiner.

Heilige Kruiskapel

17de-eeuwse kruisgang
In deze schuilplaats voor vroegere bedevaartgangers zijn vele prachtige fresco's te zien.

St.-Antoniuskapel

Maria der Zeven Smartenkapel

Fonteinbeeld
Deze kopie van Maria-Hemelvaart komt van een zandstenen beeld van Jan Brüderle uit 1739, te zien in het Lapidarium (blz. 162).

DE LEGENDE VAN HET SANTA CASA

Het oorspronkelijke huis, waar aartsengel Gabriël Maria van de komende geboorte van Jezus vertelde, staat in het Italiaanse plaatsje Loreto. Na bedreigingen van heidenen zouden de engelen het in 1278 van Nazareth naar Loreto hebben verplaatst. Na de Slag bij de Witte Berg in 1620 *(blz. 30-31)*, waarbij de protestanten werden verslagen, werden er overal in Bohemië en Moravië replica's van het huis gebouwd, waarvan deze in

Het Santa Casa

Martinitzpaleis
MARTINICKÝ PALÁC

Hradčanské náměstí 8. **Kaart** 1 C2.
22 43 08 111.
Malostranská, Hradčanská. 22,
23. **Gesloten** voor bezichtiging.

Tijdens de verbouwing in de jaren zeventig werd de oorspronkelijke 16de-eeuwse gevel met zijn crèmekleurige sgraffito blootgelegd (blz. 111). Het fraaie sgraffito vertelt het verhaal van Jozef en de vrouw van Potifar. Op de muur van de binnenplaats staan de verhalen over Simson en Heracles uitgebeeld.

Het Martinitzpaleis is vergroot door Jaroslav Bořita, een van de stadhouders die in 1618 uit het raam van het Koningspaleis werden gegooid (blz. 105).

Volgens een legende worden wandelaars tussen 23.00 uur en middernacht van het paleis naar het Loretoheiligdom begeleid door de geest van een vervaarlijke zwarte hond. Tegenwoordig is in het paleis de interessante architectuurafdeling van de stad Praag gevestigd.

Schwarzenberg-paleis
SCHWARZENBERSKÝ PALÁC

Hradčanské náměstí 2. **Kaart** 2 D3.
22 02 02 023, 22 02 02 398.
Malostranská, Hradčanská. 22, 23. **Gesloten** wegens renovatie.
W www.militarymuseum.cz

Van verre lijkt het alsof de gevel van dit renaissancistische paleis betegeld is met piramidevormige stenen, maar als u dichterbij komt, blijken dit sgraffitomotieven op een vlakke muur te zijn. Het paleis,

dat tussen 1545 en 1576 door Agosino Galli voor de familie Lobkowitz werd gebouwd, doet eerder Florentijns dan Boheems aan. In 1719 kochten de Schwarzenbergs, een vooraanstaande familie in het Habsburgse Rijk, het paleis. Het interieur is goed bewaard gebleven, onder andere de vier plafondschilderingen op de tweede verdieping, die uit 1580 dateren. Sinds 1945 is het Museum voor Militaire Geschiedenis hier gevestigd, waar herinneringen aan de oorlogen die Bohemen tussen de komst van de eerste Slaven en 1918 teisterden worden bewaard. Buiten staat het beeld van Tomáš G. Masaryk, Tsjechoslowakijes eerste president.

Nieuwe Wereld
NOVÝ SVĚT

Kaart 1 B2. 22, 23.

Vroeger heette de gehele wijk vanwege dit charmante straatje Nový Svět (Nieuwe Wereld). Hier werden in de 14de eeuw huizen gebouwd voor de mensen die in de Burcht werkten. De straat werd twee keer door brand verwoest, het laatst in 1541. De huizen die er nu staan, dateren merendeels uit de 17de eeuw. Ze zijn weliswaar opgeknapt, maar zien er nog net zo uit als 300 jaar geleden en verschillen sterk

Tycho Brahe, sterrenkundige onder Rudolf II

in karakter met de andere architectuur in Hradčany. Ondanks hun armoede decoreerden de bewoners hun huizen met gouden gevelstenen: u ziet een gouden peer, druif, voet, enz. Plaquettes wijzen erop dat op nr. 1 vroeger de beroemde sterrenkundige Tycho Brahe woonde, terwijl op nr. 25 in 1857 de violist František Ondříček werd geboren.

Kapucijnen-klooster
KAPUCÍNSKÝ KLÁŠTER

Loretánské náměstí 6. **Kaart** 1 B3.
22, 23. **Gesloten** voor bezichtiging, behalve de kerk.

Dit kapucijnenklooster, het eerste in Bohemen, werd in 1600 gesticht. Een overdekte luchtbrug verbindt het met het Loretoheiligdom (blz. 116-117) ernaast. De bouwstijl van de kerk bij het klooster is typerend voor de ascetische levenswijze van de kapucijnen.

Het wonderlijke beeld van de Maagd Maria met Kind heeft de kerk beroemd gemaakt. Rudolf II vond het zo mooi dat hij de kapucijnen vroeg of het in zijn eigen kapel mocht staan. Daar stemden zij mee in, maar tot drie keer toe kwam het beeld, nadat het naar de kapel was verplaatst, onverklaarbaar op zijn oude plaats terug. Daarop besloot de keizer het beeld in de

Het Karmelietenklooster naast het Schwarzenbergpaleis

kerk te laten en het van een gouden kroon en een gewaad te voorzien. Met Kerstmis bezoeken elk jaar duizenden mensen deze kerk om te komen kijken naar de levensgrote figuren die het verhaal van de geboorte van Christus uitbeelden.

Kerk van het kapucijnenklooster

Loretoheiligdom ⑳
LORETA

Zie bladzijden 116-117.

Czerninpaleis ㉑
ČERNÍNSKÝ PALÁC

Loretánské náměstí 5. **Kaart** 1 B3.
📞 *22 41 81 111.* 🚊 *22, 23.* **Gesloten** *voor publiek.* 🌐 *www.mvz.cz*

Het 150 m lange paleis werd in 1668 gebouwd voor graaf Czernin van Chudenice, de keizerlijke ambassadeur in Venetië. Het gebouw torent hoog uit boven het mooie groene pleintje dat het paleis van het Loretoheiligdom scheidt. Het enorme gebouw had veel te lijden doordat het erg in het zicht op een van de hoogste heuvels in Praag ligt. De Fransen plunderden het in 1742 en ook het Pruisische bombardement in 1757 bracht veel schade toe. De verarmde familie Czernin verkocht het paleis in 1851 aan de staat, die er een kazerne van maakte. Na de onafhankelijkheid

in 1918 werd het gebouw opgeknapt en werd het ministerie van Buitenlandse Zaken er gehuisvest. De minister van Buitenlandse Zaken in het kabinet dat na de communistische staatsgreep in 1948 aan de macht kwam, de populaire Jan Masaryk, viel enkele dagen na zijn aanstelling uit het raam van een zaal op de bovenste verdieping. Niemand weet of deze zoon van de eerste president van Tsjechoslowakije, Tomáš Masaryk, echt viel of werd gedefenestreerd, maar velen rouwen nog steeds om zijn dood.

Kapiteel van het Czerninpaleis

Pohořelec ㉒

Kaart 1 B3. 🚊 *22, 23.*

Op deze plaats stonden in 1375 al huizen, waarmee het een van de oudste delen van Praag is. De naam is minder oud: Pohořelec betekent 'door brand verwoeste plek', een lot dat deze buurt drie keer onderging. Tegenwoordig is het een groot plein aan de voornaamste toegangsweg naar de Praagse Burcht. Het grote standbeeld van St.-Johannes Nepomuk (1752) *(blz. 137)* in het midden van het plein wordt toegeschreven aan Johann Anton Quitainer. Om het plein staan voornamelijk barokke en rococo-huizen. Voor de Jan Keplerschool staat een monument ter nagedachtenis van Kepler en zijn voorganger als sterrenkundige van Rudolf II, Tycho Brahe. Deze laatste overleed in 1601 in een van de huizen bij de school.

Strahovklooster ㉓
STRAHOVSKÝ KLÁŠTER

Zie bladzijden 120-121.

Het Kučerapaleis, een rococo-gebouw aan Pohořelec

Strahovklooster ㉓

STRAHOVSKÝ KLÁŠTER

Toen dit klooster in 1140 door de strenge orde der premonstratenzers werd gesticht, kon het zich in grootte meten met het onderkomen van de toenmalige heersers in het land. Na een brand in 1258 werd het in gotische stijl herbouwd, waar later barokke elementen aan werden toegevoegd. De beroemde bibliotheek is meer dan 800 jaar oud. Hij overleefde vele plunderingen door vijandelijke legers en de ontbinding van kloosters door Jozef II in 1783, en is nog altijd een van de mooiste bibliotheken van Bohemen.

De buste van Jozef II boven de ingang

Johannes de Evangelist
Het bidboek van de heilige zit bij dit beschilderde, laatgotische beeld in een beurs.

Het Museum voor Nationale Letterkunde is aan Tsjechische literatuur gewijd.

Eetzaal

Barokke toren

Ingang naar grote binnenplaats van het klooster

Het orgel waarop Mozart heeft gespeeld

★ Maria-Hemelvaartkerk
Het interieur van deze kerk is rijk versierd. Boven de arcaden langs de zijkant ziet u twaalf schilderingen van het leven van St.-Norbertus, de stichter van de premonstratenzers.

Ingang Maria-Hemelvaartkerk

Kerkgevel
De weelderige beelden op de westelijke gevel van Johann Anton Quitainer werden aangebracht toen de kerk rond 1750 door Anselmo Lurago werd verbouwd.

STERATTRACTIES

★ **Maria-Hemelvaartkerk**

★ **Filosofische zaal**

★ **Theologische zaal**

Uitzicht vanaf Petřín
*Een uitgang aan de oostkant van de eerste
binnenplaats leidt naar de Petřínheuvel, waar
vroeger de boomgaarden van het klooster lagen.*

★ Theologische zaal
*In deze zaal staan enkele
sterrenkundige globes van
de Nederlander Willem
Blaeu. Het stucwerk en de
wandschilderingen behandelen het beroep van
de bibliothecaris.*

De gevel van de
filosofische zaal
wordt gesierd
door vazen en
een vergulde
penning van
Jozef II door
Ignaz Platzer.

bibli-
n

★ Filosofische zaal
*Het tongewelf is beschilderd
door Franz Maulbertsch en
vertelt de Geschiedenis der
mensheid. De zaal werd in
1782 gebouwd om de boekenkasten uit een oud
klooster bij Louka in
Moravië en hun waardevolle inhoud te bewaren.*

Evangeliarium van Strahov
*Een facsimile van dit magnifieke, kostbare 9de-eeuwse
boek is nu te zien in de
Theologische zaal.*

KLEINE ZIJDE

MALÁ STRANA

an de oude wijken heeft Kleine Zijde zijn oude karakter het best behouden; sinds het einde van de 18de eeuw is hier nauwelijks meer gebouwd. Er zijn talloze barokke monumenten en huizen met sierlijke gevelstenen te zien. Vanuit Kleine Zijde, dat aan de voet van de Praagse Burcht ligt, hebt u prachtig uitzicht over de rivier en Oude Stad. Het centrum van de wijk is het Plein Kleine Zijde (Malostranské náměstí), dat wordt beheerst door de St.-Nicolaaskerk. De Grootprioraatsmolen op het Kampa-eiland draait als vanouds, bedevaartgangers bidden nog altijd bij het Praagse Christuskind in de St.-Maria de Victoriakerk en de muziek uit de kerken en paleizen klinkt nog net zo als toen Mozart in Praag woonde.

Gevelsteen van Bij de Gouden Hoef, Nerudovastraat

DE BEZIENSWAARDIGHEDEN VAN KLEINE ZIJDE

Kerken
St.-Thomaskerk ❸
St.-Nicolaaskerk
blz. 128–129 ❺
St.-Maria de Victoriakerk ❾
Maltezerkerk ⓭
St.-Laurentiuskerk ㉑

Parken en tuinen
Vrtbatuin ❽
Vojanpark ⓱
Ledebourtuin ⓲
Uitkijktoren ⓳
Labyrint ⓴
Sterrenwacht ㉒
Petřínpark ㉔
Funiculaire ㉕

Historische monumenten
Hongermuur ㉓

Historische restaurants en bierlokalen
Bij St.-Thomas ❷
Bij de Drie Struisvogels ⓯

Historische straten en pleinen
Plein Kleine Zijde ❹
Nerudovastraat ❻
Italiaanse straat ❼
Maltezerplein ❿
Grootprioraatsplein ⓬
Mostecká ⓰

Bruggen en eilanden
Kampa-eiland ⓫
Karelsbrug
blz. 136–139 ⓮

Paleizen
Wallensteinpaleis en -tuin ❶
Lustslot Michna ㉖

0 meter   250

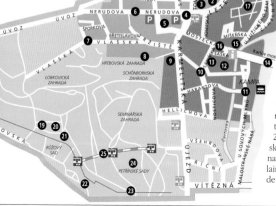

BEREIKBAARHEID
Er is weinig openbaar vervoer in Kleine Zijde, maar metrostation Malostranská (lijn A) ligt nergens ver vandaan. De tramlijnen 12, 20, 22 en 23 gaan naar Malostranské náměstí en via Újezd naar de kabelbaan (funiculaire) die u naar de top van de Petřínheuvel brengt.

◁ **De Karelsbrug en de bruggentorens van Kleine Zijde**

Onder de loep: Rond Plein Kleine Zijde

Het oude karakter van Kleine Zijde is mooi bewaard gebleven. In de barokke paleizen van de wijk zijn tegenwoordig veel ambassades gevestigd. In de steile, smalle straatjes heerst een romantische sfeer en om elke hoek wordt u verrast door intrigerende gebouwen met al even mooie gevelstenen. Het aantal moderne restaurants in de oude gebouwen neemt snel toe.

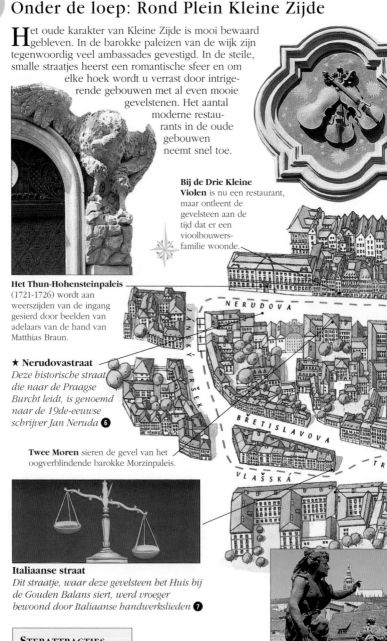

Bij de Drie Kleine Violen is nu een restaurant, maar ontleent de gevelsteen aan de tijd dat er een vioolbouwersfamilie woonde.

Het Thun-Hohensteinpaleis (1721-1726) wordt aan weerszijden van de ingang gesierd door beelden van adelaars van de hand van Matthias Braun.

★ Nerudovastraat
Deze historische straat die naar de Praagse Burcht leidt, is genoemd naar de 19de-eeuwse schrijver Jan Neruda ⑥

Twee Moren sieren de gevel van het oogverblindende barokke Morzinpaleis.

Italiaanse straat
Dit straatje, waar deze gevelsteen het Huis bij de Gouden Balans siert, werd vroeger bewoond door Italiaanse handwerkslieden ⑦

STERATTRACTIES

★ **Wallensteinpaleis**

★ **St.-Nicolaaskerk**

★ **Nerudovastraat**

Vrtbatuin
Vanuit deze in 1725 door František Maximilián Kaňka aangelegde tuin hebt u prachtig uitzicht over de daken van de Kleine Zijde ⑧

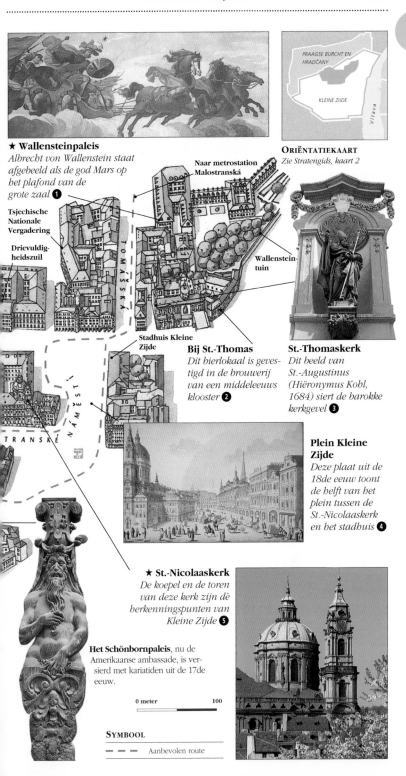

ORIËNTATIEKAART
Zie Stratengids, kaart 2

★ **Wallensteinpaleis**
Albrecht von Wallenstein staat afgebeeld als de god Mars op het plafond van de grote zaal ❶

Tsjechische Nationale Vergadering

Drievuldig- heidszuil

Naar metrostation Malostranská

Wallenstein- tuin

Stadhuis Kleine Zijde

Bij St.-Thomas
Dit bierlokaal is geves- tigd in de brouwerij van een middeleeuws klooster ❷

St.-Thomaskerk
Dit beeld van St.-Augustinus (Hiëronymus Kohl, 1684) siert de barokke kerkgevel ❸

Plein Kleine Zijde
Deze plaat uit de 18de eeuw toont de helft van het plein tussen de St.-Nicolaaskerk en het stadhuis ❹

★ **St.-Nicolaaskerk**
De koepel en de toren van deze kerk zijn dè herkenningspunten van Kleine Zijde ❺

Het Schönbornpaleis, nu de Amerikaanse ambassade, is ver- sierd met kariatiden uit de 17de eeuw.

0 meter | 100

SYMBOOL

– – – Aanbevolen route

Wallensteinpaleis en -tuin ❶

VALDŠTEJNSKÝ PALÁC

Valdštejnské náměstí 4. **Kaart** 2 E3.
M *Malostranská.* **(** *25 70 71
111.* **🚊** *12, 18, 20, 22, 23.* **Paleis
geopend** *za-zo 10.00-16.00 uur
(wisselend).* **Rijschool geopend**
di-zo 10.00-18.00 uur. **Ø**
⛲ *van Valdštejnská.* **Tuin geopend**
april-okt. dag. 10.00-16.00/17.00 uur.
⛲ ⛲ *van Valdštejnské náměstí.* **⬛**
W *www.senat.cz*

De grote zaal in het Wallensteinpaleis

Dit paleis, het eerste grote seculiere gebouw in het barokke Praag, kwam tot stand dankzij de blinde ambities van de opperbevelhebber van het keizerlijke leger, Albrecht von Wallenstein (1581-1634). Door zijn talrijke zeges in de Dertigjarige Oorlog *(blz. 30-31)* was hij voor Ferdinand II onmisbaar geworden, maar ondanks alle onderscheidingen joeg hij ook nog op de kroon van Bohemen. Ten slotte begon hij op eigen houtje met de tegenpartij te onderhandelen. In 1634 liet de keizer hem vermoorden.

Wallenstein Het paleis dat

Wallenstein tussen 1624 en 1630 liet bouwen, moest zelfs de Praagse Burcht overtreffen. Hij moest 23 huizen, drie tuinen en de Praagse steenbakkerij opkopen om een geschikte locatie te verkrijgen. De schitterende grote zaal is twee verdiepingen hoog. Op het plafond is Wallenstein zelf afgebeeld in de gedaante van de god Mars in een triomfwagen. De architect, Andrea Spezza, kwam net als de meeste andere bouwers uit Italië. Het paleis is nu de zetel van de Tsjechische senaat, en na de restauratie zal het voor het publiek geopend worden. De ingang aan Letenská leidt naar de paleistuin. Hier gebruikte Wallenstein gewoonlijk het

avondmaal in de *sala terrena* (tuinpaviljoen), die uitzicht heeft op een fontein. De bronzen beelden in de tuin zijn kopieën; de originelen, waaronder werk van de Nederlander Adriaen de Vries, werden in 1648 gestolen door de Zweden *(blz. 30-31)*. De tuin wordt verder gesierd door een merkwaardige, kitscherige namaakgrot, inclusief stalactieten. Er staat ook een paviljoen met mooie fresco's die de legende van de Argonauten en het Gulden Vlies uitbeelden; Wallenstein was onderscheiden met de Orde van het Gulden Vlies, de hoogste ridderorde in het Heilige Roomse Rijk. Achter in de tuin ligt een siervijver met een beeld in het midden, en daarachter de rijschool, waar tentoonstellingen de Nationale Galerie worden gehouden.

Kopie van het beeld Eros van Adriaen de Vries

Paleis

Sala terrena

Beeldenlaan

Rijschool

Ingang Valdštejnská-straat

Ingang Letenská-straat

Beeld van Heracles

Ingang Klárov

Kunstmatig aangelegde druipsteengrot

Bij St.-Thomas ❷

U SV. TOMÁŠE

Letenská 12. **Kaart** 2 E3. 📞 *25 75 33 466.* 🚇 *Malostranská.* 🚊 *12, 20, 22, 23.* **Open** *dag. 11.30-23.00 uur.* 📷

In Praag is er geen enkel bierlokaal dat kan wedijveren met Bij St.-Thomas. Augustijner monniken brouwden hier al in 1352 bier en het resultaat viel zo in de smaak dat de brouwerij de hofleverancier van de Praagse Burcht werd. Deze brouwerij hield stand tot 1951, waarna men overging op een donker bier van de Braník-brouwerij. Beneden kunt u in drie bierkelders terecht; in de leukste daarvan waant u zich in een middeleeuwse taverne.

St.-Thomaskerk ❸

KOSTEL SV. TOMÁŠE

Josefská 8. **Kaart** 2 E3. 📞 *25 53 26 75.* 🚇 *Malostranská.* 🚊 *12, 20, 22, 23.* **Geopend** *tijdens kerkdiensten.* ⛪ *ma-vr 6.45, 12.15; za 12.15, 18.00 (in het Engels); zo 9.30, 11.00 (in het Engels), 17.00 uur.* 🚫♿

Wenceslas stichtte deze kerk in 1285 voor de augustijner monniken en in 1379 was het oorspronkelijke gotische bouwwerk klaar. Ten tijde van de hussieten *(blz. 26-27)* bleef deze kerk als een van de weinige trouw aan het katholicisme, waardoor hij te lijden had van zware brandschade. Onder Rudolf II *(blz. 28-29)* werd St.-Thomas de kerk van het keizerlijke hof en enkele prominente hoflieden, zoals architect Ottavio Aostalli en de Nederlandse beeldhouwer Adriaen de Vries, zijn hier begraven.
In 1723 werd de kerk door de bliksem getroffen en kreeg Kilian Ignaz Dientzenhofer opdracht hem weer op te bouwen. De vorm van het vroegere gebouw werd gehandhaafd, maar hij kreeg een barok uiterlijk. Tegenwoordig herinnert alleen de spits nog aan het gotische verleden. Václav Vavřinec Reiner schilderde de fresco's in de koepel en het schip. Boven het altaar hangen kopieën van twee schilderijen van Rubens: *Het martelaarschap van St.-Thomas* en een portret van St.-Augustinus. De originelen zijn in het Sternbergpaleis *(blz. 112-115).* De Engelstalige katholieken van Praag komen hier bijeen.

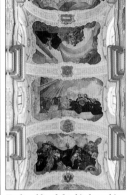

Het barokke plafond in het schip van de St.-Thomaskerk

Plein Kleine Zijde ❹

MALOSTRANSKÉ NÁMĚSTÍ

Kaart 2 E3. 🚇 *Malostranská.* 🚊 *12, 20, 22, 23.*

Dit plein is al zo lang het bestaat – sinds 1257 – het centrum van Kleine Zijde. Aanvankelijk was het het marktplein van de Praagse Burcht. Door bebouwing werd het plein in twee delen gesplitst, waarbij op het lager gelegen deel een galg en een schandpaal kwamen te staan. De meeste huizen zijn van oorsprong middeleeuws, maar werden in de Renaissance en de Barok herbouwd. Midden op het plein staat de prachtige barokke St.-Nicolaaskerk. Het grote gebouw ernaast was een jezuïetencollege. Langs het hoogste deel van het plein, tegenover de kerk, ziet u de enorme neoclassicistische gevel van het Liechtensteinpaleis. Voor dat paleis staat de Drievuldigheidszuil, die in 1713 werd opgericht om te vieren dat de pest was bedwongen.
Andere gebouwen die de aandacht trekken, zijn het renaissancistische Stadhuis Kleine Zijde en het Sternbergpaleis, dat op de plaats staat waar in 1541 een brand uitbrak die het grootste deel van Kleine Zijde verwoestte. Daarnaast staat het Smiřickýpaleis, dat door zijn torentjes een goed herkenningspunt voor het lager gelegen deel van het plein is. Aan de oostkant staat het barokke Kaisersteinpaleis. Op de gevel ziet u een buste van de grote Tsjechische sopraan Emmy Destinn, die hier van 1908-1914 woonde en met de beroemde Italiaanse tenor Enrico Caruso zong.

St.-Nicolaaskerk ❺

KOSTEL SV. MIKULÁŠE

Zie bladzijden 128-129.

Een zuilengang voor gebouwen aan het Plein Kleine Zijde

St.-Nicolaaskerk **⑤**

KOSTEL SV. MIKULÁŠE

De St.-Nicolaaskerk splitst het Plein Kleine Zijde in twee delen. Met de bouw werd in 1703 begonnen en in 1761 werd de laatste hand gelegd aan de superbe fresco's in het schip. De kerk is het absolute meesterwerk van vader Christoph en zoon Kilian Ignaz Dientzenhofer. Zelf stierven deze twee vertegenwoordigers van de Hoog-Barok overigens voordat de kerk af was. De beelden, fresco's en schilderijen in de kerk, waaronder de mooie *Kruisiging* uit 1646 van Karel Škréta, zijn gemaakt door de beste kunstenaars uit die tijd. In de jaren vijftig van deze eeuw werd de kerk helemaal gerestaureerd.

★ Preekstoel
Deze rijk met gouden cherubijnen versierde spreekstoel uit 1765 is gemaakt door Richard en Peter Prachner.

Altaarschilderijen
In de kapelletjes hangt veel mooie kunst, zoals dit schilderij van Francesco Solimena.

Barok orgel
Boven het fraaie orgel ziet u een fresco van St.-Cecilia, de beschermheilige van de muziek. Mozart bespeelde het orgel in 1787.

Ingang aan westkant van Plein Kleine Zijde

St.-Anna-kapel

St.-Catharina-kapel

Gevel
Johann Friedrich Kohl maakte de beelden die de gevel sieren. De gevel kwam in 1710 gereed naar een ontwerp van Christoph Dientzenhofer, die beïnvloed was door de Italianen Borromini en Guarini.

STERATTRACTIES

★ **Koepelfresco**

★ **Preekstoel**

★ **Beelden van de kerkvaders**

De koepel werd door Kilian Ignaz Dientzenhofer vlak voor zijn dood gemaakt.

De klokkentoren, aangebouwd in 1751-1756, herbergt nu een klein muziekinstrumentenmuseum.

TIPS VOOR DE TOERIST

Malostranské náměstí. **Kaart** 2 E3.
(*25 75 34 215.* Malo-stranská. 12, 20, 22, 23. **Geopend** april-okt. dag. 9.00-17.00 uur; nov.-maart dag. 9.00-16.00 uur. **Concerten.**

★ **Koepelfresco**
In de 70 m hoge koepel ziet u De viering van de Heilige Drievuldigheid (1752-1753), een fresco van Franz Palko.

Hoogaltaar
Boven het hoogaltaar ziet u een koperen beeld van St.-Nicolaas van Ignaz Platzer. Daaronder hangt een schilderij van St.-Jozef van Johann Lukas Kracker.

Ingang klokkentoren

★ **Beelden van de kerkvaders**
Op de vier hoeken van de kruising staan beelden van de oostelijke kerkleraren van Ignaz Platzer. St. Cyrillus verdrijft de duivel met zijn staf.

-Francus verius-pel

DE FAMILIE DIENTZENHOFER
Christoph Dientzenhofer (1655-1722) stamde uit een Beiers bouwmeestersgeslacht. Zijn zoon Kilian (1689-1751) werd in Praag geboren en opgeleid in het jezuïtische Clementinum (blz. 79). De rijke erfenis van door de jezuïeten beïnvloede barokke architectuur in Praag is onder hun leiding ontstaan. De St.-Nicolaaskerk was hun laatste werk in de Gouden Stad.

Kilian Ignaz Dientzenhofer

Nerudovastraat ❻
NERUDOVA ULICE

Kaart 2 D3. Ⓜ️ *Malostranská.*
🚋 *12, 20, 22, 23.*

D it schilderachtige straatje, dat naar de Praagse Burcht leidt, is vernoemd naar de dichter/journalist Jan Neruda, die veel korte verhalen over deze buurt schreef. Tussen 1845 en 1857 woonde hij in het Huis bij de Twee Zonnetjes op nr. 47. Voordat in 1770 de huizen werden genummerd, onderscheidden ze zich door hun gevelsteen. In de Nerudovastraat zijn daar prachtige exemplaren van te zien, met veel heraldische dieren en wapens. Bekijk terwijl u naar boven loopt, de Rode Adelaar (nr. 2), de Drie Violen (nr. 12), het Gouden Hoefijzer (nr. 34), de Groene Kreeft (nr. 43) en de Witte Zwaan (nr. 49). Kijk ook uit naar het fraaie Apothekersmuseum (nr. 32). Er staan eveneens enkele grootse barokke gebouwen in de straat, zoals het Thun-Hohensteinpaleis (nr. 20, de Italiaanse ambassade) en het Morzinpaleis (nr. 5, de Roemeense ambassade). De gevel van dat laatste gebouw wordt gesierd door twee beelden van meer dan le-vensgrote Moren. Het Tsjechische woord voor Moren is Morzin. Samen on-dersteunen ze het balkon op de eerste verdieping. Ook de gevel van de Maria-bij-de-Cajetanenkerk is indrukwekkend.

De Italiaanse straat, waar vroeger de Italiaanse handwerklieden woonden

Italiaanse straat ❼
VLAŠSKÁ ULICE

Kaart 1 C4. Ⓜ️ *Malostranská.*
🚋 *12, 20, 22, 23.*

I n de 16de eeuw vestigden zich hier de eerste Italiaanse immigranten, waaronder veel kunstenaars en handwerkslieden die in dienst van het gezag in de Praagse Burcht waren. Als u uit de richting van Petřín naar de straat toe loopt, ziet u links het voormalige Italiaanse hospitaal, een barok gebouw met mooie arcaden op de binnenplaats. Nu is hier de culturele afdeling van de Italiaanse ambassade gevestigd. Het Lobkowitzpaleis, de huidige Duitse ambassade, is het grootste gebouw in de straat. In dit paleis, een van de mooiste barokke gebouwen in Praag, komt u via de ovale hal in de schitterende tuin. Verder is de gevelsteen van het Huis bij de Drie Rode Rozen de moeite waard.

Vrtbatuin ❽
VRTBOVSKÁ ZAHRADA

Karmelitská 25. **Kaart** 2 D4.
Ⓜ️ *Malostranská.* 🚋 *12, 20, 22, 23.* **Geopend** *april-okt. dag. 10.00-18.00 uur.* 📷 🖼️

A chter het Vrtbapaleis ligt een mooie barokke tuin met steile trappen en omheinde terrassen. Van het hoogste punt in de tuin hebt u prachtig uitzicht over Kleine Zijde en de Praagse Burcht. František Maximilián Kaňka ontwierp de tuin rond 1720. De beelden van de goden uit de Oudheid en de stenen vazen zijn van de hand van Matthias Braun en de schilderijen in het paviljoen onder in de tuin zijn gemaakt door Václav Vavřinec Reiner.

Uitzicht over Kleine Zijde vanuit de Vrtbatuin

St.-Maria de Victoriakerk ❾
KOSTEL PANNY MARIE VÍTĚZNÉ

Karmelitská. **Kaart** 2 E4. 📞 *25 57 33 646.* 🚋 *12, 20, 22, 23.* **Geopend** *dag. 9.00-19.00 uur.* ✝️ *ma-vr 9.00, 18.15 uur, za 9.00, 18.00 en 19.30 uur, zo 10.00, 12.00 (Engels) en 20.00 uur (okt.-mei 19.00 uur).* 📷

H et eerste barokke gebouw in Praag was de Drievuldigheidskerk, die Giovanni Filippi voor Duitse lutheranen ontwierp. De kerk was in 1613 af, maar werd na de Slag bij de Witte Berg *(blz. 31)* door het katholieke gezag aan de karmelieten geschonken. Zij herbouwden

Gevelsteen van Nerudovastraat 47, waar Jan Neruda woonde

de kerk en gaven hem de naam van de overwinning. Alleen het portaal, rechts in de huidige voorgevel, herinnert nog aan de lutheranen. De meeste bezoekers komen echter niet naar de kerk vanwege de architectuur, maar vanwege het Praagse Christuskind. Deze wassen effigie, ook bekend onder de Italiaanse naam *il Bambino di Praga,* heeft vele wonderbaarlijke genezingen op zijn conto en is een zeer geëerd katholiek beeld. Polyxena van Lobkowitz schonk het beeld in 1628 aan de karmelieten.

Maltezerplein ❿
MALTÉZSKÉ NÁMĚSTÍ

Kaart 2 E4. 🚊 *12, 20, 22, 23.*

Dit plein ontleent zijn naam aan de priorij van de Maltezer ridderorde die hier vroeger was gevestigd. Het beeld van Johannes de Doper door Ferdinand Brokof aan de noordkant van het plein werd in 1715 gemaakt om de afloop van een pestepidemie te vieren.
Oorspronkelijk stonden hier veel renaissancistische huizen van welgestelde burgers, maar in de 17de en 18de eeuw kwamen er steeds meer katholieke edelen wonen. Zij verbouwden hun huizen tot flamboyante barokke paleizen. Aan de zuidkant van het plein staat het Nostitzpaleis. In een deel daarvan vindt u de Nederlandse ambassade. Het werd in de 17de eeuw gebouwd, waarna in 1720 een balustrade met klassieke vazen en beelden van keizers werd toegevoegd. 's Zomers worden hier concerten gegeven.
In het Turbapaleis (1767), een mooi roze rococogebouw dat is ontworpen door Joseph Jäger, bevindt zich de Japanse ambassade.

De Duivelsbeek (Čertovka), met rechts Kampa-eiland

Kampa-eiland ⓫
KAMPA

Kaart 2 F4. 🚊 *6, 9, 12, 20, 22, 23.*

Kampa-eiland, een heerlijk rustig hoekje van Kleine Zijde, wordt omsloten door de Vltava en de Duivelsbeek (Čertovka). Dit beekje ontleent zijn naam aan de duivelse opvliegendheid van een bewoonster van het Maltezerplein in de 19de eeuw. De Duivelsbeek werd eeuwenlang als molenvliet gebruikt en daarvan zijn nu nog drie oude watermolens bewaard gebleven. Voorbij de Grootprioraatmolen verdwijnt de beek onder een bruggetje, waarna hij pal langs de huizen verder stroomt. De naam 'Venetië van Praag' is dan ook voor de hand liggend, ook al varen hier kano's in plaats van gondels. Tijdens de Middeleeuwen waren er voornamelijk tuinen op het eiland, verder deed het dienst als bleekveld. De mooie huizen aan Na Kampě náměstí zijn overblijfselen uit de 17de eeuw, toen hier veel markten voor pottenbakkers werden gehouden. Tussen dit plein en de zuidpunt vindt

u een park, dat werd gecreëerd uit verscheidene oude paleistuinen.
Het eiland verdween tijdens de overstroming van 2002 bijna helemaal onder het water van de Vltava, dat grote schade aanrichtte aan de historische gebouwen, waarvan vele momenteel worden herbouwd en gerestaureerd.

Grootprioraatsplein ⓬
VELKOPŘEVORSKÉ NÁMĚSTÍ

Kaart 2 F4. Ⓜ *Malostranská.* 🚊 *12, 20, 22, 23.*

Langs de noordkant van dit lommerrijke plein staat het vroegere paleis van de grootprior van de Maltezer ridders. Zoals het paleis er nu uitziet, is het rond 1720 verbouwd. De deur- en raamkozijnen en de siervazen komen uit het atelier van Matthias Braun. Tegenover dit gebouw staat het Buquoypaleis, waarin tegenwoordig de Franse ambassade is gehuisvest. Dit prachtige barokke gebouw is een tijdgenoot van zijn overbuurman.
Uit een heel andere tijd stammen het schilderij van John Lennon en de graffiti die tot 'give peace a chance' oproept. Beide zijn kort na de dood van Lennon op de tuinmuur van het Grootprioraat aangebracht.

Johannes de Doper van Ferdinand Brokof op het Maltezerplein

Onder de loep: Kleine Zijde langs de rivier

De buurt rond Mosteckástraat is prettig anoniem: rommelige pleinen, schilderachtige paleisjes, kerken en tuinen. Als u de eindeloze reeks souvenirverkopers bij de Karelsbrug goed hebt doorstaan, kunt u op Kampa-eiland even bijkomen: een korte wandeling door het parkje, genieten van het uitzicht over de Vltava en Oude Stad, de rust die uitgaat van de vele zwanen.

De St.-Jozefskerk
is aan het einde van de 17de eeuw gebouwd. Het schilderij *De heilige familie* op het vergulde hoogaltaar is van de hand van Peter Brandl.

Het Huis bij de Gouden Eenhoorn in Lázeňskástraat heeft een plaquette die herinnert aan Beethovens verblijf hier in 1796.

Mostecká
Deze straat, al 750 jaar een doorgaande weg, leidt naar het Plein Kleine Zijde **16**

**Naar Plein
Kleine Zijde**

Grootprioraatsplein
Het Grootprioraatspaleis is de voormalige zetel van de Maltezer ridders (ca. 1720). De muur aan de straat is versierd met kleurrijke grafitti **12**

Onze Lieve Vrouwe onder de Kettingen
De enorme torens stammen uit de tijd dat hier het prioraat zat **13**

St.-Maria de Victoriakerk
In deze kerk vindt u de beroemde effigie van het Praagse Christuskind **9**

MOSTECKÁ

LÁZEŇSKÁ

KARMELITSKÁ

NEBOVIDSKÁ

Maltezerplein
Rond dit plein staan vele paleizen. Dit wapen is te vinden aan de gevel van het Nostitzpaleis, waar vaak concerten worden gehouden **10**

0 meter   100

SYMBOOL

▬ ▬ ▬   Aanbevolen route

Vojanpark
Deze voorma-lige kloostertuin is nu een heerlijk rustig park ⑰

Bij de Drie Struisvogels
In dit hotel-restaurant werden vroeger struisvogelveren verkocht ⑮

ORIËNTATIEKAART
Zie Stratengids, kaart 2

★**Karelsbrug**
De opgang naar deze 14de-eeuwse brug met zijn schitterende beelden leidt door een gotische bruggentoren ⑭

Čertovka (de Duivelsbeek)

De Grootprioraats-watermolen is zorg-vuldig gerestaureerd. Het rad wordt door het modderige water van de voormalige molenvliet Čertovka traag voortbewogen.

Liechtenstein-paleis

★ **Kampa-eiland**
Spelende kinderen op Kampa, een schilderij van Soběslav Pinkas uit de 19de eeuw. Ook nu is het eiland erg in trek bij kinderen ⑪

STERATTRACTIES
★ Karelsbrug
★ Kampa-eiland

Maltezerkerk  ⓭
KOSTEL PANNY MARIE POD ŘETĚZEM

Lázeňská. **Kaart** 2 E4. *25 75 30 876.* *Malostranská.* *12, 20, 22, 23.* **Geopend** voor kerkdiensten en concerten. ma-za 17.00 uur ('s winters 16.00 uur), zo 8.00, 9.30, 11.00 uur.

De oudste kerk van Kleine Zijde werd in de 12de eeuw gebouwd. Koning Vladislav II schonk hem aan de johannieters, de orde die later als de Maltezer ridders bekend werd. De kerk stond in het midden van het zwaar bewaakte ridderklooster dat diende om de opgang van de oude Judithbrug te verdedigen. Omdat in de Middeleeuwen het klooster met een ketting werd afgesloten, wordt de kerk ook wel de Maria-onder-de-Kettingkerk genoemd.

In de 13de eeuw werd een gotisch koor aangebouwd, maar de oorspronkelijke romaanse kerk werd in de volgende eeuw verwoest. Men bouwde vervolgens een nieuw portaal en twee enorme torens, waarna het werk werd gestaakt. Het oude schip vormde zo een binnenplaats tussen de torens en de kerk zelf. Carlo Lurago gaf het geheel een barok uiterlijk. Op het schilderij van Karel Škréta op het hoogaltaar ziet u hoe Maria en Johannes de Doper tijdens de zeeslag bij Lepanto in 1571 de Maltezer ridders te hulp komen tegen de Turken.

Karelsbrug ⓮
KARLŮV MOST

Zie bladzijden 136-139.

Uitzicht op de Mostecká vanaf de toren bij de Karelsbrug

Bij de Drie Struisvogels ⓯
U TŘÍ PŠTROSŮ

Dražického náměstí 12. **Kaart** 2 F3. *25 75 32 410.* *Malostranská.* *12, 20, 22, 23.* Zie **Accommodatie** blz. 182-189, **Restaurants** blz. 198-209. W www.upstrosu.cz

Aan veel gevelstenen is te zien wat voor handel er vroeger in het huis werd gedreven. Dit huis, naast de Karelsbrug, werd in 1597 gekocht door Jan Fux, handelaar in struisvogelveren. Deze waren in die tijd erg in trek als versiering van de hoofddeksels van bewoners van de Praagse Burcht. Fux leverde ook aan legers van andere landen. Zijn handel liep zo goed dat hij het huis in 1606 uitbreidde en er een groot fresco van struisvogels in liet aanbrengen. Hij kon het zich permitteren om het door een bekende kunstenaar te laten maken, in plaats van door een gewone dagloner. De eerste verdieping werd in 1657 toegevoegd. Uit die tijd stammen de plafondschilderingen van wijnstokken. In 1714 werd hier het eerste koffiehuis geopend en nu is het een duur hotel-restaurant.

Mostecká ⓰
MOSTECKÁ ULICE

Kaart 2 E3. *Malostranská.* *12, 20, 22, 23.*

Al sinds de Middeleeuwen verbindt deze straat het Plein Kleine Zijde met de Karelsbrug, de naam betekent letterlijk dan ook Brugstraat. Als u de brug vanaf Oude Stad oversteekt, ziet u voor de Judithtoren de ingang van het douanekantoor dat daar in 1591 werd gebouwd. Op de eerste verdieping van de toren is in de 12de eeuw een reliëf van een koning en een oude man aangebracht. Het gebied ten noorden van de straat was in de 13de en 14de eeuw het hof van de bisschop van Praag. Tijdens de Hussietenoorlogen (blz. 26-27) werd dat verwoest, maar in de tuin van het Huis bij de Drie Gouden Klokken bleef nog een gotische toren behouden, te zien vanaf de hogere bruggentoren. Langs

Het fresco waaraan het Huis bij de Drie Struisvogels zijn naam ontleent

de straat staan verder barokke en renaissancistische huizen. Kijk in de richting van Plein Kleine Zijde links even naar het Huis bij de Zwarte Adelaar met zijn gebeeldhouwde versieringen en gietijzeren hekwerk. Het Kaunitzpaleis, ook links, werd rond 1770 gebouwd en heeft mooi pleisterwerk van Ignaz Platzer.

Vojanpark ⓱
VOJANOVY SADY

U lužického semináře. **Kaart** 2 F3. ᵂ Malostranská. 🚋 12, 18, 20, 22, 23. **Geopend** dag. 9.00-18.00 uur.

Achter hoge witte muren gaat een rustig park schuil dat in de 17de eeuw de tuin van een karmelietessenklooster was. Tussen de grasvelden en fruitbomen zijn uit die tijd nog twee kapelletjes bewaard gebleven. De St.-Eliaskapel is genoemd naar een heilige die in het Oude Testament in verband wordt gebracht met de berg Karmel. Daaraan ontleent de orde haar naam. De St.-Theresiakapel werd in de 18de eeuw gebouwd als dank voor het feit dat het klooster tijdens de belegering door de Pruisen in 1757 gespaard bleef. Het beeld van St.-Johannes Nepomuk (blz. 137), in een nisje links van de ingang van het park, is gemaakt door Ignaz Platzer. De heilige staat op een vis, hetgeen verwijst naar zijn martelaarschap, dat hij ontleende aan zijn verdrinking in de Vltava.

Ledebourtuin ⓲
LEDEBURSKÁ ZAHRADA

Valdštejnské Náměstí 3. **Kaart** 2 F2. 📞 25 70 10 401. ᵂ Malostranská. 🚋 12, 18, 20, 22, 23. **Geopend** april-juni, sept.-okt. dag. 10.00-18.00; juli-aug. dag. 10.00-20.00 uur. 📷

In de Middeleeuwen werden er op de steile hellingen onder de Burcht wijnstokken verbouwd en bevonden zich hier al tuinen. In de 16de eeuw echter, toen de Praagse

edelen hier hun paleizen bouwden, lieten zij er ook op de Italiaanse Renaissance geïnspireerde tuinen aanleggen. Het gros van deze tuinen werd in de 18de eeuw in barokke stijl gereconstrueerd en drie daarvan – die van de Ledebour-, Czernin- en Pálffypaleizen – zijn samengevoegd. Onlangs zijn zij uitgebreid gerestaureerd, wat absoluut nodig was, en nu kunnen bezoekers weer genieten van de fraai vormgegeven tuinen en de mooie planten.

De vroegere glorie van de tuin wordt geaccentueerd door het prachtige uitzicht dat u er over Praag hebt. In de Ledebourtuin staat een mooi tuinpaviljoen van Giovanni Battista Alliprandi. In de 18de-eeuwse Pálffytuin vallen de terrassen (met op de tweede nog de oorspronkelijke zonnewijzer) en loggia's op. De in 1784 door Ignaz Palliardi ontworpen Czernintuin is de mooiste en architectonisch interessantste

Beeld van Heracles uit de 18de eeuw in de Ledebourtuin

van de drie. Op het hoogste terras staat het tuinpaviljoen, dat versierd is met beelden en klassieke urnen. Verder naar beneden treft u trappen, poorten, balustraden en de enigszins vervallen overblijfselen van oude fonteinen en antieke beelden aan. Een ideale plek dus voor mensen met een romantische inborst.

Het laagste deel van de Ledebourtuin, voor de restauratie

Karelsbrug (helft bij Kleine Zijde) ⑭

KARLŮV MOST

Het beroemdste bouwwerk van Praag verbindt Kleine Zijde met Oude Stad. Tegenwoordig mogen alleen voetgangers de brug gebruiken, maar vroeger konden vier rijtuigen er elkaar passeren. Veel van de beelden op de brug zijn kopieën, waarvan de originelen in het Lapidarium van het Nationale Museum *(blz. 162)* en in Vyšehrad *(blz. 179)* te zien zijn. De gotische Bruggentoren Oude Stad *(blz. 139)* is in zijn soort een van de mooiste.

Bruggentoren Kleine Zijde

Ingang toren

Bruggentoren Judithbrug, 1158

Trap naar Saskástraat

★ Uitzicht van Bruggentoren Kleine Zijde
Het uitzicht over Praag vanaf de toren is adembenemend. De kleine toren is een overblijfsel van de Judithbrug.

St.-Adalbertus, 1709
Adalbert was bisschop van Praag en stichtte in 991 de St.-Laurentiuskerk. De Tsjechen kennen hem als Vojtěch.

St.-Wenceslas, 1858

St.-Filip Benitius 1714

St.-Salvator, St.-Cosmas en St.-Damianus, 1709

St.-Johannes van Matha, St.-Felix van Valois en St.-Ivo, 1714
Deze heiligen, gebeeldhouwd door Ferdinand Brokoff, stichtten de orde der trinitariërs. Deze orde bedelde geld bijeen om christenen die door heidenen tot slavernij werden gedwongen, vrij te kopen.

St.-Vitus, 1714
Op deze gravure van het beeld staat de martelaar uit de 3de eeuw tussen de leeuwen die hem moesten verslinden, maar die hem slechts likten. Hij is de patroonheilige van de dansers en wordt vaak te hulp geroepen bij epilepsie.

STERATTRACTIES

★ **Bruggentoren**

★ **St.-Johannes Nepomuk**

★ **St.-Luitgarde**

★ St.-Luitgarde, 1710

Dit beeld, algemeen als het kunstzinnigste van de brug beschouwd, maakte Matthias Braun toen hij pas 26 was. Het beeldt een blinde cisterciënzer non uit die in een visioen Jezus ziet en zijn wonden kust.

TIPS VOOR DE TOERIST

Kaart 2 F4. 🚋 *12, 22, 23 naar Malostranské náměstí, daarna de Mosteckástraat.* **Bruggentoren Kleine Zijde** *dag. 10.00-18.00 (juli-aug. tot 22.00 uur).* 🎟 📷

★ St.-Johannes Nepomuk, 1683

Diverse reliëfs op de brug gaan over St.-Johannes Nepomuk. De heilige op dit reliëf glimt omdat iedereen hem even aanraakt: dat brengt geluk.

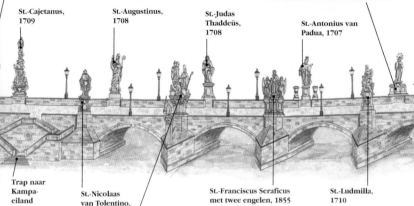

St.-Cajetanus, 1709

St.-Augustinus, 1708

St.-Judas Thaddeüs, 1708

St.-Antonius van Padua, 1707

Trap naar Kampaeiland

St.-Nicolaas van Tolentino, 1708

St.-Franciscus Seraficus met twee engelen, 1855

St.-Ludmilla, 1710

St.-Vincentius Ferresius en St.-Procopius, 1712

De rabbijn op dit detail is bedroefd omdat St.-Vincentius vele joden tot het christendom heeft weten te bekeren. St.-Procopius is een van de beschermheiligen van Bohemen.

St.-Johannes Nepomuk

De jezuïeten creëerden een cultus rond St.-Johannes Nepomuk in de strijd tegen de aanbidding van Jan Hus *(blz. 27).* Jan Nepomucký, vicaris-generaal van het aartsbisdom Praag, werd in 1393 samen met de aartsbisschop en enkele anderen door koning Wenceslas IV gearresteerd. Zij hadden de koning gebruskeerd met de keuze van een abt. De aartsbisschop ontsnapte, maar Jan werd doodgemarteld. Zijn gebonden lichaam werd van de Karelsbrug afgegooid. Vooral op veel bruggen in Midden-Europa zijn beelden als deze (uit 1683) te vinden.

Karelsbrug (helft bij Oude Stad) ⑭

KARLŮV MOST

Tot 1741 was de Karelsbrug de enige overspanning over de Vltava. De 502 m lange brug is gemaakt van zandsteenblokken, die volgens geruchten met een mengsel van mortel en eieren werden verstevigd. Karel IV gaf Peter Parler in 1357 toestemming om de brug te bouwen ter vervanging van de Judithbrug. Aanvankelijk was de brug slechts versierd met een eenvoudig kruis. Het eerste beeld – van St.-Johannes Nepomuk – werd in 1683 aangebracht.

St.-Franciscus Xavierus, 1711

De heilige wordt door drie Moorse en twee Oosterse bekeerden gedragen. Beeldhouwer Brokoff zit links.

★ Crucifix uit de 17de eeuw

De houten crucifix heeft 200 jaar alleen op de brug gestaan. Het vergulde beeld dateert uit 1629. De toevoeging in gouden letters van het Hebreeuwse 'Heilige, Heilige, Heilige God' is van een godlasterende jood.

St.-Norbertus, St.-Wenceslas en St.-Sigismund, 1853

St.-Franciscus van Borgia, 1710

St.-Johannes de Doper, 1857

St.-Cyrillus en St.-Methodius, 1938

St.-Christophorus, 1857

St.-Anna met Christuskind, 1707

St.-Jozef, 1854

Dertigjarige Oorlog

Oude Stad werd in 1648 op het nippertje van de Zweden gered toen de wapenstilstand midden op de brug werd getekend.

STERATTRACTIES

★ **Bruggentoren Oude Stad**

★ **Crucifix uit de 17de eeuw**

TIJDBALK

1357 Karel IV geeft toestemming bouw nieuwe brug

1342 Judithbrug door overstroming verwoest

1621 Hoofden van tien protestantse edelen op Bruggentoren Oude Stad tentoongesteld

1648 Zweden beschadigen deel brug en Bruggentoren Oude Stad

Overstroming 1890

1100	1300	1500	1700	1900

1158 Tweede middeleeuwse stenen brug in Europa, de Judithbrug

1393 Jan Nepomucký op gezag van Wenceslas IV van Karelsbrug afgegooid

Beeldhouwer Matthias Braun (1684-1738)

1890 Drie bogen door overstroming beschadigd

1713 Brug met 21 beelden van Braun, Brokoff en anderen versierd

1938 Beeld St.-Cyrillus en St.-Methodius van Karel Dvořak

Madonna, St.-Dominicus, St.-Thomas van Aquino, 1708

De dominicanen (Domini canes, Gods honden) staan hier met de Madonna en hun mascotte, een hond.

TIPS VOOR DE TOERIST

Kaart 3 A4. 🚋 17, 18 naar Křížov-
nické náměstí. **Bruggentoren Oude
Stad geopend** dag. 10.00-17.00
(maart tot 18.00; april-mei en okt. tot
19.00; juni-sept. tot 22.00. 📷 📷

Madonna en St.-Bernardus, 1709
In dit beeld vindt u symbolen van het lijdensverhaal terug: dobbelstenen, een haan en de handschoen van een centurion.

Bruggentoren
Oude Stad

Pietà,
1859

St.-Barbara,
St.-Margaretha en
St.-Elisabeth, 1707

Ingang
toren

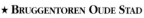

★ BRUGGENTOREN OUDE STAD

Deze prachtige gotische toren werd tegen het einde van de 14de eeuw door Peter Parler ontworpen. Hij sierde de nieuwe Karelsbrug en maakte deel uit van de verdedigingswerken van Oude Stad.

Wigvormige spits
met pinakels

Uitkijkpunt op dak

De uitkijkkamer op de eerste verdieping heeft een ribgewelf en biedt prachtig uitzicht op de Praagse Burcht en Kleine Zijde.

De beelden van de bruggentoren van Peter Parler tonen de bescherm-heilige van de brug, St.-Vitus, Karel IV (links) en Wenceslas IV.

Uitkijktoren ⑲
PETŘÍNSKÁ ROZHLEDNA

Petřín. **Kaart** 1 C4. 🚋 *6, 9, 12, 20, 22, 23, daarna met de funiculaire.* 🚌 *132, 143, 149, 217.* **Geopend** *juni-aug. dag. 10.00-19.00, sept-okt. dag. 10.00-18.00 uur. Wijzigingen mogelijk.* 🎥 📷

Het opmerkelijkste bouwwerk in Petřínpark is deze namaak-Eiffeltoren, die voor de Wereldtentoonstelling in 1891 werd gebouwd. De achthoekige toren is 60 m hoog, eenvierde van zijn Parijse voorbeeld. De enige manier om het uitzichtpunt te bereiken, is door de 299 treden van de wenteltrap te bestijgen. Bij helder weer is zelfs de hoogste berg van Bohemen, de Sněžka in het Krkonoše-gebergte (Reuzengebergte), zichtbaar. De toren wordt nu ingrijpend gerestaureerd.

Labyrint ⑳
ZRCADLOVÉ BLUDIŠTĚ

Petřín. **Kaart** 1 C4. ☎ *25 73 15 212.* 🚋 *6, 9, 12, 20, 22, 23 daarna de funiculaire.* 🚌 *132, 143, 149, 217.* **Geopend** *april-aug. dag. 10.00-19.00 uur; sept.-okt. dag. 10.00-18.00 uur; nov.-maart za-zo 10.00-17.00 uur.* 🎥 🚫 ♿

Deze doolhof met zijn spiegelende muren is, net als de uitkijktoren, een overblijfsel van de Wereldtentoonstelling in 1891. De doolhof bevindt zich in een houten gebouw in de vorm van de oude Špičkapoort, die deel

De meer dan 100 jaar oude uitkijktoren biedt prachtig uitzicht

uitmaakte van de vestingwerken van Vyšehrad *(blz. 178-179)*. Dit merkwaardige gebouw werd aan het einde van de Wereldtentoonstelling van elders in Praag hierheen verplaatst. Aan het einde van de doolhof ziet u het diorama *De verdediging van Praag tegen de Zweden*, dat de Slag op de Karelsbrug in 1648 uitbeeldt.

St.-Laurentiuskerk ㉑
KOSTEL SV. VAVŘINCE

Petřín. **Kaart** 1 C5. 🚋 *6, 9, 12, 20, 22, 23 daarna met de funiculaire.* 🚌 *132, 143, 149, 217.* **Gesloten** *voor bezichtiging.*

Volgens de overlevering is deze kerk in de 10de eeuw op de plaats van een heidense schrijn gesticht door de vrome prins Boleslav II en

St.-Adalbertus. Het plafond van de sacristie is beschilderd met een fresco dat deze legende uitbeeldt. De schildering dateert uit de 18de eeuw, toen het kleine romaanse bouwwerk in een veel groter barok gebouw opging. De kerk is herkenbaar aan de verlichte koepel en de twee torens met uivormige koepel. De kleine Calvariebergkapel, die dateert van 1735, ligt net links van de ingang naar de kerk. De gevel van de kapel is versierd met modern sgraffito dat de *Wederopstanding van Jezus* uitbeeldt.

Sterrenwacht ㉒
HVĚZDÁRNA

Petřín 205. **Kaart** 2 D5. ☎ *25 73 20 540.* 🚋 *6, 9, 12, 20, 22, 23 daarna met de funiculaire.* **Geopend** *hele jaar di-zo; openingstijden wisselen per maand, dus bel van tevoren.* 🎥 🚫 🌐 www.observatory.cz

Een telescoop van de sterrenwacht op de Petřínheuvel

Praagse amateur-sterrenkundigen kunnen sinds 1930 van de sterrenwacht op de Petřínheuvel gebruik maken. Met de telescopen kunt u overal naar kijken, van de kraters op de maan tot lichtjaren verwijderde sterrenstelsels. In de weekeinden worden er speciale attracties voor kinderen georganiseerd.

Hongermuur ㉓
HLADOVÁ ZED'

Újezd, Petřín, Strahovská. **Kaart** 2 D5. 🚋 *6, 9, 12, 20, 22, 23, daarna met de funiculaire.* 🚌 *132, 143, 149, 217.*

Al eeuwenlang staan de vestingwallen die Karel IV tussen 1360 en 1362 langs de zuidgrens van Kleine Zijde

Diorama *De verdediging van Praag tegen de Zweden* in het Labyrint

liet bouwen bekend als de Hongermuur. Van de totale muur is 1200 m bewaard gebleven, compleet met kantelen en aan de binnenkant een plateau vanwaar schutters konden aanleggen. Het nog bestaande deel loopt van Újezd via Petřínpark naar Strahov. De naam van het bouwwerk is ontstaan doordat Karel IV tot de bouw besloot om het volk van werk te voorzien toen er een hongersnood dreigde. Tussen 1360 en 1370 brak die hongersnood inderdaad uit en sindsdien worden de muur en honger met elkaar geassocieerd door de Pragenaren.

Petřínpark ㉔
PETŘÍNSKÉ SADY

Kaart 2 D5. 🚊 6, 9, 12, 20, 22, 23, daarna met de funiculaire. Zie **Drie wandelingen**, blz. 176-177.

De groene Petřínheuvel, ten westen van Kleine Zijde, kijkt van 318 m hoogte over Praag uit. Voor de herkomst van de naam zijn twee verklaringen in omloop. Vroeger werden hier offers voor de Slavische god Perun gebracht, terwijl de Latijnse naam Mons Petrinus 'rotsachtige berg' betekent. De streek tussen deze heuvel en de Witte Berg (*blz. 31*) was vroeger één groot woud. De in de 12de eeuw aangelegde wijngaarden langs de zuidkant waren tegen de 19de eeuw vervangen door tuinen en boomgaarden. Van het slingerende pad naar de top van de heuvel hebt u prachtig uitzicht over Praag. In de lente is het park in trek. De fruitbomen bloeien dan en geliefden leggen bloemen op het monument van Karel Hynek Mácha, de beroemdste Tsjechische romantische dichter. In het park staat ook het Monument voor de Slachtoffers van het Communisme.

Beeld van Karel Hynek Mácha in het Petřínpark

Nebozízek, de halte halverwege van de kabelbaan op de Petřínheuvel

Funiculaire ㉕
LANOVÁ DRÁHA

Újezd. **Kaart** 2 D5. 🚊 6, 9. 12, 20, 22, 23. **Diensttijden** 's zomers dag. 9.00-23.30; 's winters dag. 9.15-20.45 uur. 🎫 📷 ♿

De funiculaire, die werd gebouwd om bezoekers van de Wereldtentoonstelling in 1891 naar de top van de Petřínheuvel te brengen, liep vroeger op stoom. Die aandrijving bleef tot 1914 gehandhaafd, maar na de Eerste Wereldoorlog ging men over op elektriciteit. In 1965 werd de funiculaire gesloten omdat een deel van de heuvel was ingestort – in de 19de eeuw werd hier steenkool gewonnen. Het heeft twintig jaar geduurd, maar sinds 1985 kunt u weer per funiculaire naar de top van de heuvel reizen. Bij de halte Nebozízek (*blz. 202*), halverwege de top, is een restaurant en hebt u mooi uitzicht op de Praagse Burcht en de rest van de stad.

Lustslot Michna ㉖
MICHNŮV PALÁC

Újezd 40. **Kaart** 2 E4. ☎ 25 73 11 831. 🚊 12, 20, 22, 23. **Geopend** do, za, zo 9.00-17.00 uur. 🎫 📷 ♿

Op de plaats waar vroeger een dominicanenklooster stond, bouwde Ottavio Aostalli in 1580 dit zomerpaleis voor de familie Kinský. Pavel Michna van Vacínov kocht het paleis in 1623 van het fortuin dat hij had verdiend als leverancier aan het keizerlijke leger tijdens de Slag bij de Witte Berg. Hij gaf opdracht tot een barokke verbouwing, waardoor hij zijn vroegere meerdere Wallenstein (*blz. 126*) naar de kroon stak.
Nadat het paleis in 1767 aan het leger was verkocht, raakte het gaandeweg steeds verder in verval. Pas toen de gymnastiekvereniging Sokol het gebouw in 1921 kocht en er een sportcentrum van maakte, werd het in de oude glorie hersteld. Op de begane grond is het Museum voor Lichamelijke Opvoeding en Sport gevestigd.

De gerestaureerde barokke gevel van lustslot Michna

Nieuwe Stad

NOVÉ MĚSTO

Jugendstil-sierwerk op Wenceslasplein nr. 12

Het in 1348 door Karel IV gestichte Nieuwe Stad is rond drie centrale pleinen gebouwd. Vroeger fungeerden deze als marktplein: de hooimarkt (Senovážnéplein), de veemarkt (Karelsplein) en de paardenmarkt (Wenceslasplein). De wijk is twee keer zo groot als Oude Stad en werd vroeger voornamelijk bewoond door kooplui en handwerkslieden, zoals ijzersmeden, wagenmakers en bierbrouwers. Aan het einde van de 19de eeuw werd een groot deel van de wijk gesloopt en kreeg hij zijn tegenwoordige uiterlijk.

DE BEZIENSWAARDIGHEDEN VAN NIEUWE STAD

Kerken en kloosters
Maria-Sneeuwkerk ❷
St.-Ignatiuskerk ❽
St.-Cyrillus en St.-Methodiuskerk ⓫
St.-Johannes Nepomuk-op-de-rotskerk ⓭
Emmaüsklooster ⓮
St.-Catharinakerk ⓰
St.-Stefanuskerk ⓳
St.-Ursulakerk ㉒

Historische gebouwen
Hotel Europa ❹
Jezuïetencollege ❾
Fausthuis ⓬
Stadhuis Nieuwe Stad ⓴

Theaters en operagebouwen
Staatsopera ❻
Nationale Theater blz. 156-157 ㉓

Historische pleinen
Wenceslasplein ❶
Karelsplein ❿

Musea
Nationaal Museum ❺
Muchamuseum ❼
Dvořákmuseum ⓲

Historische restaurants en bierlokalen
Restaurant Bij de Kelk ⓱
U Flekŭ ㉑

Parken en tuinen
Franciscanentuin ❸
Botanische tuin ⓯

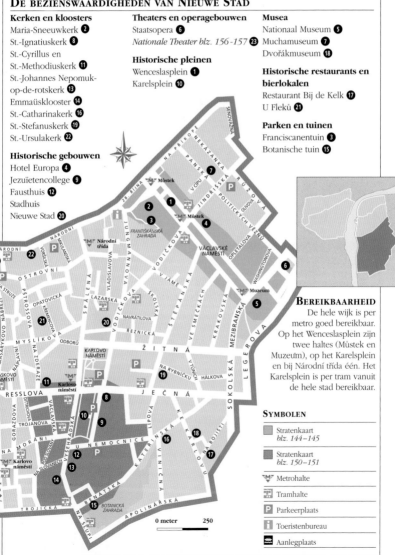

BEREIKBAARHEID
De hele wijk is per metro goed bereikbaar. Op het Wenceslasplein zijn twee haltes (Mŭstek en Muzeŭm), op het Karelsplein en bij Národní třída één. Het Karelsplein is per tram vanuit de hele stad bereikbaar.

SYMBOLEN

▢	Stratenkaart *blz. 144–145*
▢	Stratenkaart *blz. 150–151*
Ⓜ	Metrohalte
🚊	Tramhalte
P	Parkeerplaats
i	Toeristenbureau
⛴	Aanlegplaats

◁ Het gebouw van het Hlaholkoor aan Masarykovo nábřeží is Jugendstil op zijn mooist

Onder de loep: Wenceslasplein

In veel gebouwen aan het plein zijn hotels en restaurants gekomen, maar als centrum van handel speelt het ook nog een voorname rol – het Wenceslasplein was vroeger de paardenmarkt van Praag. De vele prachtige gevels dateren voor het grootste deel uit het begin van de 20ste eeuw, toen het plein helemaal opnieuw werd ingericht. De sierlijke Jugendstil was destijds ook in Praag zeer in de mode. In veel huizenblokken leiden donkere arcaden naar winkels, clubs, theaters en bioscopen.

Beeld van St.-Laurentius bij U Pinkasů

Het Korunapaleis (1914) is een rijk versierd blok huizen en kantoren. Op de hoektoren staat een kroon *(koruna)*.

Naar Kruittoren

NA PŘÍKOPĚ

U Pinkasů werd een van de populairste bierlokalen van Praag toen het in 1843 Urquell-pils *(blz. 196-197)* ging verkopen.

Můstek

Maria-Sneeuwkerk
Het hoge gotische gebouw is maar een deel van de enorme kerk die men hier in de 14de eeuw wilde bouwen ❷

Můstek

Můs

Het Jungmannovoplein is genoemd naar de invloedrijke taal- en letterkundige Josef Jungmann (1773-1847). Midden op het plein staat een standbeeld van hem. Het Adriapaleis was vroeger het podium van de theatergroep Laterna Magika *(blz. 212)*. In dit gebouw werkte Václav Havel in de eerste dagen van de Fluwelen Revolutie.

Franciscanentuin
Deze kloostertuin is tegenwoordig een park met fontein (zie foto), rozenperken en een speeltuin ❸

VODIČKOVA

Lucernapaleis

Het Wiehlhuis, vernoemd naar architect Antonín Wiehl, kwam in 1896 klaar. Het gebouw is een fraai voorbeeld van neorenaissancistische architectuur met kleurrijk sgraffito. Mikuláš Aleš ontwierp enkele beelden op de gevel.

STERATTRACTIES

★ **Wenceslasplein**

★ **Hotel Europa**

★ **Nationale Museum**

ORIËNTATIEKAART
Zie Stratengids, kaarten 3, 4 & 6

★ **Wenceslasplein**
Het ruiterstandbeeld van St.-Wenceslas (1912) en het Nationale Museum daarachter zijn de opvallendste kenmerken van dit plein. St.-Wenceslas, de koning die werd vermoord door zijn broer Boleslav, is de schutspatroon van Bohemen ❶

Franz Kafka *(blz. 68)* werkte in 1906 en 1907 tien maanden in het Assicurazioni Generaligebouw.

Het Monument voor de Slachtoffers van het Communisme, op de plaats waar Jan Palach zichzelf in brand stak. Deze onofficiële schrijn wordt onderhouden sinds de Fluwelen Revolutie in 1989.

★ **Hotel Europa**
Zowel van binnen als aan de buitenkant is de Jugendstil prachtig behouden ❹

Café
Tramvaj 11

St.-Wenceslas-
monument

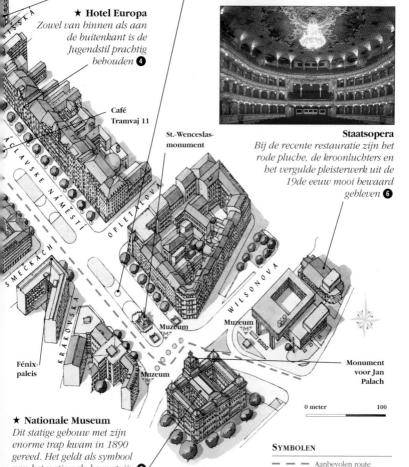

Staatsopera
Bij de recente restauratie zijn het rode pluche, de kroonluchters en het vergulde pleisterwerk uit de 19de eeuw mooi bewaard gebleven ❻

Muzeum

Muzeum

Muzeum

Fénix-
paleis

**Monument
voor Jan
Palach**

0 meter   100

★ **Nationale Museum**
Dit statige gebouw met zijn enorme trap kwam in 1890 gereed. Het geldt als symbool van het nationale bewustzijn ❺

SYMBOLEN

– – – Aanbevolen route

Standbeeld St.-Wenceslas, Wenceslasplein

Wenceslasplein ❶
VÁCLAVSKÉ NÁMĚSTÍ

Kaart 3 C5. ᴹ̌ *Můstek, Muzeum.*
🚋 *3, 9, 14, 24.*

Op dit plein hebben zich in de recente geschiedenis veel belangrijke gebeurtenissen afgespeeld. Jan Palach verbrandde zichzelf hier in 1969 en in 1989 leidde een demonstratie tegen politiegeweld tot de Fluwelen Revolutie en de omverwerping van het communisme.
Het enorme plein is 750 m lang en 60 m breed. Aanvankelijk was het een paardenmarkt, maar tegenwoordig getuigen talloze hotels, restaurants, clubs en winkels van het feit dat de consumptiemaatschappij hier zijn intrede heeft gedaan.
Het grote beeld van St.-Wenceslas te paard werd in 1912 door Josef Myslbek, de bekendste Tsjechische beeldhouwer uit die tijd, in brons gegoten. Aan de voet van het monument zijn andere beeldjes van Praagse beschermheiligen aange-bracht. Vlak bij het stand-beeld van St.-Wenceslas herinnert een sober monument aan de slachtoffers van het communisme.

Maria-Sneeuw-kerk ❷
KOSTEL PANNY MARIE SNĚŽNÉ

Jungmannovo náměstí 18. **Kaart** 3 C5.
📞 *22 22 46 243.* ᴹ̌ *Můstek.*
Geopend *dag. 7.00-19.00 uur.*
✝ *ma-vr 6.45, 8.00, 18.00 uur, zo 9.00, 10.15, 11.30, 18.00 uur.*
📷 ♿

Deze kerk werd in 1347 door Karel IV ter ere van zijn kroning gesticht. De naam verwijst naar een wonder dat zich in de 4de eeuw in Rome voltrok. Maria vertelde de paus in zijn droom dat hij een kerk moest bouwen op de plaats waar in augustus sneeuw viel. De kerk zou meer dan 100 m lang worden, maar werd nooit voltooid. Het gedeelte dat er staat, was slechts bedoeld als priesterkoor. Het 33 m hoge gebouw was in 1397 gereed en was vroeger onderdeel van een karmelietenklooster. Aan de noordkant staat een poort met een 14de-eeuws fronton dat vroeger de ingang naar de kloosterbegraafplaats sierde. Aan het begin van de 15de eeuw werd nog een toren toe-gevoegd voordat de Hussieten-oorlogen *(blz. 26-27)* verder bouwen verhinderden. Jan Želivský, een fanatieke hussiet, predikte in deze kerk en werd er na zijn executie in 1422 ook begraven. De kerk werd tijdens de Hussieten-oorlogen zwaar beschadigd, de net nieuwe toren ging verloren en het bouwwerk werd aan zijn lot overgelaten tot de franciscanen het in 1603 opknapten. Het netgewelf op het plafond werd toen ter vervanging van het ingestorte dak aangebracht. Op een 15de-eeuwse tinnen doopvont na is het interieur barok.

Franciscanen-tuin ❸
FRANTIŠKÁNSKÁ ZAHRADA

Jungmannovo náměstí 18.
Kaart 3 C5. ᴹ̌ *Můstek.*
Geopend *dag. 6.00-19.00 uur.* ♿

In deze tuin kweekten de franciscanen vroeger hun geneeskrachtige kruiden. Sinds 1950 is dit een mooi parkje om de drukte van het Wenceslasplein te ontvluchten. Naast de ingang leidt een go-tisch portaal naar het kelder-restaurant U františkánů (bij de franciscanen). Sinds de jaren tachtig groeien hier de kruiden die de franciscanen in de 17de eeuw kweekten.

Hotel Europa ❹
HOTEL EVROPA

Václavské náměstí 29. **Kaart** 4 D5.
📞 *22 42 28 117.* ᴹ̌ *Můstek.*
🚋 *3, 9, 14, 24.* 🚫 ♿ *Zie **Accom-modatie** blz 182-189 en **Restau-rants en cafés** blz. 198-205.*

Hoewel het er een tikje vervallen bij staat, is Hotel Europa toch een prachtige herinnering aan het

Jugendstil-kunst op de gevel van Hotel Europa

De gevel van de Staatsopera, het vroegere Nieuwe Duitse Theater

begin van de 20ste eeuw. Het Jugendstil-gebouw dateert uit 1903-1906. Niet alleen de sierlijke gevel met bovenop een verguld nimfenbeeld, maar ook het interieur van de begane grond met de oorspronkelijke bars, grote spiegels, houten panelen en lichtbakken is goed bewaard gebleven.

Nationale Museum ❺
NÁRODNÍ MUZEUM

Václavské náměstí 68. **Kaart** 6 E1. 📞 *22 44 97 111.* 🚇 *Muzeum.* **Geopend** *okt.-april dag. 9.00-17.00; mei-sept. dag. 10.00-18.00 uur (eerste di v.d. maand gesloten).* 📷 toeslag. 🌐 *www.nm.cz*

Het Nationale Museum is gehuisvest in een enorm neorenaissancistisch gebouw aan het Wenceslasplein. Het door Josef Schulz ontworpen gebouw, een symbool voor het groeiende nationale bewustzijn, kwam af in 1890. Bij de ingang vindt u de afdelingen geschiedenis en biologie. Als u verdergaat, wordt de verouderde verzameling overschaduwd door de marmeren pracht van het gebouw zelf. De collectie besteedt vooral aandacht aan mineralogie, archeologie, antropologie, numismatiek en biologie. In het pantheon staan busten van vooraanstaande Tsjechische geleerden en kunstenaars, en hangen werken van Tsjechische kunstenaars.

Staatsopera ❻
STÁTNÍ OPERA

Wilsonova 4. **Kaart** 4 E5. 📞 *22 42 27 266 (bespreekbureau).* 🚇 *Muzeum. Alleen* **geopend** *tijdens voorstellingen. Zie* **Amusement** *blz. 210-215.* 🌐 *www.opera.cz*

Het Theater Nieuwe Stad, dat hier vroeger stond, werd in 1885 gesloopt ten faveure van de Staatsopera. Dit gebouw ontstond als het Nieuwe Duitse Theater en had als doel om het Nationale Theater van de Tsjechen

(blz. 156-157) naar de kroon te steken. Het timpaan boven het zuilenbalkon is afgewerkt met een neoclassicistische fries. In de beelden zijn onder andere Dionysus en Thalia, de muze van het blijspel, te herkennen. Binnen zijn de muren met pleisterwerk versierd en is veel oorspronkelijk schilderwerk (in het auditorium en op het gordijn) behouden.

Muchamuseum ❼
MUCHOVO MUZEUM

Panská 7. **Kaart** 4 D4. 📞 *22 14 51 333.* 🚇 *Můstek, Náměstí Republiky.* 🚋 *3, 5, 9, 14, 24, 26.* **Geopend** *dag. 10.00-18.00 uur.* 📷 🌐 *www.mucha.cz*

Het 18de-eeuwse Kaunicky-paleis huisvest het eerste museum voor deze Tsjechische art nouveaumeester. De collectie met 80 stukken bevat schilderijen en tekeningen, foto's en persoonlijke bezittingen. In de zomer kunt u buiten op de binnenplaats zitten. De winkel verkoopt exclusieve geschenken met Mucha-motieven.

De grote trap van het Nationale Museum

Jugendstil in Praag

De Jugendstil ontwikkelde zich in het *fin de siècle* van de 19de eeuw als *art nouveau* in Parijs. De kunststroming met zijn sierlijke, vloeiende lijnen vond al snel weerklank in andere landen. In de eerste tien jaar van de 20ste eeuw was Jugendstil ook in Praag erg in trek, waar deze *Sezession* heette, maar door de Eerste Wereldoorlog verdween hij naar de achtergrond. Zowel in de architectuur als in de beeldende kunst is er in Praag veel Jugendstil te bewonderen. In de Joodse Wijk en Nieuwe Stad werden rond de eeuwwisseling hele straten tegelijk gesloopt. Daarvoor in de plaats kwamen prachtige Jugendstil-gebouwen.

Detail gevel Masarykkade 10

Prahahuis
Dit huis werd in 1903 gebouwd voor de Praagse Verzekeringsmij. De naam staat in gouden letters op de gevel.

ARCHITECTUUR

Jugendstil was in Praag voor het eerst te zien tijdens de Wereldtentoonstelling van 1891. De nieuwe stijl had in de architectuur vooral als doel te breken met de 19de-eeuwse traditie dat er groot moest worden gebouwd en legde de nadruk op de versiering. Zowel met beelden als met schilderijen werden (vrouwen-)figuren op een vlakke achtergrond aangebracht. Gietijzer en glas waren in de Jugendstil de populairste materialen. Deze kunststroming heeft ook in Praag een groot aantal blijvende herinneringen achtergelaten.

Hotel Central
Pleisterwerk in de vorm van boomtakjes sieren dit in 1900 door Alois Dryák en Bedřich Bendelmayer ontworpen gebouw.

Gebouw Hlalolkoor, 1905
Dit gebouw van Josef Fanta is afgewerkt met mozaïek en beeldhouwwerk van Karl Mottl en Josef Pekárek (blz. 142).

Sierlijke pilasters

Decoratieve beelden

Hotel Meran
Dit uit 1904 daterende gebouw is zowel binnen als buiten zeer gedetailleerd bewerkt.

Balustrade van koper en gietijzer

Hlavní nádraží
Het belangrijkste station in Praag werd in 1901 voltooid. Zowel het beeldhouwwerk als de enorme glazen koepel zijn kenmerkend voor de Jugendstil.

BEELDENDE KUNST

De Jugendstil had grote invloed op schilders, beeldhouwers en grafische kunstenaars. Een van de succesvolste vertegenwoordigers van de stijl was Alfons Mucha (1860-1939). Vooral zijn affiches oogstten bewondering, maar hij ontwierp ook glas-in-lood (*blz. 102*), meubels, sieraden en zelfs postzegels. Vooral in de beeldende kunst leeft de Jugendstil in Praag voort. Kunstenaars versierden elk denkbaar voorwerp – deurkrukken, gordijnhangers, vazen, bestek – met de typische vormen uit de natuur, die hen inspireerde.

Postzegel, 1918
Deze postzegel ontwierp Alfons Mucha ter ere van de stichting van Tsjechoslowakije.

Affiche voor Sokol
Deze litho van Mucha ter gelegenheid van wedstrijden van de gymnastiekvereniging Sokol in 1912 is te zien in het lustslot Michna (blz. 141).

Záboj en Slavoj
Josef Myslbek sneed dit beeld van twee mythologische figuren ter versiering van de Palackýbrug. Het beeld staat nu in Vyšehrad.

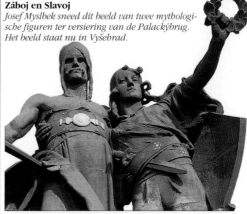

Glazen vaas
Deze iriserende groene vaas van Boheemse glas, bewerkt met in elkaar overlopende lijnen, staat in het Museum voor Beeldende Kunst.

Gordijnhanger en kandelaar
De van zilver en zijde gemaakte gordijnhanger is te zien in het Representatiehuis. De door Emanuel Novák gemaakte kandelaar staat in het Kunstnijverheidsmuseum.

WAAR VINDT U JUGENDSTIL IN PRAAG

Detail deur, Široká 9, Joodse Wijk

ARCHITECTUUR
Beurspaleis *blz. 162 en blz. 164-165*
Flatgebouw, Na příkopé 7
Gebouw Hlaolkoor, Masarykovo nábřeží 10
Hanaupaviljoen *blz. 161*
Hlavni nádraži, Wilsonova
Hotel Central, Hyberská 10 *zie ook blz. 185*
Hotel Evropa *blz. 146*
Ministerstvo pro místní rozvoj *blz. 67*
Palackýbrug (Palackého Most)
Prahahuis, Národní třída 7
Representatiehuis *blz. 64*
Wiehlhuis *blz. 144*

SCHILDERKUNST
St.-Agnesklooster *blz. 92-93*

BEELDHOUWKUNST
Jan Husmonument *blz. 70*
Vyšehrader park en begraafplaats *blz. 160 en Drie wandelingen blz. 178-179*
Zbraslavklooster *blz. 163*

KUNSTNIJVERHEID
Mucha-museum *blz. 147*
Hoofdstedelijk Museum Praag *blz. 161*
Kunstnijverheidsmuseum *blz. 84*

Onder de loep: Karelsplein

Detail van huis op het Karelsplein

In het zuidelijke deel van Nieuwe Stad overheerst het geraas van de vele trams die door de buurt rijden. Het park op het Karelsplein (Karlovo náměstí) biedt echter de gelegenheid om aan de drukte te ontsnappen. De vele universiteitsgebouwen in de omgeving en de beelden van schrijvers en geleerden op het plein zelf getuigen van het wetenschappelijke karakter van de buurt. Er staan enkele mooie barokke gebouwen en vlak bij de rivier vindt u het 14de-eeuwse Emmaüsklooster.

De Technische universiteit werd in 1867 in dit neorenaissancistische gebouw gesticht.

Midden van het Karelsplein

St.-Wenceslaskerk

Naar de rivier

★ St.-Cyrillus en St.-Methodiuskerk
Een gedenkplaat en vele kogelgaten herinneren aan een Duitse aanval in 1942 op Tsjechische en Slowaakse agenten die zich hier hadden verstopt ⓫

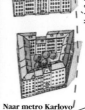

Naar metro Karlovo náměstí

★ Karelsplein
Midden op het plein is in de 19de eeuw een heerlijk rustig parkje aangelegd ❿

St.-Cosmas en St.-Damianuskerk

Emmaüsklooster
In 1965 werden aan de kerk van dit 14de-eeuwse klooster twee moderne betonnen torens toegevoegd ⓮

RESSLOVA

VÁCLAVSKÁ

NA MORÁN

VYSEHRADSKÁ

POD SLOVANY

TROJICKA

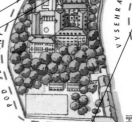

STERATTRACTIES

★ Karelsplein

★ St.-Cyrillus en St.-Methodiuskerk

St.-Johannes Nepomuk-op-de-Rotskerk
Het plafond boven het orgel is beschilderd door Kilian Ignaz Dientzenhofer ⓭

St.-Ignatiuskerk

*De vergulde zonnestralen en cheru-
bijntjes in het zijaltaar zijn kenmerkend voor de inrichting van deze
voor de jezuïeten gebouwde kerk* **8**

ORIËNTATIEKAART
Zie Stratengids, kaart 5

Eliška Krásnohorská schreef
de teksten voor de opera's
van Smetana. In 1931 werd
hier een standbeeld van haar
onthuld.

**Het beeld van Jan Pur-
kyně** (1787-1869), een
van de grootste fysiolo-
gen van het land, werd
in 1961 geplaatst. Het is
het laatste van de vele
beelden die op het plein
zijn neergezet.

Jezuïetencollege

*Dit indrukwekkende
gebouw is sinds de
onderdrukking van de
jezuïeten in 1773
(blz. 30-31) in gebruik
als ziekenhuis.* **9**

**Instituut voor
dames (18de
eeuw, nu een
ziekenhuis)**

Fausthuis

*De scheikundige proeven
die graaf Ferdinand
Mladota van Solopysky
hier in de 18de eeuw
uitvoerde, versterkten de
band met de naamgever
van het huis verder* **12**

BENÁTSKÁ

0 meter   100

SYMBOOL

▬ ▬ ▬ Aanbevolen route

Botanische tuinen

*De tuinen, eigendom van
de Karelsuniversiteit, zijn
openbaar en beroemd
vanwege de vele zeldzame
planten die er groeien* **15**

Beeldhouwwerk op de gevel van het Jezuïetencollege van Tomasso Soldati

St.-Ignatiuskerk ❽
KOSTEL SV. IGNÁCE

Ječná 2. **Kaart** 5 C2.
🕿 *22 49 21 254.* ꙮ *Karlovo*
námĕsti.
🚊 *3, 4, 6, 10, 14, 18, 22, 23, 24.*
Geopend *dag. 6.00-18.30 uur.* 📷
✝ *frequente kerkdiensten.*

De barokke St.-Ignatius-
kerk is een goed voor-
beeld van de manier waarop
de jezuïeten met uiterlijk vertoon indruk trachtten te
maken: veel verguldsel en
flamboyant pleisterwerk. Het
gebouw werd door twee
architecten gemaakt. De ontwerper van het naastgelegen
Jezuïetencollege, Carlo
Lurago, startte het werk in
1665 waarna Paul Ignaz Bayer
in 1687 de toren toevoegde.
Jan Jiří Heinsch schilderde *De
glorie van St.-Ignatius* (St.-
Ignatius van Loyola, stichter
van de jezuïeten) op het
hoogaltaar. Tot hun onderdrukking in 1773 bleven de
jezuïeten de kerk verder ver-
fraaien met pleisterwerk en
beelden van Tsjechische en
jezuïetenheiligen.

Jezuïetencollege ❾
JEZUITSKÁ KOLEJ

Karlovo námĕsti 36. **Kaart** 5 B2.
ꙮ *Karlovo námĕsti.* 🚊 *3, 4, 6, 10,*
14, 16, 18, 22, 23, 24. **Gesloten**
voor bezichtiging.

De helft van de oostzijde
van het Karelsplein wordt
in beslag genomen door het
college dat de jezuïeten in
Nieuwe Stad vestigden. Ook
hier sloopte deze orde hele

huizenblokken om onderdak
voor hun omvangrijke oplei-
dingsstelsel te bouwen. Het
college werd tussen 1656 en
1702 gemaakt door Carlo
Lurago en Paul Ignaz Bayer.
De twee portalen zijn van de
hand van Johann Georg
Wirch. Toen de jezuïeten hun
macht in 1773 kwijtraakten,
werd het gebouw een militair
ziekenhuis. Tegenwoordig is
het een academisch ziekenhuis en een onderdeel van de
Karelsuniversiteit.

Karelsplein ❿
KARLOVO NÁMĔSTÍ

Kaart 5 B2. ꙮ *Karlovo námĕsti.*
🚊 *3, 4, 6, 10, 14, 16, 18, 22, 23, 24.*

In de 19de eeuw werd op
dit plein een park aange-
legd en hoewel de omlig-
gende wegen erg druk zijn, is
het een prima plek om tot
rust te komen.
Toen Karel IV in 1348
Nieuwe Stad stichtte, was
hier de veemarkt. Verder
werd er onder andere
brandhout, kolen en
zoute haring verhan-
deld. In het midden
van het plein
liet Karel een
houten toren

bouwen waar één keer per
jaar de kroonjuwelen werden
tentoongesteld. In 1382 kwam
voor die toren een kapel in
de plaats. Daar werden in
1432 de concessies voorgelezen die het Concilie van
Basel aan de hussieten had
gedaan.

St.-Cyrillus en St.-Methodiuskerk ⓫
KOSTEL SV. CYRILA A METODĔJE

Resslova 9. **Kaart** 5 B2. 🕿 *22 49 20*
686. ꙮ *Karlovo námĕsti.* 🚊 *3, 4,*
6, 10, 14, 16, 18, 22, 23, 24. **Ge-**
opend *okt.-april di-zo 10.00-16.00,*
mei-sept. di-zo 10.00-17.00 uur. 🚫

Deze barokke kerk werd
tussen 1730 en 1736
gebouwd. Aanvankelijk was
het bouwwerk gewijd aan St.-
Karel Borromeüs en deed het
verder dienst als kerk voor
een gezelschap gepensio-
neerde priesters, maar zowel
het priestershuis als de kerk
zelf werden in 1783 gesloten.
In de jaren dertig van de 20ste
eeuw werd de kerk eigendom
van de Tsjechische orthodoxe
Kerk en werd hij opnieuw
gewijd, nu aan de 9de-eeuwse
Slavenapostelen St.-Cyrillus en
St.-Methodius *(blz. 20-21)*. In
mei 1942 hielden de moordenaars van Reichsprotektor
Reinhard Heydrich samen met
leden van het Tsjechische verzet zich schuil in de crypte.
Tijdens het daaropvolgende
Duitse beleg van de kerk
pleegden de vluchtelin-
gen zelfmoord. Onder
een gedenkplaat aan de
buitenkant van de
crypte, die nu een
museum is, zijn nog
kogelgaten van de
Duitse
mitrailleurs
te zien.

Het hoofdaltaar in de St.-Cyrillus en St.-Methodiuskerk

Fausthuis
FAUSTŮV DŮM

Karlovo náměstí 40, 41. **Kaart** 5 B3.
"M" *Karlovo náměstí.* ▦ *3, 4, 14,
16, 18.* **Gesloten** *voor bezichtiging.*

In Praag worden vele legenden over alchemisten en
duivelse invloeden verteld en
daarvan gaan er heel wat
over dit huis. In de 14de
eeuw was het huis eigendom
van alchemist-bioloog prins
Václav van Opava, in de 16de
eeuw woonde de alchemist
Edward Kelley er en de eigenaar uit de 18de eeuw, graaf
Ferdinand Mladota van
Solopysky, die graag scheikundige experimenten deed,
bracht het huis opnieuw in
verband met de Faust-
legende.

De barokke gevel van het Fausthuis

St.-Johannes Nepomuk-op-de-Rotskerk
KOSTEL SV. JANA NA SKALCE

Vyšehradská 49. **Kaart** 5 B3.
▐ *22 49 15 371.* ▦ *3, 4, 14, 16,
18, 24.* **Geopend** *voor kerkdiensten.*
✝ *zo 8.00 uur.* ∅

Deze voor Praagse begrip-
pen nogal kleine barokke
kerk is een van de gewaagd-
ste ontwerpen van Kilian
Ignaz Dientzenhofer. De twee
vierkante torens staan ge-
draaid ten opzichte van de
smalle voorgevel en de
hoofdruimte is achthoekig

gevormd. De kerk was in
1738 klaar, maar de dubbele
trap voor de westzijde werd
pas later in die eeuw toegevoegd. Op het hoogaltaar
staat een houten replica van
Jan Brokoff's beeld van
St.-Johannes Nepomuk
(blz. 137). Het origineel
staat op de Karelsbrug.

Emmaüsklooster
KLÁŠTER NA SLOVANECH-EMAUZY

Vyšehradská 49. **Kaart** 5 B3. ▐ *22
19 79 296.* ▦ *3, 4, 14, 18, 24.*
Kloosterkerk geopend *ma-vr 7.00-
19.00 uur.* **Kloostergang geopend**
op afspraak. ✝ *ma, wo, vr 12.00
uur.* ▦ ∅ ♿

Zowel het klooster als de
kerk werden in 1945 tij-
dens Amerikaanse bombarde-
menten bijna verwoest. Bij de
daaropvolgende wederop-
bouw werd de kerk voorzien
van twee versterkte torens
van beton.
De Tsjechische naam 'na
Slovanech' is ontstaan doordat de Kroatische benedictijnen, door wie het klooster in
1347 werd gesticht, hun diensten in het Oudslavisch voor-
droegen. Nadien is het klooster veelvuldig van eigenaar
gewisseld. In 1446 werd hier
de hussitische beweging
opgericht, waarna het in 1635
overging in het bezit van
Spaanse benedictijnen. Na
een barokke restauratie in de
18de eeuw kwam het in handen van Duitse benedictijnen,
die alles weer neogotisch
maakten. Veel schilderwerk is
verloren gegaan in de Tweede Wereldoorlog, maar 14de-
eeuwse plafondschilderingen
zijn bewaard gebleven.

**14de-eeuwse muurschilderingen
in het Emmaüsklooster**

Botanische tuinen
BOTANICKÁ ZAHRADA

Na slupi 16. **Kaart** 5 B3. ▐ *22 49 18
970.* ▦ *18, 24.* ▦ *148.* **Kassen
geopend** *dag. 10.00-16.00 uur.* **Tuin
geopend** *jan-febr. dag. 8.00-17.00
uur; maart-okt. dag. 8.00-18.00 uur;
nov.-dec. 8.00-16.00 uur.* ▦ ∅ ♿

De eerste botanische tuin
in Praag werd in de 14de
eeuw door Karel IV aange-
legd, maar de huidige dateert
van veel later. In 1775 werd
de universiteitstuin in de wijk
Smíchov aangelegd en in
1897 verplaatste men hem
naar zijn huidige locatie.
De enorme kassen dateren
van 1938.
In deze tuinen worden tentoonstellingen georganiseerd
en exotische vogels en vissen
getoond. De enorme waterle-
lie *Victoria cruziana* brengt
's zomers tientallen bloemen
voort die één dag bloeien.

De ingang van de botanische tuinen van de universiteit

Achthoekige toren, St.-Catharinakerk

St.-Catharinakerk ⓰

KOSTEL SV. KATEŘINY

Kateřinská. **Kaart** 5 C3. 🚋 4, 6, 10, 16, 22, 23. **Gesloten** voor bezichtiging.

De St.-Catharinakerk staat in de tuin van een voormalig klooster dat Karel IV in 1354 stichtte ter gelegenheid van zijn zege in de Slag bij San Felice (Italië) in 1332. Het klooster werd in 1420 tijdens de Hussietenoorlogen (blz. 26-27) verwoest en in de daaropvolgende eeuw herbouwd voor de augustinessen door Ignaz Dientzenhofer. In 1787 werd het klooster gesloten en sinds 1822 doet het dienst als ziekenhuis.
De barokke kerk dateert uit 1737, maar de slanke torenspits is een overblijfsel van de oude gotische kerk. Vanwege de achthoekige vorm wordt de toren wel de Praagse minaret genoemd.

Restaurant Bij de kelk ⓱

RESTAURACE U KALICHA

Na bojišti 14. **Kaart** 6 D3. 📞 29 61 89 600. "M" IP Pavlova. 🚋 4, 6, 10, 16, 22, 23. **Geopend** dag. 11.00-23.00 uur. 📷 ♿ Zie **Restaurants** blz. 198-205.

Dit Urquell-bierlokaal dankt zijn bekendheid aan Schwejk, de hoofdpersoon in het boek De brave soldaat Schwejk van Jaroslav

Hašek. De populaire romanfiguur heeft het etablissement geen windeieren gelegd. Het personeel loopt nog in kleren uit de tijd van Schwejk, omstreeks 1914, rond.

Dvořákmuseum ⓲

MUZEUM ANTONÍNA DVOŘÁKA

Ke Karlovu 20. **Kaart** 6 D2. 📞 en 📠 22 49 23 363. "M" IP Pavlova. 🚌 148. **Geopend** di-zo 10.00-17.00 uur en met concerten. 📷 Ø ♿ 🌐 www.nm.cz

Het Dvořákmuseum is ondergebracht in een van de aantrekkelijkste niet-kerkelijke barokke gebouwen van Praag. In het museum zijn partituren en bladmuziek en verder foto's en andere aandenkens aan de grote 19de-eeuwse componist te zien. Het gebouw waarin het museum is gevestigd, is van de hand van Kilian Ignaz Dientzenhofer (blz. 129). Het twee verdiepingen hoge huis werd in 1720 gebouwd voor de familie Michna van Vacínov en heette aanvankelijk het Michna-zomerpaleis. Later werd het bekender als Villa Amerika, een naam die het ontleende aan de nabijgelegen herberg Amerika. Het gietijzeren hekwerk dat om het gebouw heen staat, is een kopie van het oorspronkelijke

barokke hek. In de 19de eeuw raakten het huis en de tuin in verval. De beelden en vazen in de tuin komen uit de werkplaats van Matthias Braun. Het betreft uitgebreid gerestaureerde originelen. Ook het interieur is uitvoerig gerestaureerd. Op de muren en plafonds op de eerste verdieping, waar veel recitals worden gehouden, ziet u fresco's van de 18de-eeuwse schilder Jan Ferdinand Schor.

St.-Stefanuskerk ⓳

KOSTEL SV. ŠTĚPÁNA

Štěpánská. **Kaart** 5 C2. 🚋 4, 6, 10, 16, 22, 23. **Geopend** tijdens kerkdiensten. ✝ do 17.00 uur, zo 11.00 uur. Ø

Karel IV stichtte deze kerk in 1351 als parochiekerk voor noordelijk Nieuwe Stad. Met de bouw van de prismatische toren in 1401 was het oorspronkelijke gebouw voltooid. Aan de noordkant werd tegen het einde van de 17de eeuw de Branbergkapel, waar beeldhouwer Matthias Braun is begraven, aangebouwd. Verdere barokke toevoegingen gingen verloren bij een gewetensvolle restauratie in gotische stijl rond 1870, uitgevoerd door Josef Mocker. Wel zijn er enkele mooie barokke schilderijen behouden.
In een van de zij-

Het Michna-zomerpaleis, het onderkomen van het Dvořákmuseum

Renaissancistisch beschilderd plafond in het Stadhuis Nieuwe Stad

beuken ziet u *De doop van Christus* van Karel Škréta en links van de 15de-eeuwse preekstoel bevindt zich een portret van St.-Johannes Nepomuk *(blz. 137)*, gemaakt door Jan Jiři Heinsch. Het mooiste kunstwerk in de kerk is absoluut het prachtige laatgotische paneel *De Madonna van St.-Stefanus*, dat uit 1472 dateert.

Gotische preekstoel, St.-Stefanuskerk

Stadhuis Nieuwe Stad ⓴
NOVOMĚSTSKÁ RADNICE

Karlovo náměstí 23. **Kaart** 5 B1.
Ⓜ️ *Karlovo náměstí.* 🚋 *3, 4, 6, 10, 14, 16, 18, 22, 24.* 📞 *22 49 47 131.*
Toren geopend *mei-sept. di-zo 10.00-18.00 uur.*

In 1960 werd bij het Stadhuis Nieuwe Stad een standbeeld onthuld van de hussitische prediker Jan Želivský. Het beeld herinnert aan de eerste en bloedigste Praagse Defenestratie. Op 30 juli 1419 leidde Želivský een groep demonstranten die bij het stadhuis de vrijlating van enkele gevangenen eiste. Toen dit werd geweigerd, bestormden ze het gebouw en gooiden de katholieke raadsleden uit het raam. De overlevenden werden beneden met hooivorken afgemaakt. Het stadhuis bestond al in de 14de eeuw, maar van het gebouw dat er nu staat is de gotische toren uit de 15de eeuw het oudste gedeelte. Er zit een 18de-eeuwse kapel in. In de 16de eeuw werd de binnenplaats met zijn arcaden toegevoegd. Sinds de samensmelting van de vier wijken tot één stad in 1784 heeft het gebouw geen openbare functie meer. Nu vinden er vooral sociale en culturele evenementen plaats.

U Fleků ⓴
Křemencova 11. **Kaart** 5 B1.
📞 *22 49 34 019.* Ⓜ️ *Národní třída, Karlovo náměstí.* 🚋 *6, 9, 17, 18, 22.* **Museum open** *ma-vr 10.00-17.00 uur. Zie Restaurants blz. 198-205.* 🌐 www.ufleku.cz

In dit gebouw wordt al sinds 1459 bier gebrouwen. Gelukkig hebben de eigenaren van dit typisch Praagse bierlokaal het zelf brouwen van goed bier altijd minstens even belangrijk gevonden als het verdienen van geld. De naam van het lokaal is afkomstig van Jakub Flekovský die het in 1762 kocht, en betekent 'Bij Flek'. Tegenwoordig wordt er een uniek donker bier gebrouwen. In het restaurant zit ook een klein museum, gewijd aan de geschiedenis van het bierbrouwen in Tsjechië.

St.-Ursulakerk ⓴
KOSTEL SV. VORŠILY

Ostrovní 18. **Kaart** 3 A5. 📞 *22 49 30 502.* Ⓜ️ *Národní třída.* 🚋 *6, 9, 18, 22, 23.* **Geopend** *tijdens kerkdiensten.* ✝️ *dag. 17.00 uur.* 🚫

De prachtige barokke St.-Ursulakerk werd gebouwd als onderdeel van het in 1672 gestichte St.-Ursulaklooster. De gevel is nog versierd met het oorspronkelijke beeldhouwwerk, en voor de kerk staat een beeldengroep met onder anderen St.-Johannes Nepomuk (1747) van Ignaz Platzer de Oudere. Op de plafonds zijn fresco's te zien en ook de muren zijn beschilderd met vrolijke barokke werken. Op het hoofdaltaar ziet u St.-Ursula.
Het klooster is aan de ursulinen teruggegeven en huisvest nu een school. Het Klášterní Vinárna (Kloosterrestaurant) vindt u op de begane grond.

Nationale Theater ⓴
NÁRODNÍ DIVADLO

Zie bladzijden 156-157.

U Fleků, het beroemdste bierlokaal in Praag

Nationale Theater ㉓

NÁRODNÍ DIVADLO

Dit theater geldt als belangrijkste symbool voor de Tsjechische culturele wedergeboorte in de 19de eeuw. In 1868 werd met de voornamelijk door particulieren gefinancierde bouw begonnen. Het oorspronkelijke ontwerp was van de Tsjechische architect Josef Zítek. Nadat het complex door brand was verwoest *(rechtsonder)*, kreeg Josef Schulz opdracht een nieuw gebouw te ontwerpen. Alle vooraanstaande Tsjechische kunstenaars uit die tijd droegen bij aan het weelderige eindresultaat. Rond 1980 werd het theater gerestaureerd en uitgebreid.

Een bronzen beeld in de foyer

Het theater, gezien vanaf Schutterseiland

Een bronzen driespan, ontworpen door Bohuslav Schnirch, verfoert de godin der overwinning.

Laterna Magika

Zaal van 'Nieuwe Scène'

★ Auditorium
De allegorische schilderijen van de kunsten op het plafond zijn gemaakt door František Ženíšek.

STERATTRACTIES

★ **Auditorium**

★ **Plafond lobby**

★ **Toneeldoek**

De vijf bogen boven de hoofdingang zijn beschilderd met het werk *Vijf liederen* van Josef Tulka.

★ Plafond lobby
Dit fresco is het laatste deel van een drieluik van František Ženíšek, waarin hij De gouden eeuw der Tsjechische kunst *uitbeeldt.*

★ Toneeldoek
Het weelderige rood-gouden doek, waarop de geschiedenis van het gebouw wordt uitgebeeld, is gemaakt door Vojtěch Hynais.

Het markante hemelsblauwe dak met sterren stelt de top voor waar elke artiest naar zou moeten streven.

TIPS VOOR DE TOERIST

Národní 2, Nové Město. **Kaart** 3 A5. 22 49 12 673. Národní třída, lijn B. 17, 22, 23, 18 naar Národni třída. **Auditorium alleen open** tijdens voorstellingen. za en zo. 22 17 14 151.

Gevelversiering
In 1883 maakte Antonín Wagner een serie beelden die de schone kunsten voorstellen.

Presidentiële loge
De voormalige koninklijke loge is versierd met afbeeldingen van beroemde Tsjechen uit het verleden en gemaakt door Václav Brožík.

BRAND NATIONALE THEATER

Op 12 augustus 1881, enkele dagen voor de officiële opening, brandde het Nationale Theater tot de grond toe af. Vermoedelijk ontstond de brand als gevolg van werkzaamheden van metaalarbeiders op het dak. Zes weken later was er genoeg geld bijeengebracht om een nieuw theater te bouwen. In 1883 werd dit geopend met *Libuše*, een opera van Smetana *(blz. 79)*.

BUITEN HET CENTRUM

Bezoekers aan Praag slaan de wijken om de drukke binnenstad meestal over. Hoewel de taalbarrière buiten het centrum een grotere rol speelt, is er in het omliggende gebied nog van alles te zien. Praag blijkt dan meer dan een drukke, pittoreske weerslag van het verleden: buiten de oude wijken ziet u Praag als levende stad. Alle tot nu toe genoemde bezienswaardigheden zijn met de metro, de tram of zelfs lopend bereikbaar, maar als u wat verder wilt reizen, ontdekt u het reusachtige Slot Troja of het Zbraslavklooster, waar de collectie Aziatische kunst van de Nationale Galerie is ondergebracht. Dagtochtjes (*blz. 168-170*) voeren u naar kastelen rond Praag en kuuroorden als Mariánské Lázně en Karlovy Vary, waar in de 18de eeuw de eerste toeristen in Bohemen werden verwelkomd.

Gewelf van de St.-Barbara-kerk in Kutná Hora

DE BEZIENSWAARDIGHEDEN BUITEN HET CENTRUM

Musea en galeries
Mozartmuseum ❶
Hoofdstedelijk Museum Praag ❻
Technisch Museum ❽
Beurspaleis ❾
Zbraslavklooster ⓯

Kloosters
Břevnovklooster ⓭

Historische buurten
Vyšehrad ❷
Žižkov ❹
Náměstí Míru ❺

Begraafplaatsen
Olšany begraafplaatsen ❸

Historische plaatsen
Witte Berg en lustslot Ster ⓮

Historische gebouwen
Slot Troja blz. 166-167 ⓫

Parken en tuinen
Letnápark ❼
Jaarbeurscomplex en Stromovkapark ❿
Dierentuin ⓬

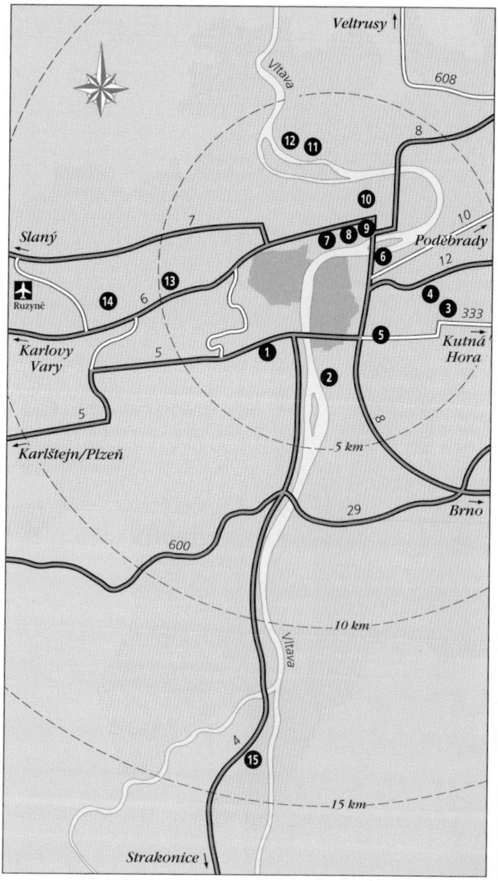

SYMBOLEN

- ▮ Centrum Praag
- ▮ raag met voorsteden
- ✈ Vliegveld
- ▬ Doorgaande weg
- ═ Kleinere weg

◁ **Deel van de tuintrappen van het 17de-eeuwse Slot Troja**

In de villa Bertramka is het Mozartmuseum gevestigd

Mozartmuseum ❶
BERTRAMKA

Mozartova 169. 🄲 *25 73 18 461.*
☞🗲 *Anděl.* 🚊 *4, 7, 9.* **Geopend**
april-okt. dag. 9.30-18.00, nov.-maart
dag. 9.30-16.00 uur. 🈂 ∅
ⓦ www.bertramka.cz

Hoewel het museum enigszins uit de route ligt, wordt de weg ernaartoe overal duidelijk aangegeven. Bertramka is een boerderij uit de 17de eeuw, die in de tweede helft van de 18de eeuw werd uitgebouwd tot een riant buiten. Mozart en zijn vrouw Constance verbleven hier in 1787 op uitnodiging van de componist František Dušek en diens vrouw. Mozart werkte hier

aan de opera *Don Giovanni.* Hij schreef de ouverture in het tuinhuis vlak voor de première in het Tyltheater *(blz. 65).* In het huis is een bescheiden tentoonstelling over Mozart ingericht.

Vyšehrad ❷

Kaart 5 B5. ☞🗲 *Vyšehrad.* 🚊 *7, 18, 24.*

Vyšehrad, een rotsachtige uitstulping langs de oever van de Vltava, betekent letterlijk 'hooggelegen kasteel'. Het fort dateert uit de 10de eeuw en heeft sindsdien verscheidene keren dienst gedaan als zetel van Přemyslidische vorsten die Vyšehrad verkozen boven de Praagse Burcht. Zowel geschiedkundig als mythologisch gezien heeft het fort grote betekenis voor de bevolking en sinds 1870 bevindt zich hier de nationale begraafplaats *(blz. 178-179).*

Olšany begraafplaatsen ❸
OLŠANSKÉ HŘBITOVY

Vinohradská 153, Jana Želivského.
🄲 *26 73 10 652.* ☞🗲 *Želivského.*
🚊 *5, 6, 10, 11, 16, 19, 26.* **Geopend** *maart-sept. dag. 8.00-17.00 uur; okt.-febr. 8.00-18.00 uur.*

In de noordwestelijke hoek van de hoofdbegraafplaats staat de St.-Rochuskerk uit 1682. Rochus was de beschermheilige tegen de pest en de begraafplaats ontstond in 1679 om slachtoffers van deze ziekte te begraven. In de 19de eeuw werd het kerk-

hof steeds verder uitgebreid. Hier vindt u ook de joodse begraafplaats waar Franz Kafka *(blz. 68)* is begraven. Ook andere beroemde Tsjechen liggen hier begraven: bijvoorbeeld de schilder Josef Mánes (1820-1871), die de Tsjechische wedergeboorte *(blz. 32-33)* mede gestalte gaf, en Josef Jungmann (1773-1847), de samensteller van een vijfdelig Tsjechisch-Duits woordenboek.

Žižkov ❹

☞🗲 *Jiřího z Poděbrad, Želivského, Flóra.* **Nationale Monument**, *Vítkov, U památníku.* 🚌 *133, 168, 207.* **Gesloten** *voor bezichtiging.*

Ruiterstandbeeld van Jan Žižka

In dit gebied verwierven de hussieten *(blz. 26-27)* hun faam als krijgers door een overwinning op de door keizer Sigismund gestuurde kruisvaarders. Op 14 juli 1420 versloeg een handvol hussieten op de Vítkovberg een leger van duizenden goed getrainde soldaten. De vastberaden, zingende hussieten werden geleid door de eenogige Jan Žižka. Het gebied werd in 1877 ter ere van Žižka tot Žižkov omgedoopt en sinds 1950 staat er een beeld van Žižka te paard op de berg, gemaakt door Bohumil Kafka. Het 9 m hoge werk is het grootste ruiterstandbeeld ter wereld. Het staat tegenover het al even reusachtige Nationale Monument (1927-1932), dat de strijd voor onafhankelijkheid van het Tsjechische volk symboliseert. Later werd het een praalgraf voor Klement Gottwald en andere communistische voormannen. Hun stoffelijke resten zijn inmiddels geruimd, maar de toe-

Een goed onderhouden graf op een van de Olšany begraafplaatsen

Jezus, St.-Wenceslas en St.-Ludmilla boven het portaal van de St.-Ludmillakerk

komst van het monument is onzeker. De markantste constructie is echter de 260 m hoge televisietoren. Bewoners uit de omgeving koesteren nogal wat wantrouwen over de straling die deze zender (1988) afgeeft.

Náměstí Míru ❺

Kaart 6 F2. 🚇 *Náměstí Míru.* 🚊 *4, 6, 10, 16, 22.* 🚌 *135, 148, 272.* **St.-Ludmillakerk geopend** *tijdens kerkdiensten.*

D it mooie plein, met in het midden een goed onderhouden perk, is het centrum van de wijk Vinohrady. Op het hoogste punt staat de neogotische St.-Ludmillakerk (1888-1893), ontworpen door Josef Mocker, de architect die ook de westvleugel van de St.-Vituskathedraal *(blz. 100-103)* bouwde. De twee achthoekige spitsen zijn 60 m hoog. Op het timpaan van het hoofdportaal ziet u een reliëf van Jezus met St.-Wenceslas en St.-Ludmilla van de hand van de 19de-eeuwse beeldhouwer Josef Myslbek. Ook de ontwerpen voor het glas-in-lood en het blauw-gouden interieur werden geleverd door vooraanstaande kunstenaars.
Rond het plein staan vele mooie gebouwen, waarvan het Vinohradytheater het opvallendst is. Dit Jugendstilbouwwerk dateert uit 1907. De twee gevleugelde figuren zijn van Milan Havlíček.

Hoofdstedelijk Museum Praag ❻
MUZEUM HLAVNÍHO MĚSTA PRAHY

Na Poříčí 52. **Kaart** 4 F3. ☎ *22 48 16 772, 22 48 16 773.* 🚇 *Florenc.* 🚊 *3, 8, 24, 26.* **Geopend** *di-zo 9.00-18.00 uur (eerste do van de maand 9.00-20.00 uur).* 📷 ⍉ 🅦 *www.muzeumprahy.cz*

I n dit museum wordt de geschiedenis van Praag behandeld. Het huidige onderkomen dateert uit 1896-1898. De gevel is versierd met beelden en sierpleisterwerk en binnen zijn de muren bedekt met geschilderde stadsgezichten uit vroeger tijden. Er worden porselein, meubilair, aandenkens van de gilden en schilderijen ten-

toongesteld. Het opvallendste stuk in de collectie is een schaalmodel van papier en hout dat Antonín Langweil in 1834 van de stad maakte. Het zeer gedetailleerde model beslaat 20 m² en is vervaardigd op een schaal van 1:500.

Letnápark ❼
LETENSKÉ SADY

Kaart 3 A1. 🚇 *Malostranská, Hradčanská.* 🚊 *1, 8, 12, 18, 20, 22, 23, 25, 26.*

O p een plateau aan de rivier tegenover de Joodse Wijk ligt het Letnápark. Ver voordat het in de 19de eeuw een lommerrijk park werd, verzamelden de vijandelijke legers zich hier ter voorbereiding van weer een aanval op de Praagse Burcht.
Wie van de rivieroever de granieten trap naar de top volgt, komt uit bij een curieus monument in de vorm van een reusachtige metronoom. Het dubieuze kunstwerk werd na de Fluwelen Revolutie geplaatst op de sokkel van het in 1962 opgeblazen monument van Stalin. De metronoom heeft ongeveer evenveel aanhangers als Stalin, en wordt misschien vervangen. Het Hanaupaviljoen kent een langere geschiedenis. De gietijzeren constructie werd in 1891 gebouwd voor de Wereldtentoonstelling en later naar het Letnápark verplaatst; het is nu een café-restaurant.

Uitzicht over Praag en de Vltava vanuit het Letnápark

Technisch Museum ❽
NÁRODNÍ TECHNICKÉ MUZEUM

Kostelní 42. 📞 *22 03 99 111.* 🚋 *1, 8, 25, 26.* **Geopend** *di-zo 9.00-17.00 uur.* 📷 🚫 🎥 W www.ntm.cz

Hoewel het museum probeert om alle wetenschappelijke ontwikkelingen tentoon te stellen, trekt vooral de collectie machines van de Industriële Revolutie tot heden de aandacht. Dit is een van de grootste verzamelingen in zijn soort in Europa. Vooral de geschiedenis van het vervoer in de grote centrale hal mag zich in een grote belangstelling verheugen. Ouderwetse locomotieven en treinwagons, fietsen en vélocipèdes, motorfietsen en automobielen, ze staan er allemaal. Aan het plafond hangen ook nog vliegtuigen en luchtballonnen.
De foto- en filmafdeling is eveneens heel uitgebreid, net als de sterrenkundige afdeling. In de kelder is een hele steenkoolmijn nagebouwd, waar u tevens allerlei apparatuur kunt bewonderen die bij het winnen van deze delfstof werd gebruikt.

Beurspaleis ❾
VELETRŽNÍ PALÁC

Zie bladzijden 164-165.

Jaarbeurscomplex en Stromovka-park ❿
VÝSTAVIŠTĚ A STROMOVKA

🚋 *1, 14, 17, 25.* **Jaarbeurscomplex geopend** *dag. 10.00-23.00 uur.* 🌳 **Stromovkapark geopend** *24 uur per dag.* **Lapidarium** 📞 *23 33 75 636.* **Geopend** *di-vr 12.00-17.00 uur; za-zo 10.00-17.00 uur.* ♿

Sinds de Wereldtentoonstelling van 1891 is dit terrein gebruikt voor jaarbeurzen en allerlei sportieve en culturele gebeurtenissen. De kermis maakt dit complex tot een uitgelezen doel voor een dagje uit met de kinderen. Er vinden 's zomers voortdurend

Het Congrespaleis, op het terrein van de Wereldtentoonstelling, 1891

wisselende tentoonstellingen, sportwedstrijden, speciale evenementen en concerten plaats. Het grote park was vroeger het koninklijke jachtgebied. De naam Stromovka betekent letterlijk 'bomenterrein', een herinnering aan het feit dat hier vroeger een bloeiende kwekerij was. Sinds 1804 is het een openbaar park geworden en bezoekers wandelen er nog altijd graag.
Het Lapidarium huisvest een tentoonstelling van beeldhouwwerk uit de 11de tot de 19de eeuw, waaronder origineel werk van de Karelsbrug *(zie blz. 136-139).*

Slot Troja ⓫
TROJSKÝ ZÁMEK

Zie bladzijden 164-165.

Dierentuin ⓬
ZOOLOGICKÁ ZAHRADA

U trojského zámku 3. 📞 *26 61 12 111.* Ⓜ *Holešovice, daarna* 🚌 *112.* **Geopend** *nov.-feb. 9.00-16.00, maart 9.00-17.00, april-mei, sept.-okt. 9.00-18.00, juni-aug. 9.00-19.00 uur.* 📷 📸 ♿ 🍴 W www.zoo.cz

De dierentuin, die mooi ligt tegen een glooiende

helling aan de Vltava, dateert uit 1924. Het hoger gelegen deel van het 64 ha omvattende park is per stoeltjeslift bereikbaar. Om van deze lift gebruik te maken hebt u alleen een kaartje van de bus of metro nodig.
Van de 500 diersoorten die er te zien zijn, zijn er ongeveer 50 zeldzaam. De enige paardensoort die nog in het wild leeft, het przewalski-paard, wordt hier gefokt. Ook voor grote katachtigen, gorilla's en orang-oetangs zijn succesvolle fokprogramma's op poten gezet. Daarnaast zijn er twee paviljoens geopend, een voor tijgers, leeuwen en andere roofdieren, en een voor olifanten.

De kleine panda, familie van de reuzenpanda, in de dierentuin

Břevnovklooster ⓭
BŘEVNOVSKÝ KLÁŠTER

Markétská 28. ☎ 22 04 06 111. 🚋
8, 22. 🔲 alleen geopend voor rondleiding op za en zo, tijden variëren.
📷 🚫 🔲 www.brevnov.cz

A an de omliggende huizen
is niet te zien dat dit
klooster een van de eerste
bewoonde plaatsen van Praag
was. In 993 stichtten prins
Boleslav II *(blz. 20)* en
bisschop Adalbert (Vojtěch)
hier het eerste (benedictijnen)klooster in Bohemen.
Een oude bron – Vojtěška –
markeert de plaats waar de
prins en de bisschop tot
stichting van het klooster
zouden hebben besloten.
De toegangspoort, de
binnenplaats en het grootste
deel van de huidige
gebouwen zijn ontworpen
door de beroemde vader en
zoon Dientzenhofer *(blz.
129)*. Vader Christoph ontwierp de St.-Margarethakerk
(1715), die met zijn op
overlappende ovalen
gebaseerde plattegrond de
vergelijking met de kerken
van Bernini in Rome kan
doorstaan. In 1964 werd
onder het koor de crypte van
de oorspronkelijke kerk uit
de 10de eeuw ontdekt en
deze is open voor bezich-
tiging. In de overige
gebouwen van het complex
is vooral de prelaten- of
Theresiazaal zeer de moeite
waard. De plafondschildering
hier stamt uit 1727.

Witte Berg en Jachtslot Ster ⓮
BÍLÁ HORA A HVĚZDA

🚋 8, 22 (Witte Berg), 18 (jachtslot
Ster). **Omheind gebied Witte Berg
geopend** 24 uur per dag. **Jachtslot
open** april-okt. di-zo 10.00-17.00
uur. 📷 🚫

V oor de twee religieuze
stromingen die destijds in
Praag woonden, had de Slag
bij de Witte Berg *(blz. 30-31)*
heel verschillende gevolgen:
de protestanten moesten zich
na 8 november 1620 300 jaar
overheersing door de Habsburgers laten welgevallen,
terwijl de katholieken hun

Jachtslot Ster

triomf van die dag kracht
bijzetten door op de plaats
waar de Slag plaatsvond een
kapel te bouwen. Begin 18de
eeuw werd deze kapel uitgebreid tot de Kerk van de
Zegerijke Maagd Maria op de
Witte Berg. Vooraanstaande
kunstenaars als Václav Vavřinec Reiner werkten mee aan
de versiering van de kerk.
In de 16de eeuw, vooraf-
gaand aan de Slag, was het
terrein rond de berg een
koninklijk jachtterrein en het
jachtslot uit die tijd staat er
nog altijd. Dit gebouw heeft
de vorm van een ster *(hvězda)* met zes punten. In 1950
werd het gebouw gerestau-
reerd en ingericht als museum gewijd aan de schrijver
van historische romans Alois
Jirásek (1851-1930) en de

schilder Mikoláš Aleš (1852-
1913). Tevens is er een
tentoonstelling over de Slag
bij de Witte Berg te zien.

Zbraslavklooster ⓯
ZBRASLAVSKÝ KLÁŠTER

Zbraslav Ke Krňovu. ☎ 25 79 21
638. 🚌 129, 240, 241, 243, 255,
360. **Geopend** di-zo 10.00-18.00
uur. 📷 🚫 ♿

W enceslas II stichtte dit
klooster in 1279 als
begraafplaats voor de
koninklijke familie, maar
alleen hijzelf en Wenceslas IV
werden hier ook echt ter
aarde besteld. Tijdens de
Hussietenoorlogen *(blz. 26-
27)* werd het klooster
verwoest, tussen 1709 en
1739 werd het hersteld en in
1785 maakte men er een
fabriek van. In 1941 viel het
opnieuw gerestaureerde
gebouw toe aan de Nationale
Galerie. Tegenwoordig herbergt het een unieke collectie
uit onder andere China,
Japan, India, Zuidoost-Azië en
Tibet. Een collectie Japans
beeldhouwwerk nodigt
slechtziende bezoekers tot het
aanraken van diverse
objecten. De tentoonstelling
heeft ook een afdeling die is
gewijd aan islamitische kunst.
Er worden interessante
rondleidingen gegeven.

In het Zbraslavklooster is Aziatische kunst te zien

Beurspaleis ❾
VELETRŽNÍ PALAC

De Nationale Galerie in Praag opende in 1995 haar Centrum voor Moderne en Hedendaagse Kunst. Het is gehuisvest in een voormalig beursgebouw uit 1929. De grote ruimten met daglicht vormen een uitgelezen plek voor de collectie. Deze omvat Franse 19de-eeuwse kunst, prachtige impressionistische en postimpressionistische schilderijen, werken van Munch, Klimt, Picasso en Miró, en een mooie verzameling Tsjechische moderne kunst.

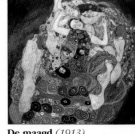

De maagd *(1913)*
Dit kleurrijke werk belichaamt de opvallende, erotische Jugendstil-stijl van Gustav Klimt.

Filmzaal

Derde verdiep

De blinde *(1926)*
Dit intrigerende werk van František Bílek is een de tentoongestelde beelden.

Vierde verdieping

★ George van Podiebrad en Matthias Corvinus
Mikuláš Aleš schilderde vele historische taferelen. Hier tekent koning Corvinus van Hongarije een verdrag met koning Joris in 1469.

Cleopatra *(1942-1957)*
Jan Zrzavy was een van de belangrijkste vertegenwoordigers van de Tsjechische moderne kunst.

Pomona
(1910)
Aristide Maillol was een leerling van Rodin. Dit beeld is onderdeel van een verzameling bronzen beelden.

STERATTRACTIES

★ George van Podiebrad en Matthias Corvinus van Aleš

★ Avond in Hradčany van Schikaneder

★ Torso van Pešánek

★ Avond in Hradčany *(1909-1913)*
Dit uiterst sfeervolle schilderij van Jakub Schikaneder geeft de betovering en nostalgie weer van de stad Praag in de schemering.

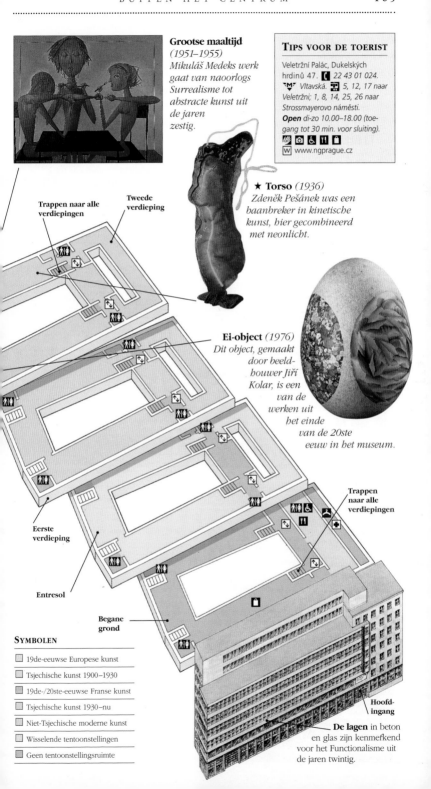

Grootse maaltijd
(1951–1955)
Mikuláš Medeks werk gaat van naoorlogs Surrealisme tot abstracte kunst uit de jaren zestig.

TIPS VOOR DE TOERIST

Veletržní Palác, Dukelských hrdinů 47. 22 43 01 024. Vltavská. 5, 12, 17 naar Veletržní; 1, 8, 14, 25, 26 naar Strossmayerovo náměstí. **Open** di-zo 10.00–18.00 (toegang tot 30 min. voor sluiting). w www.ngprague.cz

★ **Torso** *(1936)*
Zdeněk Pešánek was een baanbreker in kinetische kunst, hier gecombineerd met neonlicht.

Ei-object *(1976)*
Dit object, gemaakt door beeldhouwer Jiří Kolar, is een van de werken uit het einde van de 20ste eeuw in het museum.

Trappen naar alle verdiepingen

Tweede verdieping

Trappen naar alle verdiepingen

Eerste verdieping

Entresol

Begane grond

Hoofdingang

De lagen in beton en glas zijn kenmerkend voor het Functionalisme uit de jaren twintig.

SYMBOLEN

- 19de-eeuwse Europese kunst
- Tsjechische kunst 1900–1930
- 19de-/20ste-eeuwse Franse kunst
- Tsjechische kunst 1930–nu
- Niet-Tsjechische moderne kunst
- Wisselende tentoonstellingen
- Geen tentoonstellingsruimte

Slot Troja ⓫

TROJSKÝ ZÁMEK

Troja behoort tot de markantste zomer-paleizen in Praag. De Fransman Jean-Baptiste Mathey ontwierp het gebouw tegen het einde van de 17de eeuw voor de Boheemse graaf Sternberg. Het paleis zelf is gemaakt naar voorbeeld van de Italiaanse villa-architectuur en de tuin is in formele Franse stijl ingericht. Aan het vervolmaken van het interieur is meer dan twintig jaar gewerkt. De fresco's duiden allemaal op de onvoorwaardelijke trouw van de Sternbergs aan de Habsburgers. Het slot huisvest een goede verzameling 19de-eeuwse kunst en kostuums.

Neder-laag van de Turken
De door keizer Leopold I verslagen Turken lijken zo van het plafond naar beneden te storten.

Aardewerken urn op de balustrade om de tuin

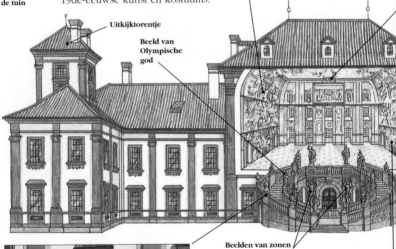

Uitkijktorentje

Beeld van Olympische god

Beelden van zonen van Moeder Aarde

Vrouwe Justitia
De door de Nederlander Abraham Godijn geschilderde Vrouwe Justitia is of de oostelijke muur van de Grote Zaal te zien

★ Bordestrap
Beelden van twee zonen van Moeder Aarde sieren de onderkant van de ovale bordestrap (1685-1703). De beeldengroep is gemaakt door de neven Paul en Johann Georg Heermann en geven de strijd tussen de goden en titanen weer

TIPS VOOR DE TOERIST

U trojského zámku 1, Praag 7. **C** 28 38 51 614. 112 van Hole-šovice metro. **Geopend** april-okt. di-zo 10.00–18.00; nov.–maart za en zo 10.00–17.00. W www.citygalleryprague.cz

★ **Fresco Grote Zaal**
Abraham Godijn schilderde de fresco's in de Grote Zaal. Ze gaan over de eerste Habsburgse keizer Rudolf I en de strijd van Leopold I tegen de aartsvijand van het christendom, het Osmaanse Rijk.

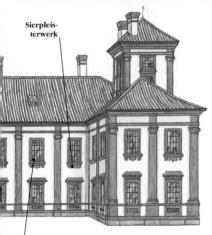

Sierpleis-terwerk

★ **DE FORMELE TUIN**

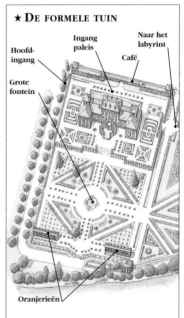

Ingang paleis

Naar het labyrint

Hoofd-ingang

Café

Grote fontein

Oranjerieën

STERATTRACTIES

★ **Fresco Grote Zaal**

★ **Formele tuin**

★ **Bordestrap**

Chinese kamers
In een aantal kamers zijn in de 18de eeuw Chinese muurschilderingen aangebracht. Hier wordt nu aardewerk tentoongesteld.

Voor dit tuinontwerp van de Fransman Jean-Baptiste Mathey moesten letterlijk bergen worden verzet: het glooiende terrein is helemaal vlak gemaakt om Bohemen zijn eerste formele tuin naar Frans voorbeeld te geven. Vanaf de zuidkant hebt u het mooiste uitzicht op het paleis en de geometrisch aangeleg-de paden, terrassen, fonteinen, beel-dengroepen en de prachtige aardewer-ken vazen. De tuin is onlangs heel zorgvuldig gereconstrueerd naar het oorspronkelijke ontwerp van Mathey.

Dagtochten

Buiten de stad trekken de middeleeuwse kastelen in Bohemen de meeste bezoekers. Slot Karlstein staat eenzaam te midden van beboste hellingen die nauwelijks veranderd zijn sinds Karel IV in de 14de eeuw in deze omgeving ging jagen. De vier kastelen die hier worden beschreven, zijn onderling heel verschillend. Vanuit Praag kunt u een georganiseerd uitstapje *(blz. 219)* naar Kutná Hora maken of, als u daar de tijd voor hebt, naar de beroemde kuuroorden Karlovy Vary (Karlsbad) en Mariánské Lázně (Marienbad).

St.-Joris en de draak, Konopiště

BEZIENSWAARDIGHEDEN

Kastelen
Veltrusy ❶
Karlstein ❷
Konopiště ❸
Křivoklát ❹

Steden
Kutná Hora ❺
Karlovy Vary ❻
Mariánské
Lázně ❼

SYMBOLEN

▧	Centrum Praag
▢	Praag met voorsteden
✈	Vliegveld
▬	Snelweg
▬	Doorgaande weg
═	Kleinere weg

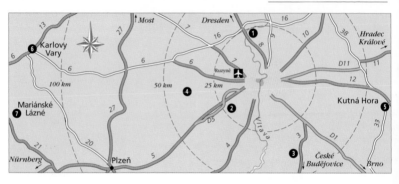

Slot Veltrusy ❶

20 km ten noorden van Praag. 📞 *31 57 81 144/146.* 🚋 *van Smíchov naar Kralupy nad Vltavou, daarna met de bus.* **Geopend** *mei-sept. di-zo 8.00-17.00 (sept. vanaf 9.00); okt, nov, april za en zo 9.00-16.00 uur.* 🎦 🚫 ♿ *(alleen in park).*
Kasteel Nelahozeves 📞 *31 57 09 111* 🚋 *van Masarykovo naar Nelahozeves – zastávka.* **Geopend** *di-zo 9.00-16.00 (juni-aug. tot 17.00 uur).* 🎦 🚻 🛗 🎦

Slot Karlstein, in de 14de eeuw door Karel IV gebouwd

Veltrusy, een klein plaatsje aan de Vltava, is beroemd om het kasteel dat de familie Chotek er in de 18de eeuw liet bouwen. De plattegrond van het kasteel vormt een kruis en de bordestrap is versierd met beelden die de maanden van het jaar en de jaargetijden voorstellen.
Het 300 ha grote landgoed werd aangelegd naar het voorbeeld van een Engels wildpark en vlak bij de ingang loopt binnen een omheining nog steeds een kudde herten. Verspreid door het park staan enkele romantische zomerhuizen. De Dorische tempel, het Maria Theresiapaviljoen, de oranjerie en de grot dateren allemaal uit het einde van de 18de eeuw. In het park groeien ca. 100 verschillende boomsoorten.
Aan de overkant van de rivier, en van Veltrusy gemakkelijk bereikbaar per bus of trein, staat een van de belangrijkste renaissancegebouwen van Bohemen, Kasteel Nelahozeves. Het kasteel huisvest een van de beste particuliere musea in Europa, de Lobkowicz-verzameling met werken van Veronese, Rubens, Canaletto en Velázquez, en zeldzame boeken en manuscripten. het hoogtepunt van de collectie is *Het hooien*, een werk van Breughel de Oudere. De geboorteplaats van de Antonín Dvořák ligt vlakbij het kasteel.

Slot Karlstein ❷
KARLŠTEJN

25 km ten zuidwesten van Praag.
▐ 31 16 81 617/695. **▣** van Hlavní
nádraží naar Karlštejn (1,5 km van slot.
De wandeling omhoog naar het kasteel
duurt 40 minuten). **Geopend** di-zo:
april, okt. 9.00-16.00, mei, juni, sept.
9.00-17.00, juli, aug. 9.00-18.00, nov.
9.00-15.00 uur. 🖫 **▐** verplicht.

Dit kasteel werd gebouwd
als buitenverblijf voor Karel IV, als bewaarplaats voor
de kroonjuwelen, en als symbool voor zijn goddelijk recht
om over het Heilige Roomse
Rijk te heersen. Het staat op
een kalkrots boven de rivier
de Berounka. Het kasteel is
grotendeels een in de 19de
eeuw door Josef Mocker herbouwd slot. Het oude kasteel
(1348-1367) werd door de
Franse meestermetselaar
Matthias van Atrecht en Peter
Parler gebouwd. Het interieur
van de audiëntiezaal en de
slaapkamer van Karel IV in
het keizerlijke paleis verkeren
nog in hun originele staat.
In de Kerk van de Maagd Maria in de Mariatoren zijn ver-
bleekte fresco's uit de 14de
eeuw te zien. Een smalle
doorgang leidt naar de Catha-
rinakapel. Het pleisterwerk is
afgezet met halfedelstenen.

Slot Konopiště ❸

40 km ten zuidoosten van Praag.
▐ 31 77 21 366. **▣** van Hlavní nádraží naar Benešov, daarna met de bus.
Geopend april-okt. di-vr 9.00-12.30,
13.00-15.00, za-zo 9.00-12.30, 13.00-
16.00; mei-aug. di-zo 09.00-12.30,
13.00-17.00, sept. di-zo 9.00-12.30,
13.00-16.00, nov. za-zo 9.00-15.00
uur. 🖫 🚫

Hoewel dit kasteel oor-
spronkelijk uit de 13de
eeuw dateert, is het in feite
een bouwwerk uit het einde
van de 19de eeuw. De barok-
architect František Kaňka verbouwde het slot vrijwel in zijn
geheel. Ook de poort voor de
brug over de slotgracht, van
de hand van Kaňka en
Matthias Braun, is een resultaat van die verbouwing.
Aartshertog Frans Ferdinand
kocht Konopiště in 1887.
Deze latere Oostenrijkse

De Grote Toren domineert het uitzicht op slot Křivoklát

troonpretendent werd in 1914
in Sarajevo vermoord, hetgeen de Eerste Wereldoorlog
inluidde. Zijn vrouw stierf
eveneens bij de aanslag.
Omdat de Habsburgers zijn
vrouw niet accepteerden, was
Frans Ferdinand vaak in het
kasteel te vinden. Hij legde er
de mooie collectie wapentuig
en Meissner porselein aan. De
vele opgezette hertenkoppen
trekken de meeste aandacht.

Jachttrofeeën in slot Konopiště

Slot Křivoklát ❹

45 km ten w. van Praag. **▐** 31 35 58
120. **▣** van Smíchov naar Křivoklát (1
km van slot). 🚌 van Anděl. **Geopend**
nov.-dec. za-zo 9.00-12.00, 13.00-
15.00; april, okt. 9.00-12.00,
13.00-15.00; mei, sept. di-zo 9.00-
12.00, 13.00-16.00; juni-aug. di-zo
9.00-12.00, 13.00-17.00 uur. 🖫 🚫

Net als Karlstein dankt dit
slot zijn uiterlijk aan het

herstelwerk van Josef Mocker.
Het oorspronkelijke gebouw
deed dienst als jachtslot van
de eerste Přemyslidische prinsen en huis van de jagermees-
ter. Het kasteel dat Wenceslas I hier liet bouwen, bleef in
Boheemse en Habsburgse
handen tot de 17de eeuw.
Karel IV bracht een deel van
zijn jeugd in dit kasteel door,
en toen hij er in 1334 terug-
keerde met zijn eerste vrouw
Blanche de Valois, werd hun
dochter Margaretha geboren.
Ter vermaak van vrouw en
dochter vroeg Karel de dor-
pelingen om nachtegalen te
vangen en in de bossen
onder het kasteel vrij te laten.
Het pad aldaar heet nog altijd
'Nachtegaalpad'.
Het koninklijke paleis staat
aan de oostkant van het driehoekige kasteel. Deze zijde
wordt beheerst door de 42 m
hoge Grote Toren. Hoewel de
oorspronkelijke stenen op
sommige plaatsen nog te zien
zijn, dateert het grootste deel
uit de tijd van Vladislav
Jagiello. De gewelfde gotische
zaal op de eerste verdieping
doet denken aan de Vladislavzaal in het paleis van de
Praagse Burcht *(blz. 104-
105)*. De prachtige loggia was
de schuilplaats voor de
schildknapen. Ook het houtsnijwerk op het altaar van de
kapel is het bekijken waard.
Onder de kapel bevindt zich
de Augustakerker, genoemd
naar bisschop Jan Augusta
van de Boheemse Broeder-
schap, die hier in de 16de
eeuw 16 jaar gevangen heeft
gezeten. In de kerker wordt
nu een verzameling martel-
werktuigen tentoongesteld.

Kutná Hora ❺

70 km ten oosten van Praag. **C** *32 75 12 378 (toeristeninformatie).* **R** *van Hlavní nádraží, Masarykovo nádraží of Holešovice naar Kutná Hora, dan bus 1 naar Kutná Hora-Město.* **B** *van Florenc.* **St.-Barbarakerk geopend** *nov.-maart di-zo 9.00-12.00, 14.00-16.00; april en okt. 9.00-12.00, 13.00-16.00; mei-sept. 9.00-18.00 uur.* **Munt geopend** *nov.-febr. dag. 10.00-16.00; maart-okt. dag. 10.00-17.00; april-sept. dag. 9.00-18.00 uur.* **Hrádek geopend** *april-okt. di-zo 9.00-17.00; mei, juni-sept. di-zo 9.00-18.00; juli-aug. di-zo 10.00-18.00 uur.* **Gesloten** *nov.-maart.* **Stenen Huis geopend** *zie Hrádek.* **W** *www.kutnahora.cz*

Kutná Hora is in de 13de eeuw als mijnwerkers-plaatsje ontstaan. Toen er veel zilver in de grond bleek te zitten, nam de koning het beheer van de mijnen over en werd de plaats de tweede stad van Bohemen.
In de 14de eeuw werd er per jaar vijf à zes ton zilver gedolven en daarmee werd de koning de rijkste vorst van Midden-Europa. De Praagse *groschen*, een zilveren munt die overal in Europa werd geaccepteerd, werd in de Munt (Vlašskýdvůr) van Kutná Hora geslagen. Behalve de plaats waar geld werd gemaakt, was de zwaar beveiligde Munt

ook de verblijfplaats van de koning als hij in de stad was. Tegen het einde van de 14de eeuw bouwde men boven de koninklijke schatkamer een magnifiek paleis met twee aan St.-Wenceslas en St.-Ladislav gewijde kapellen en ontvangst-zalen.
Toen het zilver in de 16de eeuw op begon te raken, verloor de stad snel aan betekenis en in 1727 werd de Munt gesloten. Later werd het gebouw het stadhuis. In een ander oud gebouw, het Hrádek, is sinds 1947 een mijnbouwmuseum gevestigd. Als u zich hier laat rondleiden, daalt u ook in de mijnen af. Ook in het herbouwde, oorspronkelijk gotische Stenen Huis is een museum ingericht.
Ten zuidwesten van de stad staat de St.-Barbarakerk. Peter Parler, de architect van de St.-Vituskathedraal *(blz. 100-103)*, startte in 1380 met de bouw. De in 1499 gebouwde pastorie heeft een fraai net-gewelf en verfijnde vensters. Het gewelf van het schip werd kort daarna aangebracht door Benedikt Ried. Veel van de muurschilderingen in het schip beelden de mijnbouw uit. Deze kathedraal met drie

De Munt, waar de groschen werd geslagen

tentvormige spitsen boven een woud van luchtbogen is een prachtig voorbeeld van de Boheemse Gotiek.

Karlovy Vary ❻
KARLSBAD

140 km ten westen van Praag. **R** *van Masarykovo nádraží.* **B** *van Florenc.*

Volgens de overlevering ontdekte Karel IV *(blz. 24-25)* zelf een van de bronnen waar de stad later zo rijk door werd, toen een van zijn jachthonden in het hete water viel. Tegen het einde van de 16de eeuw beschikte de plaats al voor meer dan 200 kuurgebouwen. Tegenwoordig zijn er twaalf warmwater-bronnen – *vary* betekent hete bron – waarvan de Vřídlo de heetste (72 °C) en krachtigste is: het water spuit hier 12 m hoog de lucht in. Het water helpt goed tegen stoornissen van de spijsvertering, maar hoeft niet gedronken te worden, want de mineralen kunnen ook in de vorm van zouten ingenomen worden.
De stad heeft eveneens naam voor zichzelf gemaakt met porselein, Moserglas en zomerconcerten en andere culturele evenementen. Verder zijn de paardenraces in trek bij de wat sportievere, genezing zoekende badgasten. Het meest in het oog springende gebouw in Karlovy

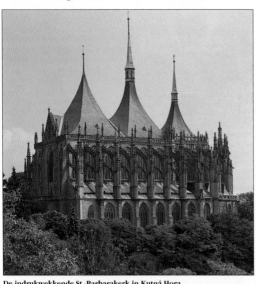

De indrukwekkende St.-Barbarakerk in Kutná Hora

Vary is de Maria Magdalena-kerk, die Kilian Ignaz Dientzenhofer tussen 1732 en 1736 bouwde. De Russische (1896) en anglicaanse (1877) kerken zijn minder oud. Ook uit de 19de eeuw dateert de Mühlbrunn-zuilengalerij van de hand van de architect van het Praagse Nationale Theater *(blz. 156-157)*, Josef Zítek. Tot de vele koninklijke gasten van Karlovy Vary behoren Peter de Grote in 1711 en Edward VII in 1907.

Mariánské Lázně ❼
MARIENBAD

170 km ten westen van Praag.
🚉 *van Hlavní nádraží.*
🚌 *van Florenc.*

Van de schoonheid van de parken, tuinen en hotels die Mariánské Lázně rond de laatste eeuwwisseling kenmerkte, is veel verloren gegaan. Dat het bronwater geneeskrachtig was, wist men al in de 16de eeuw, maar als kuuroord ontwikkelde de stad zich pas aan het begin van de 19de eeuw. Met het water worden allerlei stoornissen bestreden, terwijl modderbaden ook in trek zijn.

De meeste badhuizen stammen uit de tweede helft van de 19de eeuw. De enorme gietijzeren, met fresco's van Josef Vyletěl beschilderde zuilengalerij is nog altijd indrukwekkend. De 'zingende fontein' die daar voor de deur spuit, wordt tegenwoordig met de computer gestuurd.

Deze bronzen gems staat op Jeleni skok (de Bokkesprong), vanwaar u over het dal uitzicht hebt op het keizerlijk sanatorium in Karlovy Vary

Voor elke gast was er wel een kerk te vinden: een protestantse (uit 1857), een anglicaanse (1879) en de Russisch-orthodoxe St.-Vladimírkerk (1902). In het Huis bij de Gouden Druif (U zlatého hroznu), waar de Duitse dichter Goethe in 1823 woonde, kunt u meer over de geschiedenis van het kuuroord te weten komen. Bekende gasten van Mariánské Lázně waren verder de componisten Weber, Wagner en Bruckner en de schrijvers Ibsen, Gogol, Twain en Kipling. Een regelmatig terugkerende gast was ook koning Edward VII, die hier in 1905 de eerste golfcourse van Bohemen opende.

De streek rond de stad is heel geschikt voor een stevige wandeling, waarbij vooral het Slavkovbos erg in trek is.

De gietijzeren zuilengalerij in Mariánské Lázně(1889)

DRIE WANDELINGEN

In Praag kunt u prachtig wandelen. In het centrum zijn veel straten autovrij en de bezienswaardigheden bevinden zich op loopafstand van elkaar *(blz. 14-15)*. De drie navolgende wandelingen hebben elk hun eigen karakter. De eerste leidt dwars door het centrum, van de Kruittoren aan de rand van de Oude Stad naar de St.-Vituskathedraal in de Praagse Burcht, met de prachtige Karelsbrug als middelpunt. U volgt zo de Koninklijke Route, die eeuwenlang door Boheemse ko-

Gevelsteen in Celetnástraat
(Koninklijke Route,
blz. 174-175)

ningen werd aangehouden. De tweede wandeling gaat door een van de mooiste parken in de stad, Petřín, weg van het drukke centrum. Het Petřínpark is zeker de moeite waard om zijn prachtige uitzicht over de stad. De laatste wandeling voert door Vyšehrad. Dit is een vredige oude burcht die doortrokken is van geschiedenis en sfeer.

De route voert u langs de laatste rustplaats van een aantal zeer bekende inwoners van Praag. Het uitzicht van Vyšehrad over de Vlata en de Praagse Burcht is er uniek.

De Karelsbrug bij zonsopgang *(Koninklijke Route blz. 174–175)*

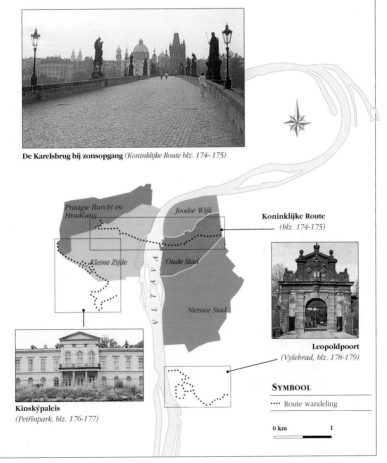

Praagse Burcht en Hradčany

Joodse Wijk

Koninklijke Route
(blz. 174-175)

Kleine Zijde

Oude Stad

Nieuwe Stad

V L T A V A

Leopoldpoort
(Vyšehrad, blz. 178-179)

Kinskýpaleis
(Petřínpark, blz. 176-177)

SYMBOOL

···· Route wandeling

0 km   1

◁ **Uitzicht van Petřínpark over Nieuwe Stad, met op de voorgrond de St.-Laurentiuskerk**

Anderhalf uur langs de Koninklijke Route

Vroeger verbond de Koninklijke Route twee belangrijke vorstenzetels met elkaar: het Koningshof – waar nu het Representatiehuis staat en de wandeling begint – en de Praagse Burcht. De Koninklijke Route werd gevolgd door de Boheemse vorsten tijdens hun kroningsprocessies. In de smalle straatjes komt u langs tal van geschiedkundige en architectonische bezienswaardigheden. Als u meer wilt weten over Oude Stad, Kleine Zijde en Hradčany, kunt u terecht op respectievelijk de bladzijden 60-79, 122-141 en 94-121.

Geschiedenis van de Koninklijke Route

De eerste kroningsprocessie die deze route volgde, was voor George van Podiebrad (*blz. 26*) in 1458. Vervolgens duurde het tot 1743, toen Maria Theresia met veel uiterlijk vertoon de troon besteeg, tot er weer een belangrijke processie langs de route trok. In september 1791 volgde de kroning van Leopold II. De stoet werd aangevoerd door de cavalerie, gevolgd door muzikanten te paard, soldaten en Boheemse edelen. Daarna kwamen 80 rijtuigen met prinsen en bisschoppen. De mooiste wagens werden door zes koppels paarden getrokken en begeleid door bedienden in rode jas en witte leren broek. Hierin zaten de hofda-

De gevel van het Huis bij de Minuut is versierd met *sgraffito*

mes. De laatste processie die van de Route gebruikmaakte – voor Ferdinand V –, vond in 1836 plaats; er namen 3404 paarden en kamelen aan deel.

Van de Kruittoren naar het Plein Oude Stad

Op Náměstí Republiky wendt u zich naar het Representatiehuis (*blz. 64*) en loopt u onder de gotische Kruittoren ① (*blz. 64*) door. Bij deze stadspoort verwelkomde het stadsbestuur de koning, kerkelijke hoogwaardigheidsbekleders, aristocraten en ambassadeurs. De poort leidt naar de oude Celetnástraat (*blz. 65*). Hier werd de koning begroet door de joodse gemeenschap en de gilden. De gevels met hun curieuze gevelstenen dateren meestal uit de Barok en Rococo, de gebouwen zijn meestal gotisch. Op nr. 36 stond de Munt ②, die naar Praag werd verplaatst toen de katholieken de

De markante barokke gevel van het Huis bij de Gouden Bron in de Karlovastraat ⑪

Munt in Kutná Hora (*blz. 168*) tijdens de Hussietenoorlogen (*blz. 26-27*) bezetten. Tussen 1420 en 1784 werd er geld geslagen. In het Huis bij de Zwarte Madonna ③ is een museum voor kubisme gevestigd (*blz. 65*). Gasten konden vanuit herberg Bij de Spin ④ en Bij de Gier ⑤ de stoet aanschouwen. De Celetnástraat komt uit op het Plein Oude Stad ⑥ (*blz. 66-69*). Hier hielden de processies stil bij de Týnkerk ⑦ (*blz. 70*) om de gelofte van trouw van de universiteit in ontvangst te nemen. Links op het plein, op nr. 20, staat het Huis bij de Eenhoorn ⑧. Hier startte Smetana in 1848 zijn muziekschool. Vervolg uw weg naar het Stadhuis Oude Stad ⑨ (*blz. 72-74*). Hier

Huis bij de Zwarte Madonna ③

werd de stoet verwelkomd door de stadswachters, een muziekkorps en juichende ambtenaren.

Door de Karlovastraat en over de Karelsbrug
Loop langs de met sgraffito versierde gevel van het Huis bij de Minuut naar Malé Náměstí ⑩, waar kooplui en leden van kerkelijke genootschappen hun opwachting maakten. Loop links over het plein en sla dan rechtsaf de met galeries gevulde Karlovastraat in. Voorbij de kruising van de Karlova- en de Husovastraat komt u bij het barokke Huis bij de Gouden Bron ⑪, iets verder gevolgd door het Clementinum *(blz. 79)*, waar de clerus de stoet verwelkomde. Daarna steekt u het Kruisridderplein *(blz. 79)* over. Toen de processie van Leopold II hierlangs kwam, trokken de wolken voor de zon weg, wat als teken van geluk werd beschouwd. Een paar maanden later was hij echter overleden. Na dit plein passeert u de Bruggentoren Oude Stad ⑫, de Karelsbrug ⑬ en de Bruggentoren Kleine Zijde ⑭ *(blz. 136-139)*.

Beeld van een Moor door Ferdinand Brokoff op het Morzinpaleis

Oude Stad, gezien van de Karelsbrug ⑬

Kleine Zijde
U komt nu in de Mosteckástraat. De burgemeester overhandigde de sleutels van de stad hier aan de koning en er werden saluutschoten afgevuurd.

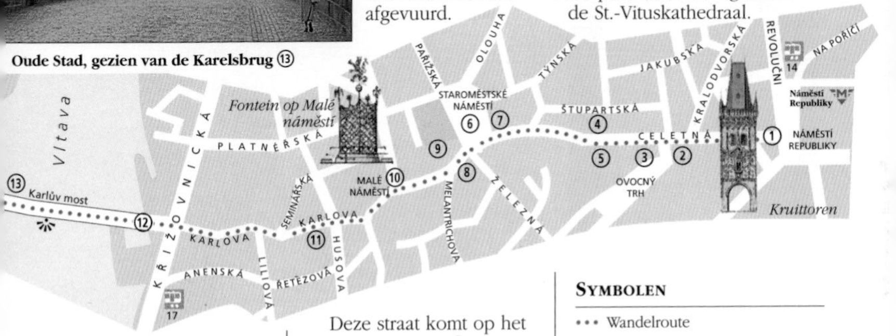

Deze straat komt op het Plein Kleine Zijde ⑮ *(blz. 124)* uit, waar de barokke St.-Nicolaaskerk ⑯ *(blz. 128-129)* staat. De klokken van deze kerk werden geluid als de stoet passeerde.
Verlaat het plein via de Nerudovastraat ⑰ *(blz. 130)*. Op nr. 47, de Twee Zonnen ⑱, woonde en werkte de schrijver Jan Neruda. Hij maakte de wijk onsterfelijk met zijn *Vertellingen van Malá Strana*. Aan de overkant van de straat slaat u rechtsaf en klimt u naar Hradčanské náměstí. De wandeling eindigt bij de Matthiaspoort ⑲ *(blz. 48)*. De processies eindigden in de St.-Vituskathedraal.

Symbolen

•••	Wandelroute
(uitkijkpunt)	Uitkijkpunt
(M)	Metrostation
(tram)	Tramhalte
—	Burchtwal

0 meter 300

Tips voor de wandelaar

Beginpunt: *Náměstí Republiky.*
Lengte: *2,4 km.*
Bereikbaarheid: *Lijn B gaat naar metrohalte Náměstí Republiky. Vanuit Hradčany kunt u met tramlijn 22 terug naar de stad.*
Rustplaatsen: *'s Zomers vindt u op het Plein Oude Stad en in de Karlovastraat volop terrasjes met parasols. Aan Malostranské náměstí ligt het aangename restaurant Square en in de Karlovastraat het café Clementin (in Hotel Clementin).*

De kroningsprocessie passeert het Kruisridderplein

Twee uur wandelen door het Petřínpark

Eén van de charmes van een wandeling door dit park is het fraaie uitzicht dat u over de verschillende delen van Praag krijgt. Kleine Zijde, Hradčany en Oude Stad zien er van boven allemaal heel anders uit. Het dichtbeboste park staat vol kastelen, tuinpaviljoens en beelden: paadjes slingeren zich er dwars doorheen en leiden naar onverwachte hoekjes. Op de bladzijden 140-141 vindt u meer over de bezienswaardigheden van de Petřínheuvel.

Een van de poorten in de Hongermuur ⑤

Beeld van de actrice Hana Kvapilová', nabij Kinskýpaleis ①

Van het Kinskýplein naar de Hongermuur

De wandeling begint op Náměstí Kinských in Smichov. U gaat de tuin van het Kinskýpaleis in via een grote poort. De Engels gestileerde tuin werd in 1827 aangelegd door de familie Kinský, die de Tsjechische cultuur een warm hart toedroeg.

Neem het brede keien- en asfaltpad naar het Kinskýpaleis ①. Dit quasi-klassieke gebouw werd ontworpen door Jindřich Koch. De Ionische zuilen aan de voorgevel ondersteunen een driehoekig timpaan. Binnen zijn de grote zuilenzaal en de trap prachtig met beeldhouwwerk versierd. De etnografische afdeling van het Nationale Museum is hier gehuisvest, maar die ruimten worden momenteel gerestaureerd. Naast het museum staat

een beeld uit 1913 van de actrice Hana Kvapilová. Ongeveer 50 m voorbij het paleis ligt het benedenmeer ②, waar een kleine waterval neerklatert in een kunstmatig meer. Loop heuvelopwaarts naar de St.-Michaelkerk ③. Deze 18de-eeuwse houten kerk werd vanuit een dorpje in de Oekraïne naar het park verplaatst.

Volg dit pad nog 20 m bergopwaarts en neem daarna de trap naar een breed asfaltpad. Dit wordt wel het Uitkijkpad genoemd vanwege de prachtige vergezichten die u hiervandaan over de stad hebt. Rechtsaf komt u dan bij het kleine bovenmeer ④, waar een bronzen beeld van een zeehond in staat. Blijf over het Uitkijkpad lopen en ga door de neogotische poort in de oude barokke stadswallen.

Van de Hongermuur naar de Uitkijktoren

Volg het Uitkijkpad naar de Hongermuur ⑤ *(blz. 140-141)*. Deze muur, een belangrijke schakel in de verdediging van Kleine Zijde, loopt van de Újezdstraat over de Petřínheuvel naar

St.-Michaelkerk ③

het Strahovklooster. Via de poort in de muur komt u in het Petřínpark. Ga het brede pad aan uw linkerhand op en beklim de heuvel langs de muur tot u via een brug over de funiculaire *(blz. 141)* heen gaat. Rechts beneden ziet u het Nebozízek-restaurant *(blz. 202)* liggen, dat faam geniet vanwege het uitzicht dat u er

Zonnebaden in het Petřínpark

hebt. Aan weerszijden van het pad liggen rotspartijtjes. De meeste leiden naar reservoirs die in de 18de en 19de eeuw werden aangeboord om het Strahov-klooster van water te voorzien; andere zijn restanten van mislukte pogingen om hier mijnbouw te beginnen. Loop door naar de top van de heuvel, waar u links het Labyrint ⑥ *(blz. 140)* ziet. Tegenover de doolhof staat de St.-Laurentiuskerk ⑦ *(blz. 140-141)*, die in 1740 in barokke stijl werd herbouwd.

Van de Uitkijktoren naar het Strahovklooster

Een stukje verderop staat de Uitkijktoren ⑧ *(blz. 140)*. Deze kopie van de Eiffeltoren is 60 m hoog. Tegenover de toren vindt u de hoofdpoort in de Hongermuur. Ga door deze poort, sla linksaf en volg het pad naar de Rozentuin ⑨. In deze tuin, die in 1932 door de stad Praag werd aangelegd, staan enkele mooie beelden. Als u over de Rozentuin heen kijkt, ziet u de Sterren-wacht *(blz. 140)*. Het Tsjechisch Sterren-kundig Genootschap verbouwde in 1928 een overheidsgebouw tot deze observatiepost. Er bevindt zich een enorme telescoop die 's avonds geopend is voor publiek.

Om terug te keren naar de Uitkijktoren gaat u linksaf als u weer bij de muur bent. U komt hier langs enkele kapelletjes met kruisweg-statiën uit 1834 en even verder passeert u een mooi barok huis. Weer 50 m verder leidt een poort aan uw rechterhand terug door de Hongermuur. Sla, als u deze poort door bent gegaan, linksaf naar het Stra-hovklooster ⑩ *(blz. 120-121)*. Vanaf deze laan hebt u prachtig uitzicht op de stad. Verlaat deze plek via het zelfde gat in de muur waar-door u was gekomen, sla rechts af en loop de heuvel af langs de muur, door boomgaarden en langs

Sgraffito op de gevel van de Calvarieberg-kapel naast de St.-Laurentiuskerk ⑦

tennisbanen naar de tuin van het klooster. Hier kunt u tram 22 nemen, nog wat in de kloostertuin rondkijken of, als u nog energie hebt, naar de voet van de heuvel afdalen.

TIPS VOOR DE WANDELAAR

Beginpunt: *Náměstí Kinských in Smíchov.*

Lengte: *2,7 km. De wandeling is soms erg steil.*

Bereikbaarheid: *Anděl is het metrostation dat het dichtst bij het beginpunt ligt. De tramlijnen 6, 9 en 12 gaan naar Náměstí Kinských (Kinskýplein).*

Rustplaatsen: *Restaurant Nebo-zízek ligt halverwege de voet en de top van de Petřínheuvel. 's Zomers zijn er etensstalletjes bij de Uitkijktoren op de top.*

SYMBOLEN

• • • Wandelroute

〽 Uitzichtpunt

🚊 Tramhalte

🚡 Kabelbaan

▬ Hongermuur

0 meter ────────── 300

Uitzicht op Hradčany en Kleine Zijde van de top van de Petřínheuvel

Een uur in Vyšehrad

Een oude legende wil dat Vyšehrad de eerste zetel van de Tsjechische vorsten was. Prinses Libuše voorspelde hier al de grootse toekomst die voor Praag in het verschiet lag *(blz. 20-21)*. Archeologisch onderzoek heeft echter uitgewezen dat de eerste bebouwing hier pas in de 10de eeuw plaatsvond. Het verleden van het fort is roerig en er moest voortdurend worden herbouwd.

Tegenwoordig is Vyšehrad een vredige plaats en biedt het prachtig uitzicht over de Vltava en Praag. Op de begraafplaats liggen vele Tsjechische schrijvers, toneelspelers en muzikanten begraven.

Sierbeeld op de barokke Leopoldpoort ⑤

De ruïne van het Bad van Libuše op de Vyšehrader rots ⑩

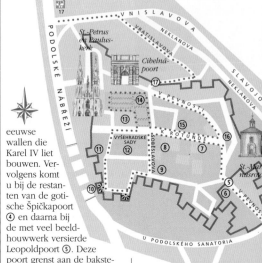

V Pevnosti

Tegenover de uitgang van metrostation Vyšehrad ① leidt een trap naar het Praagse congrescentrum ②. Steek het terras van dit complex in westelijke richting over en daal af naar de rustige straat Na Bučance. Steek de straat over, sla aan het eind rechtsaf, en u bent in V Pevnosti, met voor u de muur van de oorspronkelijke citadel. U ziet nu de westelijke ingang van Vyšehrad, de 17de-eeuwse Táborpoort ③. Als u door deze poort gaat, ziet u rechts de ruïnes van de 14de-eeuwse wallen die Karel IV liet bouwen. Vervolgens komt u bij de restanten van de gotische Špičkapoort ④ en daarna bij de met veel beeldhouwwerk versierde Leopoldpoort ⑤. Deze poort grenst aan de bakstenen muur ⑥ die tijdens de Franse bezetting in 1742 werd versterkt.

Van K rotundě naar Soběslavovastraat

Sla voorbij de Leopoldpoort rechtsaf en daarna, vlak na de St.-Martinusrotonde, weer linksaf de K rotundě in. Na enkele meters ziet u dan links, verscholen achter hoge muren, het Nieuwe Decanaat ⑦. Hier worden archeologische vondsten uit Vyšehrad tentoongesteld. Op de hoek van K rotundě en de Soběslavovastraat staat het Schuttershuis ⑧. Ga linksaf de Soběslavovastraat in, waar de opgegraven funderingen van de St.-Laurentiusbasiliek ⑨ te zien zijn. Vratislav II bouwde deze kerk in de 11de eeuw, maar de hussieten *(blz. 26-27)* verwoestten het gebouw weer in 1420. Circa 20 m voorbij de basiliek slaat u rechts af naar de muur van het fort voor een fantastisch zicht op Praag.

SYMBOLEN

••• Wandelroute

☀ Uitkijkpunt

Ⓜ Metrostation

🚋 Tramhalte

— Kasteelmuur

0 meter   200

Een gravure van Vyšehrad en de Vltava zoals ze er in de 18de eeuw uitzagen

Vyšehrader rots

Deze beboste uitloper van de rots waar Vyšehrad op is gebouwd, loopt vrijwel loodrecht naar beneden de Vltava in. Op het hoogste punt van de rots ziet u de ruïnes van het gotische Bad van Libuše ⑩. Dit was het verdedigingsbastion van het middeleeuwse fort. Links van het bastion ligt een grasveldje waar de restanten van een 14de-eeuws gotisch paleis ⑪ zijn gevonden.

De enorme gedenksteen voor componist Antonín Dvořák op het erekerkhof ⑭

Vyšehrader park

De westkant van Vyšehrad is herschapen tot een park. Op het gras ten zuiden van de St.-Petrus en Pauluskerk staan vier beeldengroepen ⑫ van de 19de-eeuwse beeldhouwer Josef Myslbek. Ze tonen historische Tsjechen, onder anderen Přemysl en Libuše (blz. 20-21). De beelden stonden op de Palackýbrug, werden in 1945 door een Amerikaans bombardement beschadigd en na het herstelwerk in Vyšehrad neergezet. Op de plaats van het park stond vroeger een romaans paleis dat via een brug met de ernaast gelegen kerk was verbonden. Onder Karel IV (blz. 24-25) werd hier een nieuw paleis gebouwd.

De St.-Petrus en Pauluskerk

De twee torens ⑬ van deze kerk bepalen de aanblik van Vyšehrad. Prins Vratislav II stichtte de kerk in de 11de eeuw, waarna hij in 1129 werd vergroot. Na een brand werd het gebouw in de 13de eeuw door een vroeg-gotische kerk vervangen. Sindsdien hebben er talloze verbouwingen plaatsgevonden. In 1885 kreeg de kerk zijn huidige neogotische uiterlijk, terwijl de twee torens in 1902 werden toegevoegd. In een stenen sarcofaag uit de 12de eeuw ligt waarschijnlijk St.-Longinus begraven. Op het altaar in de derde kapel van rechts kunt u een 14de-eeuws schilderij van *Maria in de regen* bewonderen.

Beeld van Přemysl en prinses Libuše in het Vyšehrader park ⑫

Het erekerkhof en het Slavín

De begraafplaats ⑭ werd in 1869 geopend als erekerkhof voor beroemde Tsjechen, bijvoorbeeld Bedřich Smetana (blz. 79). U komt binnen via een poort aan de voorkant. Aan de oostkant van de begraafplaats staat het Slavín – een gedenkteken voor de allergrootste Tsjechen. Verlaat de begraafplaats via dezelfde poort en wandel terug over K rotundě. Links ziet u de Duivelszuil ⑮, die de duivel hier zou hebben achtergelaten nadat hij een weddenschap met een priester had verloren. Aan het einde van de straat staat de St.-Martinusrotonde ⑯ (blz. 44). Deze 11de-eeuwse romaanse kerk werd in 1878 gerestaureerd. Sla linksaf, loop naar beneden en verlaat het terrein via de Cihelnápoort ⑰ uit 1741, met daarin een museum met zes originele beelden van de Karelsbrug. Via de Vratislavovastraat bereikt u daarna de tramhalte Výtoň aan de oever van de Vltava.

De neogotische St.-Petrus en Pauluskerk ⑬

TIPS VOOR DE WANDELAAR

Beginpunt: metrostation Vyšehrad, lijn C.
Lengte: 1,5 km.
Bereikbaarheid: De tocht begint bij metrostation Vyšehrad en eindigt bij tramhalte Výtoň. Trams 3, 17 en 19 rijden naar het centrum.
Rustplaatsen: Rust uit in het park naast de St.-Petrus en Pauluskerk. Er is een café voor de St.-Laurentiusbasiliek en 's zomers kunt u ook een terrasje pakken.

TIPS VOOR DE REIZIGER

ACCOMMODATIE

Sinds de Fluwelen Revolutie in 1989 is Praag een van de drukst bezochte steden' van Europa. Dankzij investeringen in de accommodatie van de stad, onder andere uit het buitenland, zijn er zo veel nieuwe hotels gekomen dat er volop keus is. Veel van de gerenoveerde hotels zien er even aantrekkelijk uit als in de rest van Europa – en zijn vaak even prijzig. Voor reizigers met een krappe beurs is het aanbod helaas beperkt. Goedkope hotels zijn vaak ouderwetse onderkomens in het

Portier bij het deftige Palace-hotel (blz. 189)

centrum of kleinere pensions in de buitenwijken. Wij hebben meer dan 100 hotels in alle prijsklassen onderzocht, en op de bladzijden 186-189 bevelen wij er dertig aan die met name een goede prijs-kwaliteitverhouding bieden. Een goedkoop alternatief is een appartement of een kamer bij particulieren, die meestal te boeken zijn via een verhuurbureau *(blz. 184)*. Een andere voordelige keuze is een verblijf in een van de jeugdherbergen of op campings *(blz. 185)*.

Het Ungelt-hotel *(blz. 187)*

WAAR MOET U ZOEKEN

Praag is maar een kleine stad, dus kunt u het beste in het centrum onderdak zoeken. De meeste hotels bevinden zich rond het Wenceslasplein. Dit is het brandpunt van Praag en dat is te merken aan de prijzen van veel (maar niet alle!) hotels. Ook rond Náměstí Republiky vindt u veel hotels, maar de beste omgeving is bij het Plein Oude Stad, op een paar minuten lopen van de Karelsbrug. Hier vindt u hotels uit internationale ketens, ouderwetse Tsjechische onderkomens en enkele kleine, exclusieve gelegenheden. Een paar metrohaltes van het Plein Oude Stad vandaan, in Nieuwe Stad, vindt u enkele veel goedkopere hotels. Deze buurt is echter minder mooi en er rijdt veel verkeer. Als u uitzicht over de Vltava

wilt, kunt u in de Joodse Wijk terecht, maar hier zijn de hotels nieuw en duur. In de rivier liggen ook enkele botels (drijvende hotels). Deze zijn iets goedkoper, maar vooral de kleinere kamers zijn erg benauwd en vaak is een opknapbeurt hard nodig. In Kleine Zijde hebt u de keuze uit behoorlijk wat leuke hotels in een mooie omgeving, maar het aanbod in Hradčany en de Praagse Burcht is veel beperkter. Ten noorden van deze wijken vindt u nog een paar grote, lelijke hotels. Ook in de buitenwijken staan enkele onbestemde, soms nieuwe hotels. De voorzieningen in de nieuwere zijn goed, maar de prijs verschilt niet erg van de hotels in het centrum en u

moet dan nog een flink stuk reizen – wat lastig kan zijn met een metro die er om middernacht mee ophoudt, waardoor u een dure taxirit bij de prijs moet optellen.

HOE RESERVEERT U

Een hotelkamer in Praag kunt u online reserveren of door een fax te sturen (de beste aanbiedingen vindt u doorgaans op het internet; een populaire website is www.HRS.com). Let erop dat het hotel u een bevestiging van uw reservering stuurt, schriftelijk of per fax; dat zal u tijd en moeite besparen bij aankomst. De meeste hotelreceptionisten spreken Engels, dus kunt u hen ook opbellen als u een vraag hebt, of neem contact

De bar naast het zwembad in het chique 'Renaissance' *(blz. 189)*

op met een reisbureau dat gespecialiseerd is in reizen naar Tsjechië of Praag; op bladzijde 184 vindt u een aantal adressen.

Als u de auto meeneemt, zorg dan dat u hem in de hotelgarage kwijt kunt of informeer bij de receptie naar een veilige parkeergarage in de buurt.

VOORZIENINGEN

De gerenoveerde hotels beschikken nu meestal over kamers met bad of douche, toilet, telefoon en tv, al dan niet met video- en satellietkanalen. In veel hotels kunt u van een wasserette gebruikmaken en in de grotere hotels draait de roomservice dag en nacht door. U moet uw kamer meestal om 12.00 uur verlaten, maar u mag uw bagage best wat langer in het hotel laten als u dat uitkomt. Tsjechische medewerkers in hotels spreken meestal redelijk Duits en Engels.

KORTING

De prijzen in de Praagse hotels zijn redelijk flexibel. Een manier om een goede prijs te krijgen is ter plekke aan de balie van het hotel onderhandelen, hoewel deze praktijk steeds minder vaak voorkomt. Rond Kerstmis, Nieuwjaar en Pasen zijn veel hotels vol en zijn kamers moeilijk te vinden. In de zomer bieden studentenhuizen goedkope accommodatie. De meeste van deze hebben per etage twee slaapkamers en een keuken, en een winkeltje met warme en koude dranken.

BIJKOMENDE KOSTEN

In alle hotels is belasting (19 procent) in de prijs inbegrepen, maar ga dat nog even na als u reserveert. Vanuit hotels telefoneren is vaak erg duur. In de stad staan telefooncellen waar u met een telefoonkaart en soms met een creditcard naar het buitenland kunt bellen; een telefoonkaart is veel goedkoper dan muntgeld *(blz. 224)*. In sommige hotels

Het Pařiž-hotel valt onder de Praagse monumentenzorg *(blz. 187)*

betaalt u het ontbijt apart, terwijl andere een basisontbijt bieden waar extra items moeten worden bijbetaald. Ontbijtbuffetten zijn erg in trek en bieden fruit, cornflakes, yoghurt, muesli, vleeswaren, kaas en melk, koffie en thee. Het geven van fooien is nu gebruikelijk in veel hotels. Met alleenreizenden wordt weinig rekening gehouden. Er zijn, vooral in nieuwere hotels, weinig eenpersoons-

Het moderne Hilton beheerst de omgeving *(blz. 189)*

kamers en voor een tweepersoonskamer betaalt u in uw eentje algauw 70 à 80 procent van de prijs.

GEHANDICAPTE REIZIGERS

De toegankelijkheid voor gehandicapten, zoals aangegeven op de bladzijden 187-189, is die die de hotels zelf opgaven. Als u meer wilt weten, kunt u terecht bij de Tsjechische organisatie voor gehandicapten *(blz. 226)* of bij de ambassade van de Tsjechische Republiek in uw land *(blz. 226)*.

REIZEN MET KINDEREN

Kinderen kunnen meestal wel in hotels terecht, maar Praag is niet echt op kinderen ingesteld. Bij het ontbijt is ook voor kinderen genoeg keuze en u kunt vaak kiezen tussen verse of gepasteuriseerde melk. Kinderstoelen of oppasdiensten zijn schaars. Het loont om na te vragen of kinderen tegen een gereduceerd tarief of gratis bij de ouders op de kamer mogen slapen.

ADRESSEN

PRAKTISCHE ADRESSEN IN NEDERLAND EN BELGIË

Alsa Voyages
Grondwetplein 12,
1060 Sint-Gillis.
📞 02-537 10 47,
    537 07 54.
FAX 02-534 35 60.

ANWB
Postbus 93200,
2509 BA Den Haag.
📞 0800-0503.
Alarmnummer:
📞 00-31-70-314 14 14.
24 uur per dag, bij pech of ongeval in buitenland.

Bureau de Tourisme Tchèque
Leopold II-laan 262,
1081 Koekelberg.
📞 02-414 20 40.
FAX 02-414 17 37.
W www.visitczech.cz

ČSA (Tsjechische luchtvaartmaatschappij)
-Kleine Gartmanplantsoen 21,
1017 RP Amsterdam.
📞 020-620 31 49.
@ csa-amsterdam@planet.nl
-Finisterraestraat 4,
1000 Brussel.
📞 02-217 17 92.
    217 42 85.
FAX 02-219 85 47.

Bohemia Travel
Zwaardvegerstraat 16,
4813 CS Breda.
📞 076-5201928.
FAX 076-5149848.
@ info@bohemia.nl
W www.bohemia.nl

KLM (Koninklijke Luchtvaart Maatschappij)
Postbus 7700,
1117 AA Schiphol.
📞 020-474 77 47.
W www.klm.nl

Touringclub België (Belgische automobielclub)
Wetstraat 44,
1040 Brussel.
📞 02-233 22 02.
Alarmnummer:
📞 00-32-2-233 23 45.
24 uur per dag, o.a. bij pech in het buitenland.
W www.touring.be

Tsjechisch Centrum (verkeersbureau)
World Trade Center,
Strawinskylaan 517,
1077 XX Amsterdam.
📞 020-575 30 14.
FAX 020-575 30 15.
W www.tsjechie.nl
Informatie over cultuur, ondernemingen en toerisme.

Tsjecho Reizen
Kleiweg 101a,
3051GL Rotterdam.
📞 010-2781500.
FAX 010-2781501.
W www.tsjechoreizen.nl
@ info@tsjechoreizen.nl

PRAKTISCHE ADRESSEN IN PRAAG

Akasi
Jungmannovo náměstí 9.
Kaart 3 C5.
📞 22 22 42 354.
FAX 22 42 37 235.

American Express Travel Service
Václavské náměstí 56.
Kaart 3 C5.
📞 22 22 10 106.
W www.americanexpress.cz

Autotourist Reisbureau
Londýnská 62.
Kaart 6 F4.
📞 22 25 12 053.
W www.autoturist.cz

AVE
Hlavní nádraží
(centraal station).
Kaart 4 E5.
📞 22 42 23 226.
FAX 22 42 30 783.
W www.avetravel.cz

Čedok
Na Příkopě 18.
Kaart 4 D4.
📞 22 41 97 616.
W www.cedok.cz

Estec
Vaníčkova 5, Praag 6.
📞 25 72 10 410.
W www.estec.cz.

e.travel.cz
Ostrovní 7.
Kaart 3 B5.
📞 22 49 90 990.
W www.e.travel.cz

Hotel Line Accommodation
Zalovska 435,
Praag 8.
📞 60 44 88 096.
W www.hotelline.cz.

Pragotur
Za Poříčskou bránou 7.
Kaart 4 D3.
📞 22 17 14 130.
W www.prague–info.cz.

Pražská Informační Služba (toeristeninformatie PIS)
Na Příkopě 20.
Kaart 3 C4.
📞 22 17 14 130.
W www.pis.cz

Staroměstské náměstí 1.
Kaart 3 B3.
📞 22 17 14 130.
W www.pis.cz

Hlavní nádraží
(centraal station).
Kaart 4 E5.
📞 22 17 14 130.
FAX 22 17 14 127.
W www.pis.cz

Top Tour
Revoluční 24.
Kaart 4 D2.
📞 22 48 13 172.
W www.toptour.cz

Reisbureau České Dráhy
V Celnici 6.
Kaart 3 C4.
📞 22 42 25 849.
W www.cdrail.cz

JEUGDHERBERGEN

CKM jeugdherberg
Mánesova 77.
Kaart 6 E1.
📞 22 27 21 595.
W www.ckm-praha.cz

Dlouhá
Dlouhá 33. **Kaart** 3 C3.
📞 22 48 26 662.
W www.travellers.com

Koleje a Menzy
Opletalova 38.
Kaart 4 D5.
📞 22 49 30 010.
W www.kam.cuni.cz

KAMPEREN

Aritma Džbán
Kemp Džban 3, Vokovice.
📞 & FAX 23 53 59 007.
W www.dzban.cz

Kotva Braník
U ledáren 55, Braník.
📞 24 44 61 712.

Troja
Trojská 157, Troja.
📞 28 38 50 487.
@ autocamp-troiska@iol.cz

GEHANDICAPTE REIZIGERS

AccessWise
Postbus 532,
6800 AM Arnhem.
📞 026-3706161.
FAX 026-3776753.
@ info@accesswise.org

Tsjechische organisatie voor gehandicapten
Karlínské náměstí 12,
Praag 8.
📞 22 48 15 915.
@ puszdp@braill.net.cz

Ambassade Tsjechische Republiek
Paleisstraat 4,
2514 JA Den Haag.
📞 070-346 97 12.

Adolphe Buyllaan 154,
1050 Brussel.
📞 02-641 89 30.
FAX 02-640 28 60.

U Páva ligt in een rustig straatje in Kleine Zijde *(blz. 188)*

KAMERS EN FLATS BIJ PARTICULIEREN

De laatste jaren is het aanbod van accommodatie bij particulieren enorm toegenomen. De kamers en flats zijn meestal goedkoop, maar liggen vaak buiten het centrum. De minimumprijs voor een kamer bij mensen thuis is Kč600 per persoon, waarbij meestal ontbijt is inbegrepen. Prijzen voor een vrij centraal gelegen flat beginnen bij Kč1600 per dag. Bureaus die kamers regelen, kunnen meestal ook voor flats zorgen *(zie Adressenlijst links)*. Geef uw wensen omtrent prijs, locatie, data en aantal personen zo nauwkeurig mogelijk aan het boekingsbureau op. Zoek uit waar het aangeboden huis zich bevindt en of er metrohaltes in de buurt zijn voordat u toestemt; als u al in

Praag bent, ga dan zelf even kijken. Zorg altijd dat u een schriftelijke bevestiging van uw reservering krijgt. U betaalt het bureau in contanten, waarna u met een betalingsbewijs op het adres terecht kunt. Een enkele keer betaalt u de eigenaar rechtstreeks. Als u vooruit hebt betaald via uw bank of per cheque, kunt u met het afschrift naar het onderkomen gaan. Sommige bureaus vragen om een aanbetaling voor boekingen vanuit het buitenland.

JEUGDHERBERGEN

Er zijn tal van jeugdherbergen in Praag; bij het CKM-bureau in Nieuwe Stad kunt u informatie inwinnen over de beschikbaarheid *(zie Adressenlijst links)*. Handige websites voor voordelige accommodatie zijn:
www.hoteldiscount.cz
www.bed.cz
www.travellers.cz

KAMPEREN

De meeste kampeerterreinen in en om Praag zijn tussen november en april gesloten. Ze zijn heel goedkoop, van voldoende kwaliteit en met het openbaar vervoer bereikbaar. Bij Troja *(blz. 164-165)*, 3 km ten noorden van het centrum, ligt de grootste; Aritma Džbán, 4 km naar het westen, is het hele jaar geopend en Kotva Braník, 6 km ten zuiden van Praag, ligt pal aan de rivier de Vltava.

VERKLARING
De hotels op de bladzijden 186-189 zijn naar stadswijk en prijs gerangschikt.
De symbooltjes bij de genoemde hotels geven aan welke faciliteiten het hotel biedt:

🛁 alle kamers hebben bad of douche, tenzij anders aangegeven
1️⃣ eenpersoonskamers beschikbaar
➕ kamers voor meer dan twee personen beschikbaar, of er kan een extra bed in de kamers worden geplaatst
24 dag en nacht roomservice
📺 tv in alle kamers
🚭 kamers voor niet-rokers beschikbaar
🌼 kamers met mooi uitzicht
📋 airconditioning in alle kamers
🏋 fitnessruimte
🏊 zwembad in het hotel
💼 zakelijke faciliteiten: boodschappendienst, fax voor hotelgasten, bureau en telefoon in alle kamers en vergaderruimte in het hotel
🧒 kinderfaciliteiten
♿ toegankelijk voor rolstoelen
🛗 lift
🅿 parkeerplaats bij het hotel
🌳 tuin aanwezig
☕ café
🍴 restaurant
ℹ informatiepunt voor toeristen
💳 creditcards die geaccepteerd worden:
AE American Express
DC Diners Club
MC Mastercard/Access
V Visa

Prijscategorieën voor een tweepersoonskamer per nacht, inclusief ontbijt, belasting en bediening:
Ⓚ tot Kč4000
ⓀⓀ Kč4000-5000
ⓀⓀⓀ Kč5000-6000
ⓀⓀⓀⓀ Kč6000-7000
ⓀⓀⓀⓀⓀ boven Kč7000

Het prachtig gerestaureerde City Hotel Moran *(blz. 188)*

Een hotel kiezen

De hotels op de volgende bladzijden zijn geselecteerd vanwege hun goede faciliteiten, locatie of sfeer, en vallen onder verschillende prijscategorieën. De hotels zijn eerst ingedeeld naar wijk, te beginnen met Oude Stad, en vervolgens naar prijsklasse. Met behulp van de kaartcoördinaten kunt u de locaties opzoeken op de kaarten op blz. 244–249.

	CREDITCARDS	AANTAL KAMERS	PARKEERGELEGENHEID	RESTAURANT	BAR

OUDE STAD

ATLANTIC ⓚ
Na poříčí 9, 110 00 Praag 1. **Kaart** 4 D3. ☎ 22 48 11 084. ℻ 22 48 12 378.
Vanuit dit hotel, op enkele minuten loopafstand van Náměstí Republiky, kunt u gemakkelijk de stad verkennen. Sinds de renovatie in 1988–1989 ziet het er netjes en modern uit, maar ook enigszins steriel, met comfortabele kamers. Met restaurant en een bistro-bar. 🔧 ① ⚏ 📺 ♿ ↨

Creditcards: AE DC MC V · *Aantal kamers:* 60 · *Restaurant* ● · *Bar* ■

CENTRAL ⓚ
Rybná 8, 110 00 Praag 1. **Kaart** 3 C2. ☎ 22 48 12 041. ℻ 22 32 84 04.
Ouderwets hotel met redelijke prijzen. De lobby heeft een oppervlakkige renovatie ondergaan, maar deze vervaagt naarmate u hoger in het hotel komt. Schone kamers, met nog schonere badkamers. 🔧 ① ⚏ ↨

Creditcards: AE MC V · *Aantal kamers:* 68 · *Bar* ■

CLEMENTIN ⓚⓚⓚ
Seminářská 4, 110 00 Praag 1. **Kaart** 3 B4. ☎ 22 22 21 798. ℻ 22 22 21 768.
ⓦ www.clementin.cz
Dit hotel op de grens van oud en nieuw Praag is een ideaal uitgangspunt om de stad te ontdekken. Gevestigd in het smalste gebouw van Praag, dat stamt uit 1360. Schoenpoets- en internetfaciliteiten geboden.
🔧 ① ⚏ 24 📺 🍴 ↨ ☕

Creditcards: AE MC V · *Aantal kamers:* 9 · *Bar* ■

ÉLITE ⓚⓚⓚⓚ
Ostrovní 32, 110 00 Praag 1. **Kaart** 3 B5. ☎ 22 49 32 250. ℻ 22 49 30 787.
ⓦ www.hotelelite.cz
Het Élite is ondergebracht in een gebouw van het einde van de 14de eeuw. De knusse sfeer wordt verhoogd door de aanwezigheid van een stijlvol grillrestaurant op de begane grond (goede mediterrane en Argentijnse keuken) en een cocktailbar met jazzmuziek. Tevens atrium met bar en een kleine tuin. 🔧 ① ⚏ 24 ⚡ 📺 🍴 ♿ ↨ ⚡ ☕ 🅿 🍴

Creditcards: AE DC MC V · *Aantal kamers:* 79 · *Parkeergelegenheid* ■ · *Restaurant* ● · *Bar* ■

METEOR ⓚⓚⓚⓚ
Hybernská 6, 110 00 Praag 1. **Kaart** 4 D3. ☎ 22 41 92 130. ℻ 22 42 13 005.
ⓦ www.hotel-meteor.cz
De gezellige ouderwetse sfeer van dit hotel is niet aangetast door het lidmaatschap van de Best Western-keten. Grotendeels gerenoveerd, met nog enkele sjofele gedeelten. De kamers zijn vaak aan de kleine kant. Kelder met aangenaam restaurant. 🔧 ① ⚏ 📺 ↨ 🍴

Creditcards: AE DC MC V · *Aantal kamers:* 88 · *Restaurant* ● · *Bar* ■

UNGELT ⓚⓚⓚⓚ
Štupartská 7, 110 00 Praag 1. **Kaart** 3 C3. ☎ 22 48 28 686. ℻ 22 48 28 181.
ⓦ www.ungelt.cz
Dit stijlvolle hotel, in een achterafstraatje bij het Plein Oude Stad, ademt een exclusieve sfeer. Accommodatie in eenvoudige doch stijlvol aangeklede suites – sommige met prachtige houten plafonds. Eenvoudig restaurant en een schaduwrijk terras. 🔧 ⚏ 24 📺 ⚡ 🅿 🍴

Creditcards: AE MC V · *Aantal kamers:* 9 · *Restaurant* ● · *Bar* ■

FOUR SEASONS HOTEL ⓚⓚⓚⓚⓚ
Veleslavínova 2a, 110 00 Praag 1. **Kaart** 3 A3. ☎ 22 14 27 000. ℻ 22 14 26 000.
ⓦ www.fourseasons.com
Luxehotel vlak bij de Karelsbrug met verschillende soorten kamers en suites. Fantastisch uitzicht over de Vltava. 🔧 ⚏ 24 📺 📺 ⚡ 🅿 🍴

Creditcards: AE DC MC V · *Aantal kamers:* 162 · *Parkeergelegenheid* ■ · *Restaurant* ● · *Bar* ■

PAŘÍŽ ⓚⓚⓚⓚⓚ
U Obecního domu 1, 110 00 Praag 1. **Kaart** 4 D3. ☎ 22 21 95 195. ℻ 22 42 25 475.
ⓦ www.hotel-pariz.cz
Dit neogotische gebouw met Jugendstil-details is van de hand van de gevierde architect Jan Vejrych en werd in 1984 uitgeroepen tot monument. Naar internationale maatstaven gerenoveerde kamers, waar alles er tiptop uitziet.
🔧 ① ⚏ 24 📺 ⚡ 🅿 ↨ 🍴

Creditcards: AE DC MC V · *Aantal kamers:* 98 · *Parkeergelegenheid* ■ · *Restaurant* ● · *Bar* ■

Prijsklassen voor een twee-persoonskamer in het hoog-seizoen per nacht, inclusief ont-bijt, belasting en servicekosten:
Ⓚ tot Kč4000
ⓀⓀ Kč4000–5000
ⓀⓀⓀ Kč5000–6000
ⓀⓀⓀⓀ Kč6000–7000
ⓀⓀⓀⓀⓀ boven Kč7000

CREDITCARDS
Geeft aan welke creditcards worden geaccepteerd: AE American Express, DC Diners Club, MC MasterCard, V Visa.

PARKEERGELEGENHEID
Het hotel heeft een eigen parkeerplaats of -garage voor gasten; soms wordt een vergoeding gevraagd.

RESTAURANT
In het restaurant of de eetzaal zijn gewoonlijk ook niet-gasten welkom, tenzij dit anders staat aangegeven.

BAR
Niet noodzakelijkerwijs aanbevolen.

	CREDIT CARDS	AANTAL KAMERS	PARKEERGELEGENHEID	RESTAURANT	BAR

JOODSE WIJK

HOTEL ROTT   ⓀⓀⓀⓀ
Malé náměstí 4/138, 110 00 Praag 1. **Kaart** 3 B3. 22 41 90 901. FAX 22 42 16 761.
W www.hotelrott.cz
Dit rustige hotel vlak bij Staroměstské náměstí is het enige in de Tsjechische Republiek met televisies voorzien van een interactief communicatiesysteem. Kluisjes op de kamer.

| | AE V | 82 | ◼ | ● | ◼ |

HOTEL JOSEF   ⓀⓀⓀⓀⓀ
Rybná 20, 110 00 Praag 1. **Kaart** 3 C3. 22 17 00 111. FAX 22 17 00 999.
W www.hoteljosef.com
Dit moderne hotel op 15 minuten lopen van het Wenceslasplein biedt goede faciliteiten. Het ontbijt wordt geserveerd tot 12.00 uur, op de bovenste verdieping is een fitnessruimte.

| | AE DC MC V | 82 | ◼ | ● | ◼ |

INTERCONTINENTAL   ⓀⓀⓀⓀⓀ
Náměstí Curieových 43–45, 110 00 Praag 1. **Kaart** 3 B2. 29 66 31 111. FAX 22 48 10 071.
W www.prague.interconti.com
Dit hotel in een imposant jaren-zeventiggebouw bij de Vltava heeft een fitnessruimte en een zwembad. Typisch vijfsterrenhotel van internationale allure, maar met weinig lokale charme. Veel kamers beschikken over een prachtig uitzicht.

| | AE DC MC V | 364 | | ● | ◼ |

MAXIMILIAN   ⓀⓀⓀⓀⓀ
Haštalaská 14, 110 00 Praag 1. **Kaart** 3 C2. 22 53 03 111. FAX 22 53 03 110.
W www.maximilianhotel.com Smaakvol ingerichte kamers met grote bedden zijn heel gewoon in het Maximilian. Elektronische kluisjes, faxapparaten en fraaie Venetiaanse stoffering op alle kamers.

| | AE DC MC V | 71 | ◼ | | |

KLEINE ZIJDE

KAMPA   ⓀⓀⓀ
Všehrdova 16, 118 00 Praag 1. **Kaart** 2 E5. 25 73 20 404. FAX 25 73 20 262.
W www.euroagentur.cz
Dit hotel in een oude wapenopslagplaats ligt enkele minuten verwijderd van de Karelsbrug en heeft een rustig straatje met veel groen. In de grote entree delen de bar en het restaurant een enorm gewelfd barokplafond. Eenvoudig gemeubileerde, schone kamers.

| | AE DC MC V | 83 | | ● | |

POD VĚŽÍ   ⓀⓀⓀⓀ
Mostecká 2, 110 00 Praag 1. **Kaart** 2 F3. 25 75 32 041. FAX 25 75 32 069.
W www.podvezi.cz Dit is een leuk hotel in het hart van het historische centrum van Praag. Pod Věží biedt een heerlijk rustige sfeer, een daktuin en een eigen café dat de hele dag geopend is. Het overvloedige ontbijt is bij de prijs inbegrepen.

| | AE DC MC V | 12 | ◼ | ● | |

U PÁVA   ⓀⓀⓀⓀ
U lužického semináře 32, 110 00 Praag 1. **Kaart** 2 F3. 25 75 33 573. FAX 25 75 30 919.
In het rustige gedeelte van Kleine Zijde biedt U Páva een stijlvol onderkomen. Het heeft door zijn traditionele donkerhouten meubilair, kristallen kroonluchters en mooie tapijten een antieke uitstraling. Persoonlijke details en ruime, comfortabele kamers.

| | AE MC V | 11 | ◼ | ● | ◼ |

U TŘÍ PŠTROSŮ   ⓀⓀⓀⓀⓀ
Dražického náměstí 12, 118 00 Praag 1. **Kaart** 2 F3. 25 75 32 410. FAX 25 75 33 217.
W www.upstrosu.cz
Het vlak naast de Karelsbrug gelegen 'Huis bij de Drie Struisvogels' werd oorspronkelijk gebouwd voor de handelaar in struisvogelveren Jan Fux (*blz. 134*). Het huisvest tevens een befaamd restaurant. De familie die het hotel leidt, zorgt voor een gezellige sfeer. De kamers zijn pas opgeknapt.

| | AE MC V | 18 | ◼ | ● | ◼ |

Prijsklassen voor een twee-persoonskamer in het hoog-seizoen per nacht, inclusief ontbijt, belasting en servicekosten:
ⓚ tot Kč4000
ⓚⓚ Kč4000–5000
ⓚⓚⓚ Kč5000–6000
ⓚⓚⓚⓚ Kč6000–7000
ⓚⓚⓚⓚⓚ boven Kč7000

CREDITCARDS
Geeft aan welke creditcards worden geaccepteerd: AE American Express, DC Diners Club, MC MasterCard, V Visa.

PARKEERGELEGENHEID
Het hotel heeft een eigen parkeerplaats of -garage voor gasten; soms wordt een vergoeding gevraagd.

RESTAURANT
In het restaurant of de eetzaal zijn gewoonlijk ook niet-gasten welkom, tenzij dit anders staat aangegeven.

BAR
Niet noodzakelijkerwijs aanbevolen.

	CREDITCARDS	AANTAL KAMERS	PARKEERGELEGENHEID	RESTAURANT	BAR

NIEUWE STAD

Hotel		CREDITCARDS	AANTAL KAMERS	PARKEERGELEGENHEID	RESTAURANT	BAR
AXA ⓚ Na poříčí 40, 110 00 Praag 1. **Kaart** 4 E3. 📞 22 48 12 580. **FAX** 22 42 14 489. Ⓦ www.hotelaxa.com Dit ouderwetse hotel doet enigszins mistroostig aan, maar is redelijk geprijsd en centraal. Gerenoveerde kamers; zwembad.		AE DC MC V	131		●	■
EVROPA ⓚ Václavské náměstí 25, 110 00 Praag 1. **Kaart** 4 D5. 📞 22 42 28 117. **FAX** 22 42 24 544. Ⓦ www.evropahotel.com Het Evropa, in fraaie Jugendstil, is Praags mooiste hotel. De eetzaal heeft schitterend glaswerk en het café geniet een grote faam (*blz. 146*). 30.		AE DC MC V	85		●	
LUNÍK ⓚ Londýnská 50, 120 00 Praag 2. **Kaart** 6 E2. 📞 22 42 53 974. **FAX** 22 42 53 986. Ⓦ www.hotel-lunik.cz Verzorgd hotel in een stille straat met bomen. Eenvoudige, verzorgde inrichting met houten meubilair en witgeverfde muren.		AE MC V	35			■
PENSION PÁV ⓚ Křemencova 13, 110 00 Praag 1. **Kaart** 5 B1. 📞 22 49 33 760. **FAX** 22 49 33 080. @ pav@vol.cz In een historisch stukje Praag gelegen hotel aan een rustige straat. Kleinschalig, met slechts een paar eenvoudige kamers en appartementen. U vindt er een gezellige bar en een redelijk restaurant.			8			
HARMONY ⓚⓚ Na poříčí 31, 110 00 Praag 1. **Kaart** 4 E3. 📞 22 23 20 720. **FAX** 22 23 10 009. Volledig en fraai gerenoveerd kleinschalig hotel met een jonge, vriendelijke staf. Twee kleine restaurants, waarvan er een tafeltjes buiten heeft, bieden uiteenlopende gerechten.		AE DC MC V	60		●	■
ADRIA ⓚⓚⓚⓚ Václavské náměstí 26, 110 00 Praag 1. **Kaart** 4 D5. 📞 22 10 81 111. **FAX** 22 10 81 300. Ⓦ www.hoteladria.cz De entree van het chique Adria ligt aan het Wenceslasplein. Door het gebruik van glas, spiegels en glimmend koper lijkt de receptie ruimer dan ze is. Vrolijke, leuk ingerichte kamers.		AE DC MC V	66	■	●	■
CITY HOTEL MORÁŇ ⓚⓚⓚⓚ Na Moráni 15, 120 00 Praag 2. **Kaart** 5 A3. 📞 22 49 15 208. **FAX** 22 49 20 625. Ⓦ www.hotel-moran-prague-hotels.ly Dit hotel is discreet, maar elegant ingericht met zachte groene tapijten en sofa's op lichte marmeren vloeren. Het leuke café-restaurant en de bar kijken uit op de straatkant.		AE DC MC V	57	■	●	■
PRAHA RENAISSANCE ⓚⓚⓚⓚ V celnici, PO Box 726, 110 00 Praag 1. **Kaart** 4 E3. 📞 22 18 22 100. **FAX** 22 18 22 333. Ⓦ www.renaissancehotels.com De blinkende glazen gevel van dit nieuwe hotel heeft het uiterlijk van deze hoek van Náměstí Republiky nogal veranderd. De luxueuze kamers zijn voorzien van dikke spreien en zachte badjassen. Er is een aantal restaurants, een bierlokaal en een fitnessclub.		AE DC MC V	309	■	●	■
CARLO IV ⓚⓚⓚⓚⓚ Senovážné náměstí 13, 110 00 Praag 1. **Kaart** 4 E4. 📞 22 45 93 111. **FAX** 22 42 23 960. Ⓦ www.boscolohotels.com Dit schitterend ingerichte luxehotel in het hart van de stad is ondergebracht in een neoklassiek gebouw met glanzende marmeren vloeren en handgeschilderde fresco's.		AE DC MC V JCB	153	■	●	■

JALTA PRAHA   Ⓚ Ⓚ Ⓚ Ⓚ Ⓚ

Václavské náměstí 45, 110 00 Praag 1. **Kaart** 4 D5. **(** *22 28 22 111.* **FAX** *22 42 13 866.*
Ouderwets hotel aan het Wenceslasplein. Het is deels gerenoveerd: het
grote restaurant en de slaapkamers zijn opnieuw ingericht. De
kamers zijn comfortabel, ruim en mooi ingericht.

🖥 1 ♨ 24 TV ≋ 🔓 🏃 🚫 🕑 🕗 ℹ

AE	89	■	●	■
DC				
MC				
V				

PALACE   Ⓚ Ⓚ Ⓚ Ⓚ Ⓚ

Panská 12, 110 00 Praag 1. **Kaart** 4 D4. **(** *22 40 93 111.* **FAX** *22 42 21 240.*
Ⓦ www.palacehotel.cz
Hotel aan een stille straat bij het Wenceslasplein dat rond 1989 geheel
gerenoveerd is. De mengeling van modern, traditioneel en Jugendstil valt
misschien niet bij iedereen in de smaak (koper, glas, spiegels en
namaakboeketten), maar men slaagt er wel in om op het gebied van luxe
aan alle eisen te voldoen. 🖥 1 ♨ 24 TV ≋ ≋ 🔓 🏃 🚫 ℹ

AE	124	■	●	■
DC				
MC				
V				

BUITEN HET CENTRUM

ANNA   Ⓚ

Budečská 17, Praag 2. **(** *22 25 13 111.* **FAX** *22 25 15 158.* Ⓦ www.hotelanna.cz
Hotel Anna, in een stijlvol neoklassiek gebouw met Jugendstil-interieurs,
ligt slechts op tien minuten lopen van het Wenceslasplein.

🖥 1 ♨ TV ≋ ≋ 🚫

AE	24	■		
MC				
V				

BELVEDERE   Ⓚ

Milady Horákové 19, 170 00 Praag 7. **(** *22 01 06 254.* **FAX** *23 33 74 471.*
Ⓦ www.belvedere-hotel.com
Hotel in een levendige wijk met winkels, cafés en restaurants, op een korte
metrorit van Florenc. Weinig opvallende accommodatie, maar schoon,
netjes, vrij centraal en redelijk geprijsd. Eenvoudige, comfortabele kamers
met moderne doucheruimten. Café aan de straatkant. 🖥 1 ♨ 24 TV ≋
≋ 🔓 🚫 🕑 ℹ

AE	142	■	●	■
DC				
MC				
V				

CAROL   Ⓚ

Kurta Konráda 547 / 12, 190 00 Praag 9. **(** *26 63 11 316.* **FAX** *28 48 19 475.* Ⓦ www.carol.cz
Hotel van Nederlandse eigenaars, met een voor Praagse begrippen ont-
spannen ambiance. Minimalistisch ingerichte kamers, maar brandschoon en
comfortabel. Een minpuntje is de afstand van het stadscentrum.

🖥 1 ♨ 24 TV 🔓 🏃 🚫 🕗 ℹ

AE	40	■		■
DC				
MC				
V				

ESPRIT   Ⓚ

Lihovarská 1098, 190 00 Praag 9. **(** *28 48 10 273.* **FAX** *28 48 19 597.*
Ⓦ www.hotel-esprit.cz
Esprit's ontbijtzaal annex café-restaurant is vrolijk en keurig onderhouden.
Eenvoudig ingerichte kamers met grenen meubilair en witgeverfde muren.
Het enige nadeel is de afstand van het centrum: tien minuten lopen van de
eindhalte van metrolijn B. Boek hier direct en niet via een reisbureau, anders
worden de prijzen verdubbeld. 🖥 1 ♨ ≋ 🚫 ℹ

| AE | 63 | ■ | ● | ■ |
| V | | | | |

CORINTHIA TOWERS   Ⓚ Ⓚ Ⓚ Ⓚ Ⓚ

Kongresová 1, 140 69 Praag 4. **(** *26 11 91 218.* **FAX** *26 12 11 673.* Ⓦ www.corinthia.cz
Dit hotel naast metrohalte Vyšehrad ligt op enkele minuten van het
centrum. Het moderne gebouw is ingericht met glas, koper en marmer en
beschikt over geweldige sport- en fitnessfaciliteiten en een fraai binnen-
zwembad. Comfortabele, ruime kamers. 🖥 ♨ 24 TV ≋ ≋ 🗐 🎵
♨ 🔓 🏃 🚫 🕑 ℹ

AE	551	■	●	■
DC				
MC				
V				

DIPLOMAT PRAHA   Ⓚ Ⓚ Ⓚ Ⓚ Ⓚ

Evropská 15, 160 00 Praag 6. **(** *22 43 94 111.* **FAX** *22 43 94 215.* Ⓦ www.diplomat-hotel.cz
Dit hotel ligt bij de eindhalte van metrolijn A, maar van het centrum duurt
de reis slechts 12 minuten. Het in 1990 geopende hotel heeft een efficiënt
Oostenrijks management. Er worden goede voorzieningen geboden, zoals
een nachtclub, een aantal restaurants, winkels, en, bijzonder voor Praagse
begrippen, een fitnesscentrum met bubbelbad. Er logeren vaak reisgezelschappen. 🖥 1 ♨ TV ≋ ≋ 🗐 🎵 🔓 🏃 🚫 🕑

AE	382	■	●	■
DC				
MC				
V				

PRAHA HILTON   Ⓚ Ⓚ Ⓚ Ⓚ Ⓚ

Pobřežní 1, 186 00 Praag 8. **Kaart** 4 F2. **(** *22 48 41 111.* **FAX** *22 48 42 378.*
Ⓦ www.hilton.com
Dit door Fransen ontworpen hotel is het grootste van het land, maar de
omvang doet geen afbreuk aan de stijl. De kamers zijn smaakvol ingericht
en voorzien van alle comfort die men mag verwachten in een groot
internationaal hotel. 🖥 1 ♨ 24 TV ≋ 🗐 🎵 🎵 🔓 🏃 🚫 🕑 ℹ

AE	800	■	●	■
DC				
MC				
V				

Zie voor een verklaring van de symbolen blz. 185

RESTAURANTS EN CAFÉS

Net als met de economie gaat het ook met de restaurants in Praag steeds beter. De staatsbedrijven die hier jarenlang een monopolie hadden, waren niet erg in kwaliteit geïnteresseerd, maar die houding is snel aan het verdwijnen. Door de enorme stroom toeristen naar de stad schieten nieuwe restaurants, vaak in handen van buitenlandse ondernemers, als paddestoelen uit de grond. Uit de onderstaande selectie blijkt die omslag, met het voorbehoud dat veel restaurants naast de Tsjechische gerechten slechts een beperkte keuze aan westerse gerechten op de kaart hebben. De volledige lijst met restaurants treft u aan op de bladzijden 198-203. Informatie over cafés, bierlokalen en pubs, inclusief adressen, is te vinden op bladzijde 204-205. In vergelijking met de rest van Europa is Praag nog steeds goedkoop.

De brave soldaat Schwejk in U Kalicha (blz. 154)

HANDIGE TIPS

Vanwege de enorme toeristenstroom is er het nodige veranderd in de restaurantwereld in Praag. Men luncht nog altijd vroeg – tussen elf en één uur – en het avondeten wordt rond zeven uur genuttigd. Veel restaurants blijven echter laat open en u kunt tussen tien uur 's ochtends en elf uur 's avonds altijd wel ergens terecht. De keuken sluit een halfuur tot een uur voor sluitingstijd.
In de lente en de zomer zijn de populaire restaurants van Praag vaak afgeladen, dus kunt u het beste reserveren. In het stadscentrum struikelt u over de restaurants, maar u vindt er ook buiten de toeristische route. De algemene tendens is: hoe verder van het centrum vandaan, des te goedkoper het is.

SOORTEN RESTAURANTS

Het belang van een aangename omgeving en een geïnspireerde kok dringt langzamerhand ook tot de Praagse horeca door. In restaurants waar men aan deze zaken aandacht besteedt, kunt u meestal lekker eten. Het eenvoudigste eten krijgt u in de worststalletjes op straat, die vergelijkbaar zijn met de Duitse *Imbisse*. U kunt hier heerlijke Tsjechische worstjes kopen, om zo op te eten of koud om mee te nemen naar huis.
's Avonds laat kunt u het best bij een snackbar *(bufet)* terecht.
Iets geriefelijker zijn de cafés

Vinárna v Zátiší (blz. 201)

(kavárna). Dit kan een rumoerig, druk etablissement zijn, maar er zijn ook hele rustige cafés. U kunt er volop te drinken krijgen en het aanbod aan eten varieert van een simpele sandwich tot een complete maaltijd. De openingstijden van cafés zijn heel wisselend, maar de meeste zijn 's ochtends al vroeg open. Het eten wijkt wel enigszins af van de westerse maatstaven.
Restaurants zijn opgedeeld in twee categorieën: de *restaurace* en de *vinárna*. In een vinárna verkoopt men ook wijn. De beste gelegenheden zijn die, welke op buitenlandse gasten zijn ingericht. Naar westerse maatstaven zijn ze weliswaar goedkoop, maar ze zijn duurder dan de Tsjechische restaurants. Daar staat tegenover dat bediening en eten meestal beter zijn.
In bierlokalen of pubs *(pivnice)* kunt u een eenvoudige Tsjechische maaltijd krijgen. De nadruk in deze gelegenheden ligt echter op het drinken.

Gasten aan de maaltijd in U Kalicha

Op de terrassen van het Plein Oude Stad kunt u ook eten

DE MENUKAART

Beoordeel een restaurant nooit naar het taalgebruik op de menukaart – de kwaliteit van de vertaling zegt niets over het niveau van de keuken. Vaak wordt het gewicht van het vlees nog vermeld, een overblijfsel van de communistische rantsoeneringen. Een hoofdmaaltijd wordt meestal geserveerd met aardappels, rijst of knoedels, maar salade en andere bijgerechten moet u apart bestellen (*Zie 'Wat eet u in Praag', blz. 194-195).*

Gevelsteen van een Praags restaurant

WAAR U OP MOET LETTEN

Soms brengt de kelner in sommige restaurants of bars u een schaaltje nootjes.

U kunt daarvan eten, maar ze zijn niet gratis en vaak duurder dan een voorgerecht. Niemand voelt zich beledigd als u vraagt of ze weer weg mogen. Hetzelfde geldt voor andere hapjes vooraf.

Controleer de rekening altijd, want het is heel gewoon dat men allerlei extra kosten opvoert. Sommige van die extra kosten zijn legaal, bijvoorbeeld Kč10-25 per couvert en een bedrag voor eenvoudige dingen als melk, ketchup, brood en boter. Een toeslag van 19 procent belasting is bij de prijs inbegrepen.

Voedselvergiftiging in milde vorm komt soms voor in Praag. Vermijd dan ook het eten bij straatstalletjes, want de ingrediënten kunnen onhygiënisch zijn of niet lang genoeg gekookt. De Praagse restaurants zijn in het algemeen zeer hygiënisch.

ETIQUETTE

In snackbars of andere eenvoudige establissementen kunt u gaan zitten zodra u een plaats ziet. Andere gasten kunnen bij u aan tafel aanschuiven. Er is geen officiële kledingcode, maar wie in een van de betere restaurants gaat eten, doet er goed aan zich correct te kleden.

BETALEN EN FOOIEN

In het centrum van Praag betaalt u gemiddeld zo'n

Kč360 voor een maaltijd. Soms laat een ober een briefje met uw bestelling op uw tafel achter, zodat een collega later met u kan afrekenen. De kwaliteit van de bediening wisselt, maar een fooi van 10 procent is normaal; laat het geld niet achter op tafel. Steeds meer restaurants accepteren creditcards, maar informeer van tevoren even.

VEGETARISCH ETEN

Praag is nu ook ingesteld op vegetariërs. Verse groente is het hele jaar door, ook in de winter, te verkrijgen, en veel restaurants bieden vegetarische en veganistische schotels (*zie blz. 198-203).* Vraag altijd of een gerecht wel of geen vlees bevat, ook als het menu vermeldt dat een schotel vegetarisch is.

GEHANDICAPTEN

Voor gehandicapten zijn er nergens speciale voorzieningen. Iedereen is even hulpvaardig, maar de smalle trappen en establissementen in kelders zijn voor wie gehandicapt is alleen met veel moeite bereikbaar.

VERKLARING

Uitleg van de symbolen op de bladzijden 198-203.

🍽️	toeristenmenu
V	vegetarische schotels
T	correcte kleding
🎵	live muziek
▦	tafels buiten
🍷	uitgebreide wijnkaart
★	zeer aanbevolen
💳	geaccepteerde creditcards
AE	American Express
DC	Diners Club
MC	Mastercard
V	Visa

Prijsklassen voor een driegangenmenu per persoon, inclusief een halve fles huiswijn, belasting en bediening, per persoon:
Ⓚ tot Kč250
ⓀⓀ Kč250-450
ⓀⓀⓀ Kč450-650
ⓀⓀⓀⓀ boven Kč650

Stijlvol dineren met glas-in-lood-ramen in art deco-stijl (*blz. 202*)

Restaurants en cafés: een selectie

De laatste jaren is het aantal cafés en restaurants in Praag enorm toegenomen, maar het kan nog steeds gebeuren dat u in sommige Tsjechische restaurants een ongeïnspireerde maaltijd voorgeschoteld krijgt. Onderstaande restaurants vormen een selectie uit de lijst op de bladzijden 198-203. U krijgt er smakelijke en met liefde bereide maaltijden in een sfeervolle omgeving. Bovendien is uit eten gaan vrijwel nooit extreem duur in Praag.

U Tří pštrosů
Dit exclusieve restaurant serveert heerlijke traditionele Tsjechische gerechten (blz. 202).

Praagse Burcht en Hradčany

Kleine Zijde

Peklo
Het Italiaanse eten in deze 12de-eeuwse bierkelder is beslist de moeite van het proberen waard (blz. 201).

Nebozízek
Het schitterende uitzicht dat u van het terras over Praag hebt, garandeert tot in lengte van dagen volop klandizie (blz. 201).

U Malířů
Het Franse eten in dit verbouwde 16de-eeuwse pand staat goed bekend. De sfeer is die van beschaafde luxe.
De muur- en plafondschilderingen verhogen de romantische sfeer (blz. 201).

Chez Marcel
Dit is een stukje Parijs in het hart van de Joodse Wijk van Praag (blz. 199).

U Červeného kola
In dit rustige restaurant vlak bij het St.-Agnesklooster staan biefstuk en heerlijke toetjes op het menu (blz. 200).

Joodse Wijk

Oude Stad

Opera Grill
Hier wordt Franse nouvelle cuisine *geserveerd in een intieme, exclusieve sfeer* (blz. 200).

Nieuwe Stad

0 meter   300

La Perle de Prague
La Perle de Prague serveert haute cuisine *op niveau boven in het stijlvolle 'Ginger and Fred'- gebouw* (blz. 203).

Hotel Evropa Café
Ga langs om koffie te drinken in dit fraaie art nouveau-hotel (blz. 202).

Wat eet u in Praag

D e Tsjechische keuken komt grotendeels overeen met de Oostenrijkse: veel vlees (varkens- of rundvlees) met knoedels, aardappels of rijst en een saus. Vlees, gevogelte, vis, kool en aardappels worden allemaal heel simpel en zonder kruiden klaargemaakt. Vlees wordt gebraden, gebakken of in bouillon in de oven gekookt. Bij speciale gelegenheden eet men wild, vooral hert, wild zwijn of kwartel. De porties zijn meestal reusachtig en een hoofdgerecht is vaak een maaltijd op zichzelf. Varkensvlees met knoedels en zuurkool (vepřové, knedlíky a zelí) is de populairste maaltijd. Bij de meeste maaltijden serveert men knoedels met jus. Ondanks een toename in het aanbod blijven de porties groente vaak aan de krappe kant en de kwaliteit van salades wisselt enorm. Men begint de maaltijd met soep, variërend van bouillon met leverknoedels tot koolsoep met worst.

Gevulde eieren zijn een populair voorgerecht

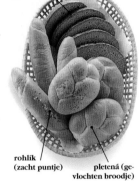

žitný chléb
(roggebrood)

rohlík
(zacht puntje)

pletená (gevlochten broodje)

chléb en pečivo (broodjes)
Bij de maaltijden serveert men diverse soorten broodjes.

uzený losos
(gerookte zalm)

paštika
(paté)

augurk

sardinka
(sardines)

tvaroh s ředkvičkami
(smeerkaas met radijs)

Chlebíčky
Deze opengesneden stokbroodjes kunt u in elke labůdky (delicatessenzaak) en bufet (snackbar) in Praag kopen. Ook iemand die bij een Tsjechisch gezin te gast is, zal hierop worden getrakteerd. Als beleg gebruikt men ham, vis, salami, rosbief, ei of kaas, gegarneerd met mayonaise en augurk (nakládaná okurka). Deze specialiteit wordt helaas snel verdrongen door westerse hapjes.

klobásy (gegrilde worstjes)

párky (knakworst)

mosterd

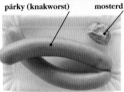

Klobásy en párky
Klobásy zijn gegrilde worstjes, párky gekookte knakworstjes. U kunt ze – met wat mosterd (hořčice) – kopen in stalletjes op straat en bij speciale worstwinkels.

Plněná šunka
Dit voorgerecht bestaat uit een hamrolletje gevuld met slagroom en grof geraspte mierikswortel.

Polévka
Groentesoep van erwten, aardappels, bloemkool, kool of tomaten is erg in trek als voorgerecht.

Hovězí polévka s játrovými knedlíčky
Een simpel voorgerecht, runderbouillon met leverknoedels.

Pečená kachna

Een populaire maaltijd is gebraden eend met spekknoedels (špekové knedlíky) en rode zuurkool.

Uzené

Gerookt varkensvlees wordt meestal gecombineerd met aardappelballetjes (bramborové knedlíky) en witte zuurkool.

Vepřozý řízek

Een gepaneerde schnitzel eet men meestal met gekookte aardappels of een aardappelsalade. Sla en een schijfje citroen horen hier ook bij.

Houskové knedlíky (plakjes broodknoedel)

Brusinky (cranberries)

Hovězí (rundvlees)

Svíčková na smetaně

Gestoofd rundvlees (svíčková) wordt geserveerd met een zware, romige, enigszins zoete groentesaus (na smetaně). Het wordt gegarneerd met cranberries of een toefje slagroom.

Salát

's Winters is de salade vaak ingelegd, 's zomers mengt men tomaat, komkommer, paprika en kropsla door elkaar.

Jablkový štrúdel

Dunne plakjes appel worden in bladerdeeg verpakt. Kersen en smeerkaas worden ook gebruikt als vulling.

Ovocné knedlíky

Met fruit (hier pruimen) gevulde deegballetjes worden opgediend met gesmolten boter, poedersuiker en papaverzaad.

Vdolek

Dit gebakje wordt afgemaakt met pruimen- of rode bessenjam en slagroom.

Palačinky

Pannenkoekjes worden gevuld met ijs en/of ingemaakt fruit of jam. Hierover strooit men suiker, chocolade of amandelen.

Wat drinkt u in Praag

Tsjechisch bier is overal ter wereld beroemd, maar wordt nergens zo enthousiast gedronken als in Praag. De bevolking is buitengewoon trots op zijn bier *(pivo)*. Pils en daarvan afgeleide dranken zijn afkomstig uit Bohemen. Men zegt dat het beste pils vlak bij de bron wordt gebrouwen en de meeste brouwerijen bevinden zich dan ook in de buurt van Praag. Bier wordt in de fles, in blik of van de tap verkocht. Echte kenners drinken nooit bier uit blik, het leeuwendeel hiervan wordt dan ook geëxporteerd. In Tsjechië, met name in Zuid-Moravië, wordt flink wat wijn geproduceerd, maar dit wordt nauwelijks geëxporteerd. In de meeste restaurants kunt u mineraalwater krijgen van bekende merken als Mattoni en Dobrá voda ('goed water').

Bierviltje van 'Gouden Tijger'

Gambrinus, de legendarische bierkoning, schonk zijn naam aan een populaire pils

PILS EN BUDWEISER

Koperen ketels in een brouwerij in Plzeň

Pils is natuurlijk het bekendste Tsjechische bier. Dit heldere, goudkleurige bier met zijn sterke hop-smaak is laaggegist, men laat het langzaam bij lage temperatuur rijpen. Het woord 'pilsner' is afgeleid van de plaats Plzeň, die in het Duits Pilsen wordt genoemd. In deze stad, 80 km ten zuidwesten van Praag, werd in 1842 voor het eerst pils gebrouwen. Dezelfde brouwerij maakt tegenwoordig nog Plzeňské pivo en het iets zwaardere Plzeňský prazdroj, dat onder de Duitse naam Pilsner Urquell wereldfaam geniet. Een iets zoeter bier is Budweiser Budvar (deze drank staat los van het Amerikaanse Budweiser). Deze pils komt uit het plaatsje České Budějovice (Duits: Budweis), dat 150 km ten zuiden van Praag ligt.

Logo Budweiser

Logo Pilsner Urquell

Dit percentage slaat niet op het alcohol- maar op het stamwortgehalte

Světlé betekent licht   **Alcoholgehalte**

Het etiket van het bierflesje

Het belangrijkste getal op een etiket (meestal 10 of 12 procent) slaat niet op het alcohol- maar op het stamwortgehalte. Hiermee wordt de hoeveelheid opgeloste vaste stoffen in de vloeistof aangegeven. Het alcoholpercentage wordt met een lager cijfer aangegeven. Op het etiket staat verder of er van een licht of een zwaar bier sprake is.

BIER EN BIERLOKALEN

Staropramen

Gambrinus

Velkopopovický kozel

Budweiser Budvar

Plzeňský prazdroj (Pilsner Urquell)

De geschiktste plaats om bier te drinken, is een bierkelder *(pivnice)* of een café. Per café verkoopt men slechts één merk, maar wel verschillende soorten bier. De bekendste merken zijn Plzeňské en Gambrinus uit Plzeň, Staropramen uit Praag en Velkopopovické uit Velké Popovice, ten zuiden van Praag. Meestal drinkt men licht tapbier *(světlé)*, maar in sommige gelegenheden – zoals U Fleků *(blz. 155)* en U Kalicha *(blz. 154)* – schenkt men ook donker bier van de tap *(tmavé)*. Voorts kunt u *kozel* bestellen, een soort bokbier. Een halve liter bier bestelt u door een *velké* (grote) te vragen, als u een *malé* (kleine) vraagt, krijgt u eenderde liter. De echte Tsjech drinkt overigens geen kleintje! Het personeel neemt uw bestelling op en schrijft op een bon op uw tafel wat u hebt gehad. Er zijn cafés *(blz. 205)* waar men er automatisch van uitgaat dat u tot

sluitingstijd door zult drinken. U hoeft niet vreemd op te kijken als er ongevraagd bier wordt gebracht, en u kunt gewoon 'nee' zeggen als u toevallig op dat moment geen zin of dorst meer hebt. U betaalt pas wanneer u vertrekt.

Genietend van een drankje in een van de Praagse biertuinen

WIJN

Tsjechische wijn is nog niet zo in trek als die uit sommige andere Oost-Europese landen. De meeste wijn komt uit Moravië, maar die wordt vooral voor plaatselijke consumptie gemaakt. Ook in Bohemen, met name rond Mělník ten noorden van Praag, wordt wat wijn gemaakt. De witte wijnen worden meestal van Riesling-, Müller-Thurgau- of Veltliner-druiven gemaakt (*polusuché* is halfdroog en *suché* is droog). Rulandské (Pinot) is een redelijk droge witte wijn. De rode wijnen zijn

Rulandské wit en rood

beter, met name Frankovka en Vavřinecké. In het najaar wordt in de hoofdstad *burčák* gedronken. Dit is een halfgegiste, jonge en zoete witte wijn.

STERKE DRANK

Becherovka, een bitterzoet amberkleurig kruidendrankje, is in elk restaurant en café te krijgen. Men drinkt het zowel voor als na de maaltijd, al dan niet verdund met tonic. Verder kent men borovička, een distillaat van jeneverbes, en slivovice, een pruimenbrandewijn die u wel even moet leren drinken. Buitenlandse drank en cocktails zijn duurder.

Becherovka

Een restaurant kiezen

Deze restaurants zijn geselecteerd op prijs-kwaliteitverhouding of het niveau van de keuken. Ze zijn ingedeeld naar stadswijk, te beginnen met Oude Stad en daarna geleidelijk verder buiten de stad. Ook zijn ze per prijsklasse alfabetisch gerangschikt. De gekleurde balkjes en symbolen hieronder geven nadere bijzonderheden die de keuze vergemakkelijken.

Oude Stad

Bohemia Bagel (Kč)
Masná 2. **Kaart** 3 C3. ☎ *24 81 25 60.*
Voor het ontbijt met de beste prijs-kwaliteitverhouding van de stad moet u in deze bagelwinkel annex café zijn. Voor een redelijke prijs kunt u ook gebruikmaken van een supersnelle internetverbinding. Het is zo populair dat men al een tweede Bohemia Bagel heeft geopend op Újezd 16. ★ [V]

Country Life (Kč)
Melantrichova 15. **Kaart** 3 B4. ☎ *224 213 366.*
Dit restaurant is onderdeel van een internationale keten van vegetarische restaurants, maar zijn schilderachtige locatie is onovertroffen. Tegen lunchtijd wordt het overspoeld door hongerige vegetariërs en omnivoren op zoek naar pizza, salade en soep. [V] [closed] *za, zo.*

Klub Architektů (Kč)
Betlémské nám 5A. **Kaart** 3 B4. ☎ *224 401 214.*
Dit juweel ligt verscholen in een doolhof van doorgangen en arcaden, te bereiken via een binnenplaats bij de Bethlehemkapel. Geniet van de stevige porties, en, ongebruikelijk voor een voordelig restaurant in Praag, van een ruime selectie vegetarische gerechten. [V]

Dahab (Kč)(Kč)
Dlouhá 33. **Kaart** 3 C3. ☎ *22 00 00 00.*
Midden in de Oude Stad is Dahab misschien wel de enige plek in Praag waar u na de maaltijd kunt aanschuiven voor de waterpijp. Dahab, een theehuis, patisserie, café en restaurant ineen, biedt een leuk assortiment Midden-Oosterse gerechten, waaronder ook vegetarische schotels. [V]

James Joyce (Kč)(Kč)
Liliová 10. **Kaart** 3 B4. ☎ *24 24 87 93.*
'James Joyce', de eerste Ierse pub van Praag, bereidt stevige maaltijden als het echte Ierse ontbijt, stevige sandwiches en volgens ingewijden nog steeds de beste *Irish stew* van Praag. ★

Patriot X (Kč)(Kč)
V Celnici 3. **Kaart** 4 D3. ☎ *224 235 158.*
Dit Tsjechische restaurant, met café en bar, valt op door zijn Scandinavisch aandoende minimalistische inrichting. De porties zijn echter als vanouds Tsjechisch. Boven vindt u het café, het restaurant met bar (met pooltafels) bevindt zich beneden. Terras met fraai uitzicht.

Red, Hot and Blues (Kč)(Kč)
Jakubská 12. **Kaart** 3 C3. ☎ *22 31 46 39.*
Op de plaats waar zich 500 jaar geleden de koninklijke stallen bevonden, wordt nu de echte creoolse keuken van New Orleans bereid: chili, *chowder* (stevige soep), hamburgers met alles erop en eraan, en *étouffé* (stoofpot). Levendige jazz of blues op de meeste avonden. [V] [music] [terrace]

Restaurant La Provence (Kč)(Kč)
Štupartská 9. **Kaart** 3 C3. ☎ *222 324 801.*
Het is de moeite waard om van de Banana Bar af te dalen langs de wenteltrap naar dit redelijk geprijsde Franse streekrestaurant. Op de kaart staan typische gerechten als konijn en eend. Het landelijke interieur heeft een heel eigen charme. [V]

Rybí Trh (Vismarkt) (Kč)(Kč)
Týnský dvůr 5. **Kaart** 3 C3. ☎ *224 895 447.*
Rybí Trh heeft pas een mooie renovatie ondergaan, maar aan het eten is niets veranderd: u hebt nog steeds de keuze uit zoetwatervis, zeevis, kreeft en oesters, die ofwel in het aquarium zwemmen of vers worden geïmporteerd. Op de wijnkaart staan veel wijnen uit Amerika. [wine] [terrace]

	Creditcards	Menu voor een vaste prijs	Tsjechische specialiteiten	Interessante locatie	Geopend tot laat
Bohemia Bagel		●			
Country Life					
Klub Architektů	AE DC MC V	●	■	●	
Dahab	AE DC MC V				■
James Joyce	AE MC V				
Patriot X	AE DC MC V				
Red, Hot and Blues	AE MC V				
Restaurant La Provence	AE DC MC V				■
Rybí Trh (Vismarkt)	AE DC MC V JCB				

Prijsklassen voor een drie-gangenmenu per persoon, inclusief een halve fles huiswijn, belasting en bediening:
Ⓚ tot Kč250
ⓀⓀ Kč250–450
ⓀⓀⓀ Kč450–650
ⓀⓀⓀⓀ boven Kč650

CREDITCARDS
Geeft aan welke creditcards worden geaccepteerd: AE American Express, DC Diners Club, MC MasterCard, V Visa.

MENU VOOR EEN VASTE PRIJS
Er is een voordelig menu (meestal drie gangen).

TSJECHISCHE SPECIALITEITEN
De menukaart biedt typisch Tsjechische gerechten.

INTERESSANTE LOCATIE
Op een bijzondere of historische locatie, of met mooi uitzicht.

GEOPEND TOT LAAT
U kunt om of na 22.30 uur nog bestellen.

	CREDITCARDS	MENU VOOR EEN VASTE PRIJS	TSJECHISCHE SPECIALITEITEN	INTERESSANTE LOCATIE	GEOPEND TOT LAAT

TAVERNA TOSCANA ⓀⓀ
Malé náměstí 11/22. **Kaart** 3 B4. 🄲 *21 61 15 35*.
Op dit adres slaat u twee vliegen in een klap: op nr. 11 is een trattoria gevestigd die antipasti, salades, pasta, risotto en vleesgerechten serveert, en even verderop, op nr. 22, een van de beste pizzeria's van Praag.
AE MC V — | | | | ■

CHEZ MARCEL ⓀⓀⓀ
Haštalská 12. **Kaart** 3 C2. 🄲 *22 23 15 676*.
Chez Marcel is een vleugje Frankrijk in het centrum van Praag. Het gemêleerde publiek, zakenmensen maar ook studenten, komt af op de regionale *plats du jour* (dagschotels), de steak *au poivre*, de verse mosselen en de beste Franse friet van de stad. 🄳 ★ 🔳

DON GIOVANNI ⓀⓀⓀ
Karolíny Světlé 34/208. **Kaart** 3 A4. 🄲 *22 22 20 60*.
Het eerste betere Italiaanse restaurant van Praag (sinds 1989) is genoemd naar de opera waarvan Mozart de première beleefde in de Staatsopera hier vlakbij. Op de kaart onder andere zeevruchten als kreeft en krab, vers uit het eigen aquarium. ★ 🆅
AE DC MC V — | | ● |

PRAVDA ⓀⓀⓀ
Pařížská 17. **Kaart** 3 B2. 🄲 *22 32 62 03*.
Pravda, een fijne mix van oud en nieuw met stijlvolle ruimten in goud en wit en obers in uniform, is iets voor avontuurlijk ingestelde eters: de kaart is geïnspireerd door Azië en Scandinavië. Zo geniet u van – relatief dure – visgerechten als *cajun*-rivierkreeft en gepocheerde kabeljauw. ★
AE DC MC V — | | | ■

RESTAURACE STOLETÍ ⓀⓀⓀ
Karolíny Světlé 21. **Kaart** 3 A4. 🄲 *222 220 008*.
De gewelfde plafonds en het oude porselein van dit rustige, intieme restaurant doen denken aan vroeger tijden. De namen van de gerechten zijn geïnspireerd op beroemdheden van weleer; zo is er een Marlène Dietrich (gevulde avocado met roquefortcrème en marsepein), maar ook een Al Capone (drumsticks met pikante salsa en papaja).
AE MC V

REYKJAVIK ⓀⓀⓀ
Karlova 20. **Kaart** 3 A4. 🄲 *2222 12 18*.
Dit IJslandse restaurant serveert redelijk goede visgerechten als *frutti di mare*, garnalencocktail en IJslandse zalm – deze wel gegrild *à la Norvégienne* (op Noorse wijze). De bediening is efficiënt maar discreet. Knusse gelegenheid voor een koude winterdag. ★ 🄳
AE DC MC V — | | ● |

TRATTORIA VECCHIA MODENA ⓀⓀⓀ
Michalská 6 Stare' Město. **Kaart** 3 B4. 🄲 *224 225 836*.
Sfeervol karakteristiek Italiaans restaurant – vlak bij het Plein Oude Stad – met gerechten uit Emilia Romagna. Van harte aanbevolen zijn de huisgemaakte pasta, die elke dag vers wordt bereid, en het uitstekende koude buffet.
★ 🆈 🆅 🄳 🔳
AE MC V — ● | | | ■

U MODRÉ RŮŽE (DE BLAUWE ROOS) ⓀⓀⓀⓀ
Rytířská 16. **Kaart** 3 B4. 🄲 *224 225 873*.
Er is voor ieder wat wils op het Tsjechisch/internationale menu van dit mooie restaurant: rund- en lamsvlees, wild, zeebanket en vegetarisch. Op een unieke locatie in fraai gerestaureerde 15de-eeuwse catacomben. 🎵 🆅
AE DC MC V — | | ● |

7 ANGELS ⓀⓀⓀⓀ
Jilská 20. **Kaart** 3 B4. 🄲 *224 234 381*.
Op dit adres is al sinds de 13de eeuw een restaurant gevestigd, maar ondanks ontelbare wisselingen van eigenaar is dit nog steeds een van de charmantste kleine restaurants van Centraal-Europa. De specialiteit is de traditionele Boheemse keuken. 🎵 ★
AE MC V — | ■ | |

Zie voor een verklaring van de symbolen blz. 191

	CREDITCARDS	MENU VOOR EEN VASTE PRIJS	TSJECHISCHE SPECIALITEITEN	INTERESSANTE LOCATIE	GEOPEND TOT LAAT
Prijsklassen voor een drie-gangenmenu per persoon, inclusief een halve fles huiswijn, belasting en bediening: Ⓚ tot Kč250 ⓀⓀ Kč250–450 ⓀⓀⓀ Kč450–650 ⓀⓀⓀⓀ boven Kč650	**CREDITCARDS** Geeft aan welke creditcards worden geaccepteerd: AE American Express, DC Diners Club, MC MasterCard, V Visa. **MENU VOOR EEN VASTE PRIJS** Er is een voordelig menu (meestal drie gangen). **TSJECHISCHE SPECIALITEITEN** De menukaart biedt typisch Tsjechische gerechten. **INTERESSANTE LOCATIE** Op een bijzondere of historische locatie, of met mooi uitzicht. **GEOPEND TOT LAAT** U kunt om of na 22.30 uur nog bestellen.				

BELLEVUE   ⓀⓀⓀⓀ
18 Smetanovo nábřeží 2. **Kaart** 3 A5. ▌ *22 22 14 49.*
Bellevue, dat bij de rivier ligt, kijkt schitterend uit op het kasteel. Het interieur is een triomf van de Jugendstil, met houten lambriseringen langs de muren en marmeren vloeren. Op de kaart heerlijkheden uit Australië en Nieuw-Zeeland zoals *carpaccio* met Nieuw-Zeelands lam. ★

AE DC MC V JCB			●	

FLAMBÉE   ⓀⓀⓀ
Husova 5. **Kaart** 3 B4. ▌ *224 248 512.*
Flambée is trots op zijn beroemde gasten, van Madeline Albright tot Pink Floyd, maar nog trotser op zijn bekroonde keuken en inrichting. De gerechten die in dit decor passen, zijn verse kreeft, terrine van fazant en biefstuk van jonge stier op een *glassée* van foie gras. ▐ 🎵

AE DC MC V	●			▦

LE SAINT-JACQUES   ⓀⓀⓀⓀ
Jakubská 4. **Kaart** 3 C3. ▌ *222 322 685.*
Saint-Jacques wordt geleid door de Franse eigenaar, die even attent is als zijn kookkunst rijk. De visgerechten van het steeds wisselende menu zijn altijd goed. Een pianist en een violist brengen elke avond een serenade.

AE DC MC V				

OPERA GRILL   ⓀⓀⓀⓀ
Karolíny Světlé 35. **Kaart** 3 A4. ▌ *22 22 05 18.*
De Opera Grill heeft slechts zeven tafeltjes, waardoor het heel intiem aandoet – en boeken gewenst is. Op de kaart internationale gerechten als lamsvlees, pasta en steak. ★ 🎵

AE MC V	●			

JOODSE WIJK

ORANGE MOON   ⓀⓀ
Rámová 5. **Kaart** 3 C2. ▌ *22 32 51 19.*
Het sinds de opening zeer populaire Orange Moon trekt de lokale voorliefde voor licht-pikant eten door in het overdrevene en deelt de gerechten op de kaart in met een, twee of drie pepers. 🅥

AE MC V	●			

U SÁDLŮ   ⓀⓀ
Klimentská 2. **Kaart** 4 D2. ▌ *24 81 38 74.*
De kitscherige aspecten van dit middeleeuwse restaurant zijn consequent doorgevoerd, wat niet onaangenaam is. Kies een gerecht van de kaart met namen als 'Vlees van een apocalyptisch biggetje!'. Vrolijke bediening.

DC MC V		▦		

BAROCK   ⓀⓀⓀ
Pařížská 24. **Kaart** 3 B2. ▌ *223 292 21.*
Een gevarieerde kaart met uitstekende Thaise en Japanse gerechten, opgediend door efficiënt personeel in dit eeuwig modieuze restaurant. Het voldoet niet alleen aan de mode, maar ook aan hoge kwaliteitseisen. ★ 🅥

AE DC MC V				▦

JEWEL OF INDIA   ⓀⓀⓀ
Pařížská 20. **Kaart** 3 B2. ▌ *24 81 10 10.*
De specialiteit hier is de mogol-keuken uit Noord-India, hoewel het restaurant voor oningewijden misschien op een doorsnee Indiaas restaurant lijkt. Heerlijke samosa, pakora, chicken-masala en rogan josh. 🅥

AE MC V				

KING SOLOMON   ⓀⓀⓀⓀ
Široká 8. **Kaart** 3 B3. ▌ *24 81 87 52.*
Het lichte, aangename King Solomon heeft een wintertuin. Perfect bereid voedsel aangevuld door koosjere wijnen uit de Tsjechische Republiek en elders. Men levert sjabbat-maaltijden aan hotels. ★ 🅥 ● *vr–za.*

AE MC V	●			

U ČERVENÉHO KOLA (BIJ HET RODE WIEL)   ⓀⓀⓀⓀ
Anežská 2. **Kaart** 3 C2. ▌ *24 81 11 18.*
Achter het St.-Agnesklooster *(blz. 92–93)* vindt u dit elegante restaurant met dikke tapijten, antieke klokken en zacht beklede stoelen. Biefstuk is de specialiteit van het huis. Tevens een tuinkamer. ★ ▦

AE DC MC V JCB				

Praagse Burcht en Hradčany

Palffy Palace Restaurant Ⓚ Ⓚ Ⓚ Ⓚ
Valdštejnská 14. **Kaart** 2 E2. ☎ 57 53 14 20.
Ga binnen bij Valdstenjska 14 en beklim de stenen trap naar dit alternatieve restaurant in een aristocratische ruimte. Van de nabijgelegen muziekschool sijpelen klanken naar binnen, die bij de wisselende gerechten passen. ★ 🍴

AE MC V	●	■	●	

Peklo (Hel) Ⓚ Ⓚ Ⓚ Ⓚ
Strahovské nádvoři 1. **Kaart** 1 B4. ☎ 220 516 652.
Peklo ligt bij het premonstratenzer Strahovklooster. De wijnkelder is al in gebruik sinds de 14de eeuw. Het restaurant bereidt een goede Tsjechische en internationale keuken en heeft een prachtige selectie wijnen. 🍴 ★ ● zo.

AE DC MC V	■	

Kleine Zijde

Bazaar Ⓚ Ⓚ
Nerudova 40. **Kaart** 2 D3. ☎ 257 535 050.
In deze verzameling restaurants en bars serveert men u een iets te dure mediterrane keuken tegen een weelderige en excentrieke achtergrond, maar het mooiste uitzicht op Praag boven maakt veel goed. �V 🍴

AE DC MC V	●	■

Hungarian Grotto Ⓚ Ⓚ
Tomášská 12. **Kaart** 2 E3. ☎ 257 532 344.
Het land van tokay-wijn, stierenbloed, goulash en paprika is de inspiratie-bron van dit voordelige, romantisch-rustieke kelderrestaurant met binnen-plaats. De geest van een 17de-eeuwse bakker zou er bovendien rondwaren.

AE MC V	●

Mount Steak Ⓚ Ⓚ
Josefská 1. **Kaart** 2 E3. ☎ 257 532 652.
Een toprestaurant voor de ware vleesliefhebber: op de kaart staan 60 verschillende soorten biefstukken, waaronder everzwijnen-, herten-, kangaroe-, haaien- en struisvogelbiefstuk. Er is ook een bar. 🍴 ★ �V 🍴

AE DC MC V JCB	●	■

U Černého Orla (Bij de zwarte adelaar) Ⓚ Ⓚ
Malostranské náměsti 14. **Kaart** 2 E3. ☎ 57 53 32 07.
Knus toevluchtsoord voor wie de drukte van Malá Strana buiten te veel wordt. Traditioneel Tsjechisch eten in genereuze porties. Heerlijke deserts. ★

AE MC V	■

David Ⓚ Ⓚ Ⓚ
Tržiště 21. **Kaart** 2 E3. ☎ 57 53 31 09.
Lekkerbekken zullen geen bezwaar hebben tegen de klim naar restaurant David, want voor het vaste lunchmenu kunt u minstens 2 uur uittrekken. Interessante wijnkaart. �V ★

AE DC MC V JCB	●

Koto Ⓚ Ⓚ Ⓚ
Mostecká 20. **Kaart** 2 E3. ☎ 257 532 922.
Praag telt een dozijn sushibars, waarvan deze de eerste was. Hij is tevens een van de beste. Japans personeel en een redelijk geprijsd menu. �V

AE DC MC V	●

Nebozízek (Kleine avegaar) Ⓚ Ⓚ Ⓚ
Petřínské sady 411. **Kaart** 2 D5. ☎ 257 31 53 29.
Tijdens de lente en zomer is de patio van dit restaurant enorm populair, wellicht vanwege het uitzicht? Stijlvol interieur en een gevarieerd menu met zeebanket, Chinese en Tsjechische gerechten, steaks enzovoort. ★ 🍴

AE DC MC V	■

Kampa Park Ⓚ Ⓚ Ⓚ Ⓚ
Na Kampě 8b. **Kaart** 2 F4. ☎ 257 532 685.
Dit chique restaurant aan de Vltava heeft zwaar geleden onder de over-stroming van 2002. Het is gerestaureerd en er hangen nu weer foto's van beroemde gasten. Europese 'fusion'-gerechten, waaronder ook vegetarische. ★ 🍴 �V

AE DC MC V	●	●

U Malířů (Bij de schilder) Ⓚ Ⓚ Ⓚ Ⓚ
Maltézské náměsti 11. **Kaart** 2 E4. ☎ 257 530 318.
Op deze plaats is al een restaurant sinds 1543. Ook toen werd U Malířů alom geprezen: de voorproevers van Rudolf II kenden het drie koninklijke sterren toe. Traditionele en moderne Franse keuken van grote klasse. 🍴 ★

AE DC MC V JCB	●

	CREDITCARDS	MENU VOOR EEN VASTE PRIJS	TSJECHISCHE SPECIALITEITEN	INTERESSANTE LOCATIE	GEOPEND TOT LAAT

Prijsklassen voor een drie-gangenmenu per persoon, inclusief een halve fles huiswijn, belasting en bediening:
Ⓚ tot Kč250
ⓀⓀ Kč250–450
ⓀⓀⓀ Kč450–650
ⓀⓀⓀⓀ boven Kč650

CREDITCARDS
Geeft aan welke creditcards worden geaccepteerd: AE American Express, DC Diners Club, MC MasterCard, V Visa.
MENU VOOR EEN VASTE PRIJS
Er is een voordelig menu (meestal drie gangen).
TSJECHISCHE SPECIALITEITEN
De menukaart biedt typisch Tsjechische gerechten.
INTERESSANTE LOCATIE
Op een bijzondere of historische locatie, of met mooi uitzicht.
GEOPEND TOT LAAT
U kunt om of na 22.30 uur nog bestellen.

U MODRÉ KACHNIČKY (BIJ HET BLAUWE EENDJE) ⓀⓀⓀⓀ
Nebovidská 6. **Kaart** 2 E4. 📞 57 32 03 08.
AE DC MC V
De beschilderde muren van dit restaurant vormen het beste voorbeeld van moderne Jugendstil in Praag. Het is een paradijs voor carnivoren: grote selectie wildgerechten en ander vlees, maar ook zalm. Overvloedige porties.

U TŘÍ PŠTROSŮ (BIJ DE DRIE STRUISVOGELS) ⓀⓀⓀⓀ
Dražického náměstí 12. **Kaart** 2 E3. 📞 57 53 24 10.
AE DC MC V JCB · ■ ·
Het interieur van 'Bij de Drie Struisvogels' doet denken aan een Beiers jachthuis, maar de keuken is zeer Tsjechisch. Voor de avontuurlijker smaak zijn er onder andere goulash en rollade 'op zijn Praags'. ★ Ⓥ

VALDŠTEJNSKÁ HOSPODA (HERBERG WALDSTEIN) ⓀⓀⓀⓀ
Valdštejnské nám 7. **Kaart** 2 E3. 📞 257 531 759.
Renovatie heeft deze oude karakteristieke herberg de oorspronkelijke details van het 15de-eeuwse gebouw teruggegeven, zoals plafonds en metselwerk. Het Tsjechische menu verraadt een voorkeur voor wild.

NIEUWE STAD

BUFFALO BILL'S Ⓚ
Vodičkova 9. **Kaart** 5 C1. 📞 224 948 624.
AE DC MC V
Het was een hele gebeurtenis toen Buffalo Bill's tien jaar geleden zijn deuren opende aan deze drukke verkeersader. Er komen nog steeds buurtbewoners én toeristen af op de 'Tex Mex'-gerechten en de keuze aan spareribs en vleugeltjes van de barbecue. Zeer kindvriendelijk.

CAFÉ IMPERIAL Ⓚ
Na Poříčí 15. **Kaart** 4 D3. 📞 23 16 012.
AE DC MC V ■
Dit café met hoog plafond is overladen met fraai art-decotegelwerk en ademt de sfeer van een Europees koffiehuis. Het is betaalbaarder dan het eruitziet en biedt lichte ontbijten, lunches, diners en snacks. ★

HOTEL EVROPA CAFÉ Ⓚ
Václavské náměstí 25. **Kaart** 3 C5. 📞 224 228 117.
AE MC V ·
Het café dat de 'V' aan het Evropa schonk blijft een Jugendstil-klassieker, ondanks het feit dat de elegantie hier en daar wat versleten raakt. Vraag of u een blik in het restaurant mag werpen, dat model stond voor de eetzaal van de *Titanic*. ★ 🎬

CAFÉ RESTAURANT LOUVRE ⓀⓀ
Národni třída 20. **Kaart** 3 B5. 📞 224 930 912.
AE DC MC V JCB ·
Het sinds het begin van de 20ste eeuw hier gevestigde café-restaurant Louvre is een ideale plek voor het ontbijt. Op de restaurantkaart Tsjechische en Europese gerechten, op de cafékaart een mooie selectie taart en gebak. Met mooie biljartkamer. Ⓥ

DON JUAN ⓀⓀ
Na struze 7. **Kaart** 5 A1. 📞 224 930 182.
AE MC V
De flamencogitaarmuziek en het kaarslicht bij Don Juan vormen de ideale achtergrond voor de klassieke Spaanse gerechten. Met name de visgerechten, zoals de inktvis op Andalusische wijze, zijn de moeite waard. Foto's van beroemde stierenvechters sieren de muren. 🎵

RADOST FX CAFÉ ⓀⓀ
Bělehradská 120. **Kaart** 6 E2. 📞 224 254 776.
■
Goed vegetarisch eten is nogal een zeldzaamheid in Praag, maar het eten in dit café is zo lekker dat het ook bezocht wordt door niet-vegetariërs, bijvoorbeeld voor de zakenlunch. Er is tevens een bar die gevaarlijke absint-cocktails serveert, en een galerie. Beneden is een glamoureuze discotheek gevestigd waar extravagante themafeesten worden gehouden. ★ Ⓥ

RESTAURANT MARIE TERESIE Ⓚ Ⓚ | AE MC V
Na Příkopě 23. **Kaart** 3 C4. ❰ 224 229 869.
U bereikt dit ruime kelderrestaurant, genoemd naar een Habsburgse
prinses uit Oostenrijk, via een felverlichte winkelgalerij. Traditioneel
Tsjechische gerechten worden geserveerd met een zwierig gebaar.

U FLEKŮ Ⓚ Ⓚ | AE DC MC V JCB
Křemencova 11. **Kaart** 5 B1. ❰ 224 934 019.
Deze brouwerij annex restaurant *(blz. 155)* zou volgens de overlevering
stammen uit 1499. Het eten is van het type dat je in de betere Tsjechische
kroeg aantreft. 🏠

CASABLANCA Ⓚ Ⓚ Ⓚ | AE DC MC V JCB
Na Příkopě 10. **Kaart** 3 C4. ❰ 24 21 05 19.
Kosjer Marokkaans restaurant in het Savarinpaleis. De mediterrane en
Noord-Afrikaanse gerechten worden geserveerd door charmant personeel.
De beste köfte, harira, couscous en pastilla van Praag. Ⓥ 🏠

EL GAUCHO Ⓚ Ⓚ Ⓚ | AE DC MC V JCB
Václavské náměstí 11 – Kenvelo Centrum. **Kaart** 3 C5. ❰ 221 629 410.
El Gaucho is een verrassend authentiek Argentijns restaurant. Steaks van
een echte asado-grill, obers gekleed als gaucho's en een mooie selectie Zuid-
Amerikaanse wijnen. ★

LE BISTROT DE MARLÉNE Ⓚ Ⓚ Ⓚ | AE MC V
Plavecká 4. **Kaart** 5 A4. ❰ 24 92 07 43.
Het rustieke decor van deze Franse bistro is onlangs vervangen door een
gestroomlijndere inrichting, maar de kwaliteit van de keuken en de
presentatie is hetzelfde. Wijnkaart met kwaliteitswijnen. Ⓥ

U KALICHA (BIJ DE KELK) Ⓚ Ⓚ Ⓚ | AE DC MC V JCB
Na bojišti 12–14. **Kaart** 6 D2. ❰ 296 189 600.
Dit restaurant is ingericht naar het thema van de beroemde Tsjechische
roman *De brave soldaat Schwejk (blz. 154, blz. 190)*. De schrijver Jaroslav
Hašek, die hier vaste klant was, liet enkele belangrijke passages zich hier
afspelen. Traditionele Tsjechische keuken voor westerse prijzen. ♫

LA PERLE DE PRAGUE Ⓚ Ⓚ Ⓚ Ⓚ | AE DC MC V JCB
Rašín-gebouw, Rašínovo Nábřeži 80. **Kaart** 5 A2. ❰ 221 984 160.
Op de 7de verdieping van het Rašín-gebouw vindt u dit redelijk geprijsde
maar toch chique Franse restaurant, dat uitzicht biedt op de Vltava en de
Burcht. Uitgebreide wijnkaart; tevens een goede cocktailbar. 🍷 ★

BUITEN HET CENTRUM

GOVINDA VEGETARIAN CLUB Ⓚ |
Soukenická 27. ❰ 24 81 66 31.
Dit Hare Krishna-complex met club, theehuis en restaurant heeft geen
menukaart, maar wel een dagschotel voor minder dan 100 kroon. Het kan
gebeuren dat u hier op de grond moet zitten, aan lage tafels. Ⓥ

AMBIENTE Ⓚ Ⓚ | AE DC MC V
Mánesova 59. **Kaart** 6 E1. ❰ 222 727 851.
Dit eclectische restaurant, dat zo'n beetje alles serveert tussen de
Amerikaanse Southwestern keuken en Italiaans in, is met name populair
vanwege de salades, zoals de beste *caesar*-salade van Praag. Ⓥ

KRÁSNÁ ŘEKA Ⓚ Ⓚ | DC MC V
Anglická 6. **Kaart** 6 E2. ❰ 24 21 81 54.
Dit is nog steeds het beste Chinese restaurant van Praag, hoewel sommigen
vanwege de kleine porties een extra hoofdgerecht bestellen. Op de kaart
alles van tofu tot eend, en een aantal vegetarische opties. Ⓥ

TAJ MAHAL Ⓚ Ⓚ | AE MC V
Škrétova 10. **Kaart** 6 E1. ❰ 24 22 55 66.
U vindt dit Indiase restaurant in een straatje achter het Nationale Museum.
Het is in trek bij in Praag woonachtige buitenlanders. Uitgebreide
menukaart en een exotische sfeer, inclusief sitarmuziek. 🏠 ♫

STŘELECKÝ OSTROFF Ⓚ Ⓚ Ⓚ | AE MC V
Střelecký ostrov 336. **Kaart** 2 F5. ❰ 224 934 026.
Het chique interieur en de bijzondere ligging (op een eiland in de Vltava)
verlenen dit restaurant een geheel eigen karakter. Terras met fraai uitzicht;
Tsjechische en internationale gerechten. 🍷 ♫ 🏠

Cafés, bierlokalen en bars

Er is een heel scala aan etablissementen in Praag waar u iets kunt drinken. Sinds de Fluwelen Revolutie is de keuze aan cafés er enorm op vooruitgegaan, en met name de themabars zijn een concurrent geworden voor de traditionelere cafés. Een van de charmes van Praag is dat het er nog mogelijk is om tot in de late uurtjes door Oude Stad te slenteren en in een café aan te schuiven zowel met Tsjechen als buitenlanders. Wees niet verbaasd als men bij u komt zitten wanneer u alleen aan een tafel zit. In traditionele cafés brengt men u automatisch een nieuw glas bier wanneer de bodem in zicht komt, tenzij u aanstalten maakt om weg te gaan. In Praag kunt u nog alles verwachten: in zogenaamde chique gelegenheden kan de ober knorrig en onbehulpzaam zijn, en in een nederige kroeg weer uiterst beleefd.

TRADITIONELE CAFÉS EN BIERLOKALEN

Traditionele Tsjechische cafés serveren ofwel eten, of zijn grote bierlokalen waar het consumeren van gerstenat de voornaamste bezigheid is. *Hostinec* en *hospoda* geven aan dat het een café met een keuken betreft, een *pivnice* serveert uitsluitend bier, maar de grenzen zijn enigszins vervaagd.

Voor avontuurlijke drinkers is er **U Zlatého tygra** (De gouden tijger), een lawaaiig Tsjechisch café voor literatuurminnaars, stampvol met vooral mannelijke stamgasten. Hier kwam Václav Havel om Bill Clinton in te wijden in de lokale biercultuur. **U Fleků** brouwt zijn unieke bier, Flekovské, sinds 1499. Een ouderwets Praags café waar u Budvar kunt drinken, is **U Medvídků**, niet ver van het Nationale Theater (*blz. 156-157*). De traditionele *hospoda* wordt belichaamd door **U Pinkasů**, op een binnenplaats achter het Wenceslasplein. **Hospoda u Goldexu** deelt zijn keuken met een restaurant en biedt lekker eten. In **U Betlémské kaple**, een oude kapel, serveert men visgerechten en koud bier uit Velké Popovické. **Pivovarský dům**, een verfijndere versie van het traditionele Tsjechische café, brouwt zelf bier.

COCKTAILBARS

Praag telt tegenwoordig een groot aantal cocktailbars; de volgende vormen een selectie van de opvallendste. Aan Pařížská, de chique winkelstraat van Praag, vindt u **Bugsy's**. Deze bar heeft zijn eigen cocktailbijbel, maar tegen het einde van de week trekt hij soms luidruchtig mannelijk publiek. Dat lot blijft het naburige **Barock** nog bespaard, een cocktailbar/restaurant met een chique klantenkring. De nieuwkomer **Tretters** combineert een fraai decor met een wat gemoedelijker sfeer.

IERSE PUBS EN THEMACAFÉS

De Ierse pub is nog steeds het meest voorkomende voorbeeld van het themacafé in Praag. **Caffreys** is een van de populairste – en duurdere – Ierse cafés (vlak bij Plein Oude Stad). In **Rocky O'Reilly's**, de grootste van dit type café, is het een drukke boel, **Scarlett O'Hara's** is een rustig alternatief. **James Joyce**, op een steenworp van de Karelsbrug, is misschien wel de duurste Ierse pub van Praag. Hiernaast bevindt zich mogelijk de enige hybride Iers-Cubaanse kroeg ter wereld, het lawaaiige maar grappige **O'Che's**.

In de **Tendr Club** zijn er Cubaanse danseressen, en **La Casa Blu** is een Zuid-Amerikaanse bar met een vaak carnavaleske sfeer. **Prace**, weer iets compleet anders, herinnert aan het 'goede' oude Stalin-tijdperk aan de hand van memorabilia uit die tijd.

BOHÉMIEN-CAFÉS

Deze cafés liggen niet alleen in het geografische hart van Bohemen, maar vertegenwoordigen ook de onconventionale kant van het Praagse stadsleven. Het drukke **Chapeau Rouge**, een van de beruchtste drinkgelegenheden in Oude Stad, trekt een gevarieerd publiek. Het grote, met rood fluweel beklede **Marquis de Sade**, gevestigd in een oud bordeel, ademt eenzelfde sfeer. Aan de overzijde van de Vltava, in de omgeving van de Burcht, ligt **U Malého Glena**, een van de oudste cafés voor de in Praag woonachtige buitenlanders. **Jo's Bar & Garáž**, niet ver hiervandaan, is nog een voorbeeld van een beproefd buitenlanderscafé. Deze kleine, donkere pub, Mexicaans eetcafé en disco ineén raakt snel vol. Verderop in Žižkov ligt de grote verbouwde bioscoop en cultureel centrum **Akropolis**, waar altijd wel live muziek en deejays te beluisteren zijn.

SPORTCAFÉS

Ook sportcafés zitten in de lift in Praag, zoals de kroeg **Legends**, in een kelder met een woud aan televisieschermen. **Jágr's Sports Bar** wordt ook bezocht door sportfanaten, niet in de laatste plaats vanwege het feit dat de eigenaar de Tsjechische ijshockeyheld Jaromír Jágr is.

SOCIETY-CAFÉS

Een laatste categorie drinkgelegenheden zijn de society-cafés, plaatsen waar men kan zien en gezien worden. Ze variëren van rokerige kroegen tot cafés in boekwinkels en biljartclubs. Soms kunt u er ook eten, maar men verkoopt altijd alcoholica. **Lávka** is het mooist gelegen café van Praag: aan de voet van de Karelsbrug met uitzicht over de Burcht. **Dolce Vita** en **Slavia**, pas heropend tegenover het Nationale Theater, en **Café Milena**, bij de Stadhuisklok op Plein Oude Stad, zijn ook populaire ontmoetingsplaatsen.

ADRESSEN

TRADITIONELE CAFÉS EN BIERLOKALEN

Hospoda u Goldexu
Vinohradská 25.
Kaart 6 E1.
22 42 11 806.

Konvikt Pub
Bartoloměiská 11.
Kaart 3 B5.
22 42 31 971.

Lávka
Novotného lávka 1.
Kaart 3 A4.
22 22 22 156.

Parukářka
Vrch Sv. Kříže, Sabinrva 10,
Praha 3. 0606 93 17 18.

Het Bierhuis
PIVOVARSKÝ DŮM
Lípová 15, Praha 2.
Kaart 5 C2.
29 62 16 666.

De Zwarte Stier
U ČERNÉHO VOLA
Loretanské nám 1.
Kaart 1 B3.
254 04 65.

De Gouden Tijger
U ZLATÉHO TYGRA
Husova 17.
Kaart 3 B4.
22 22 21 111.

Het Eruitgeschoten Oog
U VYSTŘELENEHO OKA
U Božich bojovníků 3.
62 78 714.

De Dorstige Hond
ŽIZNIVÝ PES
Elišky Krásnohorské 5.
Kaart 3 B2.
22 23 10 039.

U Betlémské kaple
Betlémské náměstí 2.
Kaart 3 B4.
224 211 879.

U Fleků
Křemencova 11.
Kaart 5 B1.
22 49 34 019.

U Kalicha
Na Bojišti 12-14.
Kaart 6 D3.
29 61 89 600.

U Kocoura
Nerudova 2.
Kaart 2 D3.
25 75 30 107.

U Medvídků
Na Perštýně 7.
Kaart 3 B5.
22 42 11 916.

U Pinkasů
Jungmannovo náměstí 15/16.
Kaart 3 C5.
22 42 22 965.

COCKTAILBARS

Alcohol Bar
Dušní 6.
Kaart 3 B2.
22 48 11 744.

Bar Bar
Všerdova 17.
Kaart 2 E5.
25 73 12 246.

Barock
Pařížská 24.
Kaart 3 B2.
22 32 92 21.

Bugsy's
Pařížská 10.
Kaart 3 B2.
22 32 99 43.

Van zonsopgang tot zonsondergang
OD SOUMRAKU DO ÚSVITU
Týnská 19.
Kaart 3 C3.
22 48 08 250.

Tretters
Kolkovně 3.
Kaart 3 C5.
24 81 11 65.

Ultramarin
Ostrovní 32.
Kaart 3 B5.
22 49 32 249.

IERSE PUBS EN THEMATISCHE CAFÉS

Caffreys
Staroměstské 608/10.
Kaart 3 B3.
22 82 80 31.

James Joyce
Liliová 10.
Kaart 3 B4.
22 42 48 793.

La Casa Blu
Kozí 15.
Kaart 3 C2.
24 81 82 70.

Molly Malone's
U obecního dvora 4.
Kaart 4 D3.
24 81 88 51.

O'Che's
Liliová 14.
Kaart 3 C3.
22 22 21 178.

Rocky O'Reilly's
Štěpánská 32.
Kaart 3 A5.
22 23 10 60.

Scarlett O'Hara's
Mostecká 21.
Kaart 2 E3.
57 53 26 49.

Tendr Club
Pařížská 6.
Kaart 3 B2.
24 81 36 05.

Werk
PRÁCE
Kamenická 9.
22 05 71 232.

BOHÉMIEN-CAFÉS

Akropolis
Kubelikova 27.
Kaart 2 E5.
29 63 30 911.

Chapeau Rouge
Jakubská 2.
Kaart 3 C3.
22 32 62 42.

Duende
Karolíny Světlé 30.
Kaart 3 A4.
22 22 21 255.

Jo's Bar & Garáž
Malostranské nám 7.
Kaart 2 E3.
57 53 33 42.

Marquis de Sade
Templová 8.
Kaart 3 C3.
24 81 75 05.

Paradise Bar
Jiská 18.
Kaart 3 B4.
224 21 55 99.

U Malého Glena
Karmelitská 23.
Kaart 2 E4.
57 53 17 17.

SPORTCAFÉS

Jágr's Sports Bar
Václavské nám 56.
Kaart 3 C5.
22 42 48 793.

Legends
Týn 1.
Kaart 3 C3.
24 89 54 04.

Zlatá hvězda
Ve smečkách 12.
Kaart 6 D1.
22 21 01 24.

SOCIETY-CAFÉS

Dolce Vita
Široká 15.
Kaart 3 B3.
22 32 91 92.

Café Medúza
Belgická 17.
Kaart 6 F3.
22 25 15 107.

Café Milena
Staroměstské nám 22.
Kaart 3 B3.
22 16 32 602.

Hotel Evropa Café
Václavské náměstí 25.
Kaart 3 C5.
22 42 28 117.

Slavia
Smetanovo nábř 2.
Kaart 3 A5.
22 42 20 957.

WINKELEN

Boheems kristal

Sinds de omschakeling naar een vrije-markteconomie en de toetreding van Tsjechië tot de EU zijn het aantal winkels en het aanbod van producten in Praag enorm gestegen. Veel vooraanstaande Amerikaanse en West-Europese winkelketens hebben filialen in Praag geopend en ook de door de Tsjechen zelf gemaakte artikelen zijn veel beter dan vroeger. De meeste goede winkels in Praag bevinden zich in het centrum, vooral rond het Wenceslasplein. De voornaamste winkelstraten zijn autovrij gemaakt. Daardoor kunt u er op uw gemak winkelen, maar ze zijn vaak wel erg druk. In een aantal warenhuizen is een uitgebreid assortiment Tsjechische en westerse spullen te koop. Als u liever op een andere manier uw boodschappen doet, is op de traditionele markten alles te koop, van verse groenten en fruit tot Russische kaviaar, speelgoed, kleding, meubilair, Tsjechisch handwerk, elektrische onderdelen en zelfs tweedehands auto's.

OPENINGSTIJDEN

De gebruikelijke openingstijd voor Praagse winkels is op maandag tot vrijdag van 8.00 tot 18.00 uur en op zaterdag tot 12.00 uur (supermarkten zijn langer open). Omdat veel winkels helemaal van het toerisme afhankelijk zijn, wordt niet al te strak aan deze tijden gehouden. Exclusieve winkels hebben hun openingstijden aangepast en zijn geopend van 10.00 uur tot 's avonds laat.

Winkels voor etenswaren gaan vaak al om 7.00 uur open – aangepast aan de werktijden van de Tsjech – en sluiten om 19.00 uur. Sommige winkels gaan tussen de middag ook dicht, ergens tussen 12.00 en 14.00 uur. Warenhuizen en grote winkelcentra gaan ook al vroeg open, maar blijven wat langer draaien, meestal tot ongeveer 20.00 uur.

In alle winkels is het vooral op zaterdag druk en als u rustig wilt winkelen, kunt u dat beter op een door-de-weekse dag doen. De Praagse markten beginnen meestal heel vroeg, maar wanneer ze ermee ophouden varieert nogal.

Een van de vele antiekwinkels in de Mosteckástraat, Kleine Zijde

HOE BETAALT U

De meeste gebruiksartikelen zijn in Praag goedkoper dan vergelijkbare spullen in West-Europa. Omdat er zich steeds meer multinationals in de stad vestigen, zoals Boss en Pierre Cardin, gaan de prijzen wel omhoog.

De BTW hoort al met de totale prijs van de goederen verrekend te zijn (19 procent van de prijs, afhankelijk van het product); over etenswaren wordt geen BTW geheven. Contante betaling is altijd in Tsjechische kronen, maar bekende creditcards worden ook geaccepteerd *(blz. 222)*. Global Refund is een programma voor bezoekers van buiten de EU, dat belasting-tingvrij winkelen mogelijk maakt voor aankopen boven de Kč1000. Als u iets aanschaft bij een winkel met het Global Refund-symbool, moet u om een taxfree-cheque vragen. Als u het land verlaat moet u uw aankopen, bonnetjes en cheques aan een douanebeambte tonen, die de cheques zal afstempelen en u uw BTW teruggeeft. Zie voor meer informatie de website van Global Refund (www.globalrefund.com)

UITVERKOOP EN KOOPJES

In navolging van de filialen van westerse zaken houden tegenwoordig veel winkels uitverkoop, zodat u aan het einde van het seizoen voordelig kleding kunt kopen.

Het wordt ook gebruikelijk voor de winkels rond het Wenceslasplein, Plein Oude Stad, Na příkopě en 28. října

Russische poppen zoals u die bij kraampjes op straat kunt kopen

om na Kerstmis uitverkoop te houden.

Verse groenten of fruit, vlees en andere bederfelijke waar kunt u het beste aan het begin van de dag inslaan, wanneer de beste spullen nog niet uitverkocht zijn. Prijsverlagingen van bederfelijke etenswaren tegen sluitingstijd van winkels, zoals in westerse landen vaak voorkomt, zijn hier niet gebruikelijk.

WARENHUIZEN

Er zijn momenteel ongeveer tien warenhuizen in Praag, maar in de toekomst zullen er meer bijgebouwd worden. Het bekendste warenhuis is **Kotva** (Anker), in het hart van de stad. De vier verdiepingen hoge winkel bestaat sinds 1975. U hebt er een ruime keuze aan westerse gebruiksartikelen, met name elektronica en kleding. Onder de winkel is een parkeergarage. Het aanbod van Kotva is niettemin een stuk geringer dan u in het westen gewend bent, met uitzondering van levensmiddelen, zoals gerookte vleeswaren. Prijzen van exclusieve westerse artikelen als parfum verschillen vaak niet veel van die in andere landen.

Tesco is ook een populaire winkel: dit warenhuis biedt een goede keus aan Tsjechische en westerse producten, voornamelijk gebruiksartikelen. Het oudste warenhuis in Praag is **Bílá Labut'** (De witte zwaan) aan Na poříčí. Deze winkel, met de eerste lift in Praag, werd

Twee beelden op de gevel van een apotheek in Oude Stad

vlak voor de bezetting in 1939 geopend. De zaak is gemoderniseerd en nu gespecialiseerd in meubilair en andere woonartikelen.

MARKTEN EN OVERDEKTE WINKELCENTRA

De Praagse markten zijn goed gesorteerd en de sfeer is er ontspannen. Afdingen is een wezenlijk onderdeel van het kopen. De grootste van de stad, de **Praagse markt**, vindt u in Holešovice en is gevestigd in een voormalig slachthuis. U kunt er terecht voor verse groente en fruit, allerlei wild en gevogelte, vis, stoffen, bloemen, elektronica en zelfs tweedehands auto's en auto-onderdelen. De markt is op weekdagen tussen 6.00 en 17.00 uur open. In het hart van de stad, in de Havelskástraat, bevindt zich de kleine

Havelmarkt, waar met name groente en fruit worden verkocht. Andere bekende Praagse markten zijn de **Smíchovmarkt** en een klein marktje in de V kotcíchstraat. Bedenk dat sommige op de markt verkochte artikelen, vooral kleding en schoenen, van slechte kwaliteit kunnen zijn.

Er komen steeds meer op westerse leest geschoeide winkelcentra in Praag. De prijs-kwaliteitverhouding is er beter en de producten zijn vaak van hogere kwaliteit dan in de oude warenhuizen. Het **Vinohrady-paviljoen** is na uitvoerige modernisering heropend als winkelcentrum, evenals **Koruna Palace** en de winkelpassage **Myslbek**. Kort geleden openden **Flora Palace** (Palác Flora: neem de metro naar Flora), **Andel** en een filiaal van **Carrefour** (beide metro Andel) hun deuren.

STALLETJES OP STRAAT

In de meeste buurten van Praag is straatverkoop officieel verboden. Een aantal straatverkopers heeft toestemming gekregen om souvenirs te verkopen op en rond de Karelsbrug. Stalletjes zijn toegestaan in de buurt van de ingang van de Oude Joodse Begraafplaats, in de Joodse Wijk en langs de oude trappen die van metrostation Malostranská naar de oostelijke ingang van de Burcht leiden.

Een antiquariaat in de Karlovastraat

Wat koopt u in Praag

Door de val van het IJzeren Gordijn zijn alledaagse artikelen, zoals etenswaren, boeken, foto- en filmapparatuur en toiletartikelen, nu overal in Praag te krijgen. Geïmporteerde kleding is vaak zelfs goedkoper dan in West-Europa. Boheems kristal, porselein, houten speelgoed en antiek, zaken die men van oudsher al in Praag kon kopen, doen het altijd goed als souvenir en zijn vaak nog voor een habbekrats te vinden. De minder gebruikelijke artikelen die in straatstalletjes worden verkocht, winnen snel aan populariteit. U vindt daar onder andere medailles en uniformen van het Russische leger, Russische poppen, houten marionetten, aardewerk en bovendien heel veel sieraden.

GLASWERK EN PORSELEIN

Boheems glaswerk en porselein staan over de hele wereld al eeuwen hoog aangeschreven. Het aanbod, dat reikt van enorme aardewerken vazen tot sierlijke glazen beeldjes, is enorm.

De structuur van kristal, glas en porselein is afhankelijk van de plaats van herkomst. Zowel in **Karlovarský porcelán** als in **Moser** verkoopt men glaswerk en porselein van Moser in Karlovy Vary. Voor rijk versierd glaswerk moet u bij **Kristal** zijn, waar men de producten van Kristalex, een bekend merk uit Nový Bor en Poděbrady verkoopt. Andere winkels waar u een ruime keuze uit glas- en porseleinwerk hebt, zijn **Český křišťál**, **Dana-Bohemen**, en twee fabriekswinkels met de naam **Sklo**. Koopjes worden echter steeds moeilijker te vinden en de prijzen stijgen hand in hand met de vraag. In plaats van oud glas of porselein kunt u daarom ook besluiten om een nieuw voorwerp van dit materiaal te kopen. Die zijn even mooi en vaak veel goedkoper. Omdat het spul zo breekbaar is, wordt in veel van deze winkels alles ingepakt, maar als u een echt duur artikel koopt, moet u wel even controleren of u een goede verzekering hebt. Natuurlijk moet u bij het vervoer behoedzaam zijn. Neem breekbare voorwerpen als handbagage in het vliegtuig mee: het grondpersoneel op de luchthavens wil nog weleens hardhandig zijn.

ANTIEK

Praag is nog altijd een prima stad om op zoek te gaan naar goedkoop antiek, in vergelijking met het westen vallen de prijzen mee. Let op *bazars*, die van alles in huis hebben en waar u vaak koopjes kunt vinden. Antiekwinkels die het bekijken waard zijn, zijn **Dorotheum** en **Starožitnosti**. Bij **Starožitnosti uhlíř** verkoopt men oude uurwerken, en voor liefhebbers van militaire snuisterijen is er **Military Antiques**. Als u artikelen van meer dan Kč1000 koopt, vraag dan of u een exportvergunning nodig hebt. Let ook op namaak, want dat is in veel vormen in omloop.

Een leuke *bazar*-winkel is **Bazar B&P**, dat uitpuilt van de tweedehands spullen. **Bazar nábytku** biedt koopjes op het gebied van meubilair.

HANDWERK

Nog altijd is er in Praag ouderwets gemaakt kwaliteitshandwerk te krijgen. Het aanbod op dit gebied – handgeweven tapijten, houten voorwerpen, tafelkleden, prachtig geschilderde paaseieren, manden, beeldjes in traditionele klederdracht en aardewerk – wordt vervaardigd met een mix van oude Tsjechische en Moravische werkwijzen en moderne technieken. Het is te koop bij straatstalletjes en een flink aantal winkels. **Czech Traditional Handicrafts** verkoopt veel handgesneden houten siervoorwerpen, en het bij toeris-

ten populaire **Hračky** traditioneel speelgoed. Ook bij **Keramika Tupesy** verkoopt men handwerk en volkskunst. Een aantal kraampjes bij Plein Oude Stad verkoopt ook sieraden en houten marionetten.

BOEKEN

Er is een groot aantal boekwinkels in Praag, maar het aanbod is grotendeels Tsjechisch werk. In een aantal gespecialiseerde winkels in het centrum zijn ook boeken in andere talen te krijgen.

Een van de belangrijkste boekhandels is **U Černé Matky Boží**. In deze zaak vindt u Engelse, Duitse en Franse literatuur en Tsjechisch werk dat in die talen vertaald is. Een andere winkel met veel keus is de **Big Ben Bookshop**. Bij **Academia** kunt u kaarten en reisgidsen in allerlei talen vinden. Andere gespecialiseerde boekhandels zijn **Palác knih**, **Kanzelberger**, **Arbes** en **Fišer**. Tweedehands-boekwinkels vindt u vooral in het Gouden Straatje en de Karlovastraat. Een van de beste is **Antikvariát Makovský & Gregor.**

ETENSWAREN

In Praagse supermarkten kunt u de meeste noodzakelijke etenswaren wel krijgen, maar bijzondere hapjes vindt u daar niet. **Delicacieslahůdky** is een kleine delicatessenwinkel met een vlees- en visafdeling. Bij **Jan Paukert** verkoopt men plaatselijke specialiteiten als gerookte worst en kaas. De bakkers rond het Wenceslasplein en de Karmelitskástraat bakken vers brood. De keten **Paneria** verkoopt een grote keuze aan gebak en sandwiches.

APOTHEKEN

De meeste medicijnen zijn in Praag wel te krijgen, maar alleen op recept van een Tsjechische arts *(zie de Adressenlijst hiernaast voor apotheken die 24 uur per dag geopend zijn).*

ADRESSEN

WARENHUIZEN

Anchor
Náměstí Republiky 8.
Kaart 4 D3.
☏ 22 48 01 111.

Tesco
Národní 26.
Kaart 3 B5.
☏ 22 42 27 971.

Witte zwaan
BÍLÁ LABUT'
Na Poříčí 23.
Kaart 4 D3.
☏ 22 48 11 364.

MARKTEN EN OVERDEKTE WINKELCENTRA

Flora Palace
PALÁC FLORA
Vinohradská 151.
Kaart 6 F1.

Havelmarkt
Havelské náměstí.
Kaart 3 C4.

Koruna Palace
Václavské náměstí 1.
Kaart 3 C5.
☏ 22 42 19 526.

Praagse markt
Bubenské nábřeží 306.
Praag 7.
☏ 22 08 00 945.

Smíchovmarkt
Náměstí 14.
října 15.
Kaart 3 C4.
☏ 25 73 21 101.

Vinohradský-paviljoen
Vinohradská 50.
Kaart 6 F1.
☏ 22 20 97 111.

GLASWERK EN PORSELEIN

Boheems kristal
ČESKÝ KŘIŠŤÁL
Železná 14. **Kaart** 3 B5.
☏ 22 42 27 118.
Heeft verschillende filialen.

Dana-Bohemen
GLASWERK, PORSELEIN, KRISTAL
Národní 43. **Kaart** 3 A5.
☏ 22 42 14 655.
Heeft verschillende filialen.

Glaswerk
SKLO
Malé náměstí 6.
Kaart 3 B4.
☏ 22 42 29 221.
Staroměstské náměstí 26–27.
Kaart 3 C3.
☏ 22 42 29 755.

Karlovy Vary-porselein
KARLOVARSKÝ PORCELÁN
Pařížská 2. **Kaart** 3 B2.
☏ 22 48 11 023.

Kristal
Karlova 5. **Kaart** 3 A4.
☏ 22 22 20 064.
Heeft verschillende filialen.

Moser
Na Příkopě 12.
Kaart 3 C4.
☏ 22 42 11 293,
22 42 28 686.
ⓦ www.moser-glass.com

ANTIEK

Starožitnosti uhlíř
Mikulandská 8.
Kaart 3 B5.
☏ 22 49 30 572.

Bazar B&P
Nekázanka 17.
Kaart 4 D4.
☏ 22 42 10 550.

Bazar nábytku
Libenský ostrov.
☏ 26 60 29 310.

Dorotheum
Ovocný trh 2.
Kaart 3 C4.
☏ 22 42 22 001.
ⓦ www.dorotheum.cz

Military Antiques
Charvátova 11.
Kaart 3 C5.
☏ 29 62 40 088.
Heeft verschillende filialen.

Starožitnosti
náměstí Kinských 7.
☏ 25 73 11 245.
ⓦ www.antique-shop.cz

SOUVENIRS

Czech Traditional Handicrafts
Karlova 26.
Kaart 3 A4.
☏ 22 11 11 064.
Řetězová 10. **Kaart** 3 B4.
☏ 22 22 20 433.

Hračky (traditio-neel speelgoed)
Pohořelec 24.
Kaart 1 B3.
☏ 06 03 51 57 45.

Keramika Tupesy
Truhlářská 9.
Kaart 4 D3.
☏ 22 31 11 56.

BOEKWINKELS

Antikvariát Makovský & Gregor
Kaprova 9. **Kaart** 3 B3.
☏ 22 23 28 335.

Arbesovo knihkupectví
BOEKHANDEL ARBES
Štefánikova 26,
Praag 5.
☏ 25 73 29 171.

Big Ben Bookshop
Malá Štupartská 5.
Kaart 3 C3.
☏ 22 48 26 565.

Fišerovo knihkupectví
BOEKHANDEL FIŠER
Kaprova 10.
Kaart 3 B3.
☏ 22 23 20 733.

Kanzelberger
Václavské náměstí 4.
Kaart 4 D5.
☏ 22 42 19 214.

Knihkupectvuí Academia
BOEKHANDEL ACADEMIA
Václavské náměstí 34.
Kaart 4 D5.
☏ 22 42 23 511

Palác knih
Václavské náměstí 41.
Kaart 4 D5.
☏ 22 42 16 201.

U Černé Matky Boží
Celetná 34.
Kaart 3 C3.
☏ 22 42 11 155.

ETENSWAREN

Bakkerij
Kozí 1. **Kaart** 3 C2.
☏ 22 23 20 195.

Jan Paukert
Národní 17.
Kaart 3 B5.
☏ 22 42 14 968.

Delicacies-lahůdky
ZLATÝ KŘÍŽ
Jungmannova 34.
Kaart 3 C5.
☏ 22 11 91 801.

Jan Paukert
Národní 17.
Kaart 3 B5.
☏ 22 42 14 968.

Paneria Pekařstvi
Valentinská 10/20.
Kaart 3 B3.
☏ 22 48 27 912.
ⓦ www.paneria.cz
Heeft verschillende filialen.

APOTHEKEN

*Apotheken hebben geen eigen naam; zoek dus naar **Léky** (drogist) of **Lékárna** (apotheek).*

Národní 35.
Kaart 3 B5.
☏ 22 42 30 086.

Palackého 5.
Kaart 3 C5.
☏ 22 49 46 982.
24 uur per dag geopend

Václavské náměstí 64.
Kaart 3 C5.
☏ 22 22 11 423.

Lékárna u Anděla
Stefanikova 6,
Praag 5.
☏ 25 73 20 918.
24 uur per dag geopend.

AMUSEMENT

Sinds de Fluwelen Revolutie is het uitgaansleven in Praag veel afwisselender geworden. Of u van opera of jazz houdt, of u liever midgetgolf speelt of verkiest om naar voetballen te kijken, in Praag is keuze te over. De bioscopen vertonen regelmatig de nieuwste films, vaak in de oorspronkelijke taal met Tsjechische ondertiteling. Er worden mimevoorstellingen gegeven en het alternatieve theatercircuit bloeit. Praags

Straatmuzikanten vermaken voorbijgangers

eeuwenoude reputatie als muziekstad wordt levend gehouden met orkestmuziek, opera, musicals, jazz en volksmuziek. Er zijn het hele jaar door concerten, soms in schitterende zalen, maar ook regelmatig in de mooie parken van de stad. Kennis van de Tsjechische taal is vaak niet nodig: toneelstukken worden met regelmaat in het Engels uitgevoerd, en muziek, dans en sport zijn taaloverschrij-dende vormen van vermaak.

PRAKTISCHE INFORMATIE

De handigste bron van informatie over evenementen en het uitgaansleven voor buitenlanders is *The Prague Post (blz. 219)*. Deze Engelstalige krant geeft uitgebreide informatie over allerlei evenementen die interessant kunnen zijn voor niet-Tsjechen. Voorstellingen waarbij Engels wordt gesproken of waar het gebodene simultaan wordt vertaald, zijn gemarkeerd. Verder geven kaartverkoopbureaus als **Ticketpro** en **PIS** *(blz. 211)* folders en City Guides uit. Ook worden er talloze informatieve weekbladen uitgegeven. De gratis magazines *Přehled* en *The Month in Prague* zijn ook bij elke **PIS**-vestiging verkrijgbaar. Een uitgebreid overzicht van wat er in de komende

De Opera Mozart *(blz. 214)* voert *Cosí fan tutte* op

week in Praag te doen is, kunt u vinden in *Culture in Prague*. Dit is een gedetailleerde maandelijkse publicatie met informatie over Praagse tentoonstellingen, concerten en voorstellingen.

KAARTJES RESERVEREN

Bij de meeste theaters kunt u van tevoren aan de kassa kaartjes reserveren, maar u kunt zich ook schriftelijk of telefonisch van plaatsbewijzen verzekeren. Bedenk wel dat mensen die u zo benadert vaak uitsluitend Tsjechisch beheersen. Kaartjes voor het Nationaal Theater kunnen ook online worden geboekt: www.opera.cz of www.narodni-divadlo.cz Vooral in de zomermaanden worden de populaire uitgaansgelegenheden vaak door reisgezelschappen volgeboekt, en ook de seizoenkaart slokt flink wat zitruimte op. Meestal zijn een uur voor het begin nog wel kaarten te krijgen van mensen die het hebben laten afweten,

HET POPPENTHEATER IN PRAAG

Het poppenspel bestaat al zo lang als Praag zelf en mag zich ook nu nog in een grote populariteit verheugen. De beroemdste poppenvoorstelling vindt plaats in het **Divadlo Spejbla a Hurvínka** *(blz. 214)*. Vader Spejbl en zijn ontaarde zoon Hurvínek spelen de hoofdrollen. Een ander poppentheater is het **Národní divadlo Marionet** *(blz. 214)*, dat in het weekeinde voorstellingen voor kinderen geeft met touwtjespoppen. In het **Divadlo u Dlouhé** *(blz. 214)* en het **Poppenrijk** *(blz. 214)* worden zo af en toe ook poppenspelen opgevoerd. Zie ook de uitgaansbladen *(blz. 219)*.

Theaterpoppen

maar als u zeker van een
plaats wilt zijn kunt u beter
naar een bespreekbureau
gaan. Nadeel daarvan is de
vaak hoge commissie, waardoor de oorspronkelijke prijs
soms verdubbeld wordt. Vaak
reserveren hotels ook kaarten
voor u.

PRIJZEN VAN KAARTJES

In vergelijking met West-
Europa zijn kaartjes vaak
erg goedkoop, hoewel dat
voor bijvoorbeeld de toegang
tot uitvoeringen tijdens het
muziekfestival De Praagse
Lente niet geldt. De prijzen
lopen van Kč100 voor een
eenvoudige voorstelling tot
Kč1500 voor uitvoeringen van
internationaal bekende
gezelschappen. Creditcards
worden zelden geaccepteerd.

VALSE KAARTJES

Voor populaire voorstellingen, vooral popconcerten,
zijn de laatste tijd veel valse
kaartjes in omloop. Koop uw
kaartjes daarom liever bij een
betrouwbaar bespreekbureau
of bij de zaal zelf.

NACHTELIJK VERVOER

De Praagse metro *(blz.
234)* stopt even na
middernacht, de gewone bus
en tram rond 23.30 uur. Er is
een uitgebreid netwerk van
nachtbussen en -trams, waarvan bij elke halte dienstregelingen hangen. Het
nachtelijk vervoer is heel

De grote zaal in het Rudolfinum
(blz. 214)

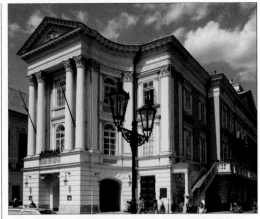

Het neoklassieke gebouw van het Tyltheater (Stavovské divadlo)

betrouwbaar en u kunt bijna
overal komen. Natuurlijk
rijden er in Praag ook veel
taxi's, maar pas op voor
chauffeurs die schaamteloos
veel te veel geld in rekening
brengen *(blz. 237)*. Als u niet
direct bij de uitgang, maar op

Het Sparta-stadion *(blz. 215)*

een paar minuten lopen van
het theater een taxi neemt,
scheelt dat vaak enorm in de
prijs. Bij de hotelreceptie kan
men u adviseren over de
handigste route in Praag.

MUZIEKFESTIVALS

Het bekendste is het mu-
ziekfestival De Praagse
Lente *(blz. 50)*, dat in mei en
juni plaatsvindt. Honderden
musici uit alle delen van de
wereld komen dan naar
Praag. Andere grote muzikale
gebeurtenissen zijn het
Mozartfestival *(blz. 51)*
in de zomer, het festival
De Praagse Herfst *(blz. 52)*
in september en het internationale jazzfestival
(blz. 52), ook in het najaar.

BESPREEKBUREAUS

**Bohemia Ticket
International**
Malé náměstí 13. **Kaart** 3 B4.
22 42 27 832.
Na Příkopě 16. **Kaart** 4 D4.
& FAX 22 42 15 031.
www.ticketsbti.cz

Lucerna
Štěpánská 61. **Kaart** 5 C1.
22 42 12 003.

Pragotur
Staroměstské nám.1. **Kaart** 3 B3.
22 17 14 128/130.
FAX 22 17 14 127.

**Pražská Informační
Služba (PIS)**
Staroměstské náměstí 1. **Kaart** 3 B3.
12 444.
Na Příkopě 20. **Kaart** 4 D4.
www.pis.cz

Praags toeristencentrum
Rytířská 12. **Kaart** 3 C4.
& FAX 22 42 12 209.
www.ptc.cz

Ticketpro
Salvátorská 10. **Kaart** 3 B3.
29 63 28 888.
FAX 29 63 29 999.
www.ticketpro.cz

Top Theatre Tickets
Žatecká 1. **Kaart** 3 B3.
22 48 19 322.
FAX 22 48 19 324.

Týnská Galerie
Staroměstké náměstí 14.
Kaart 3 B3.
22 23 14 936.

Amusement in allerlei vormen

Het artistieke erfgoed van Praag is wereldberoemd. Het theater heeft in de culturele ontwikkeling van de stad een belangrijke rol gespeeld, en de laatste jaren is het aanbod aanzienlijk uitgebreid. Vooral het aantal experimentele theatergezelschappen is sterk gegroeid. Het seizoen loopt, grofweg gezien, van september tot juni. In de zomermaanden vinden er in de parken veel voorstellingen in de openlucht plaats. Ook de muzikale traditie van Praag is vermaard, waarbij de componisten Mozart, Smetana en Dvořák hoofdrollen vertolken. Wie liever het nachtleven in wil, kan terecht in de vele jazz-clubs, bioscopen en andere gelegenheden. Voor alles geldt, dat het relatief goedkoop is.

NIET-TSJECHISCHE VOORSTELLINGEN

In veel theaters worden Duits- en Engelstalige voorstellingen gehouden, vooral in de zomer. Bovendien is er bij veel Tsjechische producties gelegenheid om naar een simultaanvertaling in een andere taal te luisteren. In de uitgaansbladen (blz. 219) vindt u hier meer informatie over.

DE GROTE THEATERS

Het eerste theater in Praag dateert uit 1738, maar Praags faam op dit gebied bestaat al sinds de Barok en de Renaissance.
Het belangrijkste podium voor opera, ballet en toneel is het **Nationale Theater** (blz. 156). Het aanpalende Nieuwe Scène geniet eveneens groot aanzien. Dit is ook de thuishaven van **Laterna Magika**, een van de bekendste gezelschappen in Praag en ook Europees gezien vooraanstaand op het gebied van het geïmproviseerde theater.
Uit de 19de eeuw dateert de bloei van de zogenaamde 'steentheaters', die tegenwoordig nog steeds een voorname plaats innemen: het **Vinohradytheater** en met name het **Tyltheater** (blz. 65). Het **Praags Hoofdstedelijk Toneel** is een theatergezelschap dat beurtelings optreedt in het **ABC-theater**, het **Komedietheater** en in de **Rokoko dramastudio** optreedt. In het Kolowratpaleis is het **Kolowrattheater** gevestigd.

ALTERNATIEVE THEATERS

In de jaren zestig ontstonden veel alternatieve gezelschappen die de geijkte toneelpatronen wilden doorbreken. Veel van deze groepen zijn ook nu nog actief. Ze treden in kleine theaters op en zijn voor vele acteurs de eerste stap op weg naar een grote carrière geweest.
Tot de experimentele theaters behoren de **Činoherní Klub** met een sterk gezelschap vaste bespelers, **Studio Ypsilon**, waar een van de beste gezelschappen van Praag speelt, het **Theatre Na Fidlovačce**, dat een mix van musicals en gewoon toneel brengt, het grote **Theater onder Palmovka** met zijn mengeling van klassiek en modern toneel en het **Theater in Celetná**. Bij de **Křížík-fontein** in het Jaarbeurscomplex worden klassieke concerten gehouden en spelen voltallige orkesten op de maat van spectaculaire lichtshows. Het **Semafor Theater** is de thuisbasis van de zeer populaire cabaretier Jiří Suchý.

PANTOMIME EN HET ZWARTE THEATER

Enkele zeer populaire theatervormen in Praag zijn het zogenaamde Zwarte Theater (buiten het zicht van de toeschouwers bewegen zwartgeschilderde spelers voorwerpen voor een donkere achtergrond langs), pantomime en mime. Er is op dit gebied zeer veel te zien in Praag en begrip van het

Tsjechisch is hierbij niet nodig. Voor een voorstelling op het gebied van het Zwarte Theater is het **Zwarte Theater Jiří Srnec** een van de belangrijkste podia.

DANS

In het **Nationale Theater**, waar ook een vast balletgezelschap gevestigd is, worden zowel opera- als balletvoorstellingen gehouden. Ook in de **Praagse Staatsopera** en het **Tyltheater** worden dansvoorstellingen gegeven.

KLASSIEKE MUZIEK

De belangrijkste gelegenheden waar klassieke muziek ten gehore wordt gebracht, zijn het **Rudolfinum** (blz. 84) en de Smetanazaal in het **Representatiehuis** (blz. 64). Daarnaast kunt u voor klassieke muziek terecht in het **Atrium in Žižkov** (een omgebouwde kapel), het **Clementinum** en het imposante **Congrescentrum**. Bertramka heeft als extra charme dat het de verblijfplaats van Mozart was toen hij in Praag verbleef.

MUZIEK IN KERKEN EN PALEIZEN

In Praag worden heel veel concerten in kerken en paleizen gehouden. Vaak is een uitvoering van een concert de enige gelegenheid om zo'n gebouw van binnen te bezichtigen. De **St. Jacobskerk** (blz. 65) en de **St. Nicolaaskerk** (blz. 128) in Kleine Zijde, de **St. Nicolaaskerk** (blz. 70) in Oude Stad, de **St. Franciscuskerk** aan het Kruisridderplein (blz. 79), de **St. Vituskathedraal** (blz. 100) en de **St. Jorisbasiliek** (blz. 98) zijn de bekendste kerkelijke podia.
Andere zalen zijn **Nationale Museum** (blz. 147), het **Lobkowitzpaleis** (blz. 99) en het **Sternbergpaleis** (blz. 112).
In de uitgaansbladen (blz. 219) vindt u nadere informatie over de data en aanvangstijden.

OPERA

In de loop van de 20ste eeuw is opera in Praag steeds populairder geworden. Tegenwoordig zijn er twee grote gezelschappen, waarvan er één vaste bespeler van het **Nationale Theater** *(blz. 156-157)* is en de ander in de **Praagse Staatsopera** optreedt. Bij dat laatste gezelschap worden alle opera's in de oorpronkelijke taal uitgevoerd, terwijl u in het Nationale Theater voornamelijk Tsjechische vertalingen zult horen. Voor toeristen is het Nationale theater daarom een iets interessantere gelegenheid. In het **Muziektheater in Karlin** worden klassieke operettes en musicals ten gehore gebracht. Vernieuwender werk is te horen in het **Hudebni Fakulta**.

NACHTCLUBS

Het nachtleven in Praag is druk bezig zijn achterstand ten opzichte van andere Europese steden in te halen. Sinds 1989 is de keuze in nachtclubs, discotheken en cabaretvoorstellingen aanzienlijk uitgebreid.
In de grootste club in Praag, de **Lucerna Bar**, biedt men een gevarieerd programma in een ongewone kelderbalzaal. Het **Variété Praga** heeft een disco- en revueprogramma en behoort tot de populairste clubs. De grootste discotheek in Praag is de **Eden-Palladium Dansclub**. **Zlatý Strom** draait techno-house maar ook seventies- tot nineties-muziek in een middeleeuwse kelder (tot 5 uur). **Radost FX** en **Obvodní Kulturní dům Vltavská** zijn de hipste gelegenheden en trekken bemiddelde Pragenaren met hun techno en house en chique decor.

POPMUZIEK

Liefhebbers van popmuziek komen in Praag goed aan hun trekken. In veel gelegenheden, meestal kleine clubs of cafés, treden uiteenlopende bandjes op. Het feit dat de Praagse bands nu naast covers ook hun eigen composities beginnen te spelen, geeft aan dat de plaatselijke muzikanten in toenemende mate voelen dat zij net zo authentiek kunnen 'rocken' als de internationaal bekende popformaties die Praag aandoen. In het **Rock Café** en de **Uzi rockbar** worden optredens gevolgd door disco-avonden.
Andere gelegenheden waar popmuziek wordt gespeeld, zijn de **Futurum Rock Club**, die tot diep in de nacht doorgaat, en de **Junior Club na Chmelnici**, waar vanaf 19.30 uur een indie-band speelt. In de **Classic Club** is dagelijks een uur gevuld met de populairste muziek uit de jaren zestig.

JAZZ

Jazz in Praag komt niet alleen voort uit de Amerikaanse jazztraditie, maar is mede tot leven gebracht door vooroorlogse Tsjechen als Jaroslav Ježek. Elke vorm van jazz, van dixieland tot swing, is in Praag te beluisteren.
Een van de populairste gelegenheden is de **Jazzclub Reduta**, waar elke avond rond 21.00 uur een optreden begint. In de **Metropolitan Club** gaan uitvoeringen tot diep in de nacht door. In het **Agharta Jazzcentrum** kunt u van muziek genieten en tegelijkertijd iets eten. **U Malého Glena** is een bar-restaurant met live jazz, blues en funkmuziek. In de **Malostranská beseda** wordt vooral traditionele jazz ten gehore gebracht. Ten slotte vindt er voor de echte liefhebber elk jaar in oktober een belangrijk internationaal jazzfestival *(blz. 52)* plaats in Praag. Een must voor de liefhebber.

ETNISCHE MUZIEK

In een paar clubs wordt etnische muziek gespeeld. In de **Palác Akropolis** kunt u dagelijks concerten bijwonen in een sfeervol oud theater. **Obvodní kulturní dům Vltavská** ('Cultuurhuis') heeft een afwisselend programma waarbij tal van artiesten voor het voetlicht treden.

HOMOBARS

De kleine Praagse homoscene richt zich overwegend op mannen, maar er is nu ook een lesbische scene aan het ontstaan. In *Amigo* vindt u de recentste adressen. De **A Club** is het middelpunt van de lesbienne-scene geworden. **Drake's Club**, **Villa Mansland**, **Club Angel**, de disco **Gejzeer** en de kelderbar **Friends** zijn ook populaire ontmoetingsplaatsen.

BIOSCOPEN

Hoewel niet alle eigentijdse films onmiddellijk in Praag te zien zijn, is meer dan 80 procent van de films van Hollywood-makelij. Eénderde daarvan wordt in het Tsjechisch ondertiteld. In de uitgaansbladen *(blz. 219)* leest u welke films waar draaien en in welke taal. De meeste grote bioscopen, zoals **Hvězda**, **Lucerna**, **Slovanský Dům** en **Blaník**, vindt u rond het Wenceslasplein, andere staan aangegeven in de adressenlijst *(blz. 215)*. In de **Bio Konvikt Ponrepo** draait men oude films, en **Evald** is een bioscoop met restaurant.

SPORT

Als u tijdens uw verblijf in Praag iets aan lichaamsbeweging wilt doen, moet u waarschijnlijk het centrum uit, want binnen Praag zijn weinig faciliteiten.
In de **Motol**, op het **Jaarbeurscomplex** *(blz. 162)* en op **Štvanice-eiland** kunt u golfen, tennissen en minigolfen. Voor zwembaden moet u ook uitzwermen naar de buitenwijken, bijvoorbeeld naar **Divoka Šárka** of **Kobylisy**. U kunt ook in de meren bij **Lhotka** en **Šeberák** terecht, terwijl u een uitgebreid aanbod van watersporters vindt bij het **Hostivař stuwmeer** en op de **Keizerlijke Weide**. De belangrijkste kijksporten van Tsjechië zijn voetbal en ijshockey. Sparta Praag, het beste voetbalteam, speelt in het **Spartastadion** in Letná, terwijl ijshockeywedstrijden plaatsvinden in de sporthal van het Jaarbeurscomplex.

ADRESSEN

THEATERS

Černé divadlo Jiřího Srnce
ZWARTE THEATER
JIŘÍ SRNEC
U Lékárny 597,
15600 Praag 5.
📞 25 79 21 835.

Činoherní Klub
DRAMACLUB
Ve Smečkách 26.
Kaart 6 D1.
📞 29 62 22 123.
🅦 www.cinohernklub.cz

Divadlo Spejbla a Hurvínka
SPEJBL EN HURVINEK-THEATER
Dejvická 38.
📞 22 43 12 380.
🅦 www.spejbl-hurvinek.cz

Divadlo V Dlouhê
THEATER IN OUDE STAD
Dlouhá 39. **Kaart** 3 C3.
📞 22 48 26 807.
🅦 www.divadlovdlouhe.cz

Ríše Loutek
POPPENRIJK
Žatecká 1. Staré Mešto.
Kaart 3 B3.
📞 60 37 02 007.
🅦 www.riseloutek.cz

Kolowrattheater
DIVADLO KOLOWRAT
Ovocný trh. **Kaart** 3 C3.
📞 22 49 01 448.
🅦 www.narodni-divadlo.cz

Křižík-fontein
KŘIŽIKOVA FONTÁNA
Výstaviště, Praag 7.
📞 22 01 03 280/295.
🅦 www.krizikova fontana.cz

Laterna Magika
Národní 4. **Kaart** 3 A5.
📞 22 49 14 129.
🅦 www.laterna.cz

Národní Divadlo Marionet
NATIONAAL MARIONETTEN-THEATER
Žatecká 1.**Kaart** 3 B3.
📞 22 48 19 322.

Nationale Theater
NÁRODNÍ DIVADLO
Národní 2.**Kaart** 3 A5.
📞 22 49 01 448.
🅦 www.narodni-divadlo.cz

Praags hoofdstedelijk toneel, ABC-theater
MĚSTSKÁ DIVADLA PRAŽSKÁ
DIVADLO ABC
Vodičkova 28. **Kaart** 3 C5.
📞 22 42 15 943.
🅦 www.ecn.cz/abc

Praags hoofdstedelijk toneel, Komedietheater
MĚSTSKÁ DIVADLA PRAŽSKÁ
DIVADLO KOMEDIE
Jungmannova 1. **Kaart** 5 B1. 📞 22 42 22 734.
🅦 www.divadlokomedie.cz

Praags hoofdstedelijk toneel, Rokoko drama-studio
MĚSTSKÁ DIVADLA PRAŽSKÁ
DIVADLO ROKOKO
Václavské náměstí 38.
Kaart 4 D5.
📞 22 42 12 837.
🅦 www.rokoko.cz

Redutatheater
DIVADLO REDUTA
Národní 20. **Kaart** 3 B5.
📞 22 49 12 246.

Semafortheater
DIVADLO SEMAFOR
Křižíkova 10. **Kaart** 4 F3.
📞 22 18 68 151.

Studio Ypsilon
Spálená 16.
Kaart 3 B5.
📞 22 49 47 119.
🅦 www.ypsilonka.cz

Theater in Celetná
DIVADLO V CELETNÉ
Celetná 17. **Kaart** 3 C3.
📞 22 23 26 843.

Theater onder Palmovka
DIVADLO POD PALMOVKOU
Zenklova 34, Praag 8.
📞 26 63 11 708.
🅦 www.vol.cz/palmovka

Theater Na Fidlovačce
DIVADLO NA FIDLOVAČCE
Kresomyslova 625.
Kaart 6 E5.
📞 26 12 15 722.
🅦 www.fidlovacka.cz

Tyltheater
STAVOVSKE DIVADLO
Ovocný trh. **Kaart** 3 C3.
📞 22 42 15 001.
🅦 www.narodni-divadlo.cz

Vinohradytheater
DIVADLO NA VINOHRADECH
Náměstí Miru 7. **Kaart** 6 F2.
📞 22 42 54 813.
🅦 www.dnv-praha.cz

MUZIEKZALEN

Atrium in Žižkov
ATRIUM NA ŽIŽKOVÉ
Čajkovského 12, Praag 3.
📞 22 27 21 838.

Bertramka
BERTRAMKA MUZEUM W A MOZARTA
Mozartova 169,
Praag 5.
📞 25 73 18 461.

Clementinum
ZRCADLOVÁ SÍŇ KLEMENTINA
Mariánské náměstí 10.
Kaart 3 B3.

Congrescentrum Praag
KONGRESOVÉ CENTRUM PRAHA
5. Května 65. Praag 4.
📞 26 11 71 111.
🅦 www.kcp.cz

Hudební Fakulta AMU
CONSERVATORIUM
Malostranské náměstí 13.
Kaart 2 E3.
📞 25 75 34 206.

Lobkowitzpaleis
Jiřská 1, Pražský hrad.
Kaart 2 E2.
📞 25 75 34 578.

Muziektheater in Karlín
HUDEBNÍ DIVADLO V KARLÍNĚ
Křižíkova 10.
Kaart 4 F3.
📞 26 11 71 111.

Nationaal Museum
Václavské náměstí 68.
Kaart 6 D1.
📞 22 44 97 111.

Praagse Staatsopera
STÁTNÍ OPERA PRAHA
Wilsonova 4.
Kaart 6 E1.
📞 22 42 27 266.
🅦 www.opera.cz

Rudolfinum
Alsšovo nábřeží 12.
Kaart 3 A3.
📞 22 48 93 111.

St. Franciscuskerk
KOSTEL SV. FRANTIŠKA
Křižovnické náměstí.
Kaart 3 A4.

St. Jacobskerk
KOSTEL SV. JAKUBA
Malá štupartská.
Kaart 3 C3.

St. Jorisbasiliek
BAZILIKA SV. JIŘÍ
Jiřské náměstí,
Pražský hrad. **Kaart** 2 E2.

St. Nicolaaskerk (Kleine Zijde)
KOSTEL SV. MIKULÁŠE
Malostranské náměstí.
Kaart 2 E3.

St. Nicolaaskerk (Oude Stad)
KOSTEL SV. MIKULÁŠE
Staroměstské náměstí.
Kaart 3 B3.

St.-Simon en St.-Judaskerk
KOSTEL SV. ŠIMONA A JUDY
Dušní ulice.
Kaart 3 B2.

St. Vituskathedraal
KATEDRÁLA VÍTA
Pražský hrad.
Kaart 2 D2.

Sternbergpaleis
ŠTERNBERSKÝ PALAC
Hradčanské náměstí 15.
Kaart 1 C3.
📞 23 32 50 068.

Nachtclubs

Disco Kobra
Zlatnická 4. **Kaart** 4 E2.
[22 23 29 157.

Diskotéka Zlatý Strom
Karlova 6. **Kaart** 3 A4.
[22 22 20 441.

Eden-Palladium Dance Club
U Slavie 1.
[27 27 36 306.

Karlovy Lázně
Novotného lávka, Praag 1.
Kaart 3 A4.
[22 16 35 408.

Lucerna Bar
Vodičkova 36.
Kaart 5 C1.
[22 42 17 108.

Obvodní Kulturní dům Vltavská
Bubenská 1.
[22 08 79 683.
w www.vltavska.cz

Variété Praga
Vodičkova 30.
Kaart 3 C5.
[22 42 22 100.

Radost FX
Bělehradská 120.
Kaart 6 E2.
[22 42 54 776.
w www.radostfx.cz

Popmuziek

Classic Club
Pařížská 4. **Kaart** 3 B3

Futurum Rock Club
Zborovská 7.
Kaart 2 F5.
[25 73 28 571.

Klub Lávka
Novotného lávka 1.
Kaart 3 A4.
[22 22 22 156.
w www.lavka.cz

Meloun
Michalská 12.
Kaart 3 B4.
[22 42 30 126.
w www.meloun.cz

Rock Café
Národní 20.
Kaart 3 B5.
[22 49 33 945.

Roxy
Dlouhá 33.
Kaart 3 C3.
[22 48 26 296.
w www.roxy.cz

Uzi rock-bar
Legerova 44.
Kaart 6 D2.
[29 00 03 275.

Jazzclubs

Agharta Jazz Centrum
Krakovská 5.
Kaart 6 D1.
[22 22 11 275.
w www.AGARTHA.cz

Jazz Club Reduta
Národní 20.
Kaart 3 B5.
[22 49 12 246.

Malostranská Beseda
Malostranské náměstí 21.
Kaart 2 E3.
[25 75 32 092.

Metropolitan Jazzclub
Jungmannova 14.
Kaart 3 C5.
[22 49 47 777.

U Malého Glena
Karmelitská 23.
Kaart 2 E4.
[25 75 31 717.
w www.malyglen.cz

Etnische muziek

Obvodní kulturní dům Vltavská
CULTUURHUIS
Bubenská 1.
[22 08 79 683.
w www.vltavska.cz

Palác Akropolis
Kubelíkova 27.
Kaart 4 D4.
[29 63 30 913.
w www.palacakropolis.cz

Homobars

A Club
Milíčova 25,
[22 27 81 623.

Club Angel
Kmochova 8.
[25 73 16 127.
w www.clubangel.praha.cz

Drake's Club
Zborovská 50, Praag 5.
[25 73 26 828.

Friends
Náprstkova 1. **Kaart** 3 A4.
[22 16 35 408.

Gejzeer
Vinohradská 40.
Kaart 6 F1.
[22 25 16 036.
w www.gejzeer.cz

Kafirna U Českého Pána
Kozí 13. **Kaart** 3 C2.
[22 23 28 283.

Villa Mansland
Stěpničná 9/11, Praag 8.
[22 16 35 408.

Bioscopen

Bio Konvikt Ponrepo
Bartolomějska 11.
Kaart 3 B5.
[22 42 37 233.

Blaník
Václavské náměstí 56.
Kaart 6 D1.
[22 40 32 172.

Budějovická Broadway
Budějovická 1667.
Praag 4.
[26 13 82 297.

Evald
Národní 28.
Kaart 3 B5.
[22 11 05 225.
w www.evald.cinemart.cz

Hvězda
Václavské náměstí 38.
Kaart 4 D5.
[22 42 16 822.

Kotva
Namestí Republiky 8.
Kaart 4 D3.
[22 48 11 482.

Lucerna
Vodičkova 36.
Kaart 3 C5.
[22 42 16 972.

Nový Smíchov-megabioscoop
Plzeňská 8.
[25 71 81 212.

Perštýn
Na Perštyně 6.
Kaart 3 B5.
[22 16 68 432.

Praha
Václavské náměstí 17.
Kaart 4 D5.
[22 22 45 881.

Slovanský Dům
Na Příkopě 22.
Kaart 3 C4.
[25 71 81 212.
w www.stercentury.cz

Sport

Divoká Šárka
Praag 6.

Jaarbeurs-complex
VÝSTAVIŠTĚ
Stadion, Praag 7.

Hostivař-stuwmeer
Praag 10.

Keizerlijke Weide
CÍSAŘSKÁ LOUKA
Praag 5.

Kobylisy
Praag 8.

Lhotka
Praag 4.

Motol
V Úvalu 84, Praag 5.

Šeberák
Praag 4.

Spartastadion
Milady Horákové, Praag 7.

Štvanice-eiland
Ostrov Štvanice 1125,
Praag 7.

WEGWIJS IN PRAAG

PRAKTISCHE INFORMATIE

De laatste tien jaar is Praag steeds toegankelijker geworden voor toeristen. Men heeft snel gereageerd op de enorme toename van buitenlandse bezoekers, en hotels, banken, restaurants en toeristenbureaus zijn er in kwaliteit op vooruit gegaan. Toch vergt een bezoek aan Praag wel enige voorbereiding. U kunt veel tijd besparen door voor het bezoek aan een bezienswaardigheid de

Toeristische bus van Martin Tour

openingstijden en bereikbaarheid na te gaan en er wat lectuur op na te slaan. Het openbaar vervoer in Praag is overzichtelijk en bovendien liggen de meeste attracties op loopafstand van elkaar. De prijzen in Praag zijn nog steeds lager dan in West-Europa, maar sommige betere hotels en restaurants hanteren wel westerse prijzen. Ondanks een toename van de kleine criminaliteit is Praag nog steeds een relatief veilige stad.

TOERISTENINFORMATIE

Er zijn diverse adressen waar u voor informatie terecht kunt, zoals toeristenbureaus en gespecialiseerde kantoortjes waar u meer over hotels, bustochten of restaurants te weten kunt komen.

Vaak kunt u daar, zowel mondeling als schriftelijk, in het Duits en Engels worden geholpen. Voor algemene informatie is het **Pražská Informační Služba (PIS)** het beste adres. Bij de drie PIS-kantoren in het centrum kunt u kaarten, nuttige tips, uitgaanslijsten en andere inlichtingen in het Tsjechisch, Duits of Engels krijgen. Bij **Kiwi** kunt u Engelstalige reisgidsjes voor Praag en kaarten kopen.

Čedok

TIPS VOOR TOERISTEN

Na Tsjechisch is Duits de tweede taal in Praag. Voor eenvoudige handelingen als het reserveren van hotelkamers, het kopen van kaartjes of het bestellen van een maaltijd komt u met Engels echter ook al een heel eind. De beste periode om naar Praag te gaan is de zomer, hoewel het dan erg druk kan zijn. Rond Pasen en andere

katholieke feestdagen *(blz. 50-51)* zijn er ook veel toeristen, vooral op bekende plaatsen als de Karelsbrug en het Plein Oude Stad, maar het betreft altijd een vrolijk soort drukte. Het wemelt van de straatmuzikanten en andere artiesten en bij alle belangrijke bezienswaardigheden staan stalletjes waar u van alles kunt kopen. In de kleine straatjes daartussen kunt u eenvoudig tot rust komen. 's Zomers is een lichte regenjas handig, in andere jaargetijden kunnen winterkleren van pas komen.

OPENINGSTIJDEN

De openingstijden van musea, galeries en kerken vindt u elders in deze gids. De meeste attracties zijn het hele jaar door te bezichtigen, maar de parken zijn, net als veel kastelen buiten de stad, van 1 november tot 31 maart gesloten. U kunt op de meeste plaatsen tussen 9.00 en 17.00 uur terecht, maar vaak mag u tot een uur voor de sluiting niet meer aan een bezichtiging beginnen. Alle musea en een aantal kastelen zijn op maandag gesloten, het Nationale Museum is de eerste dinsdag van de maand dicht en het Joods Museum op vrijdagmiddag en zaterdag.

Toegangskaarten voor drie belangrijke bezienswaardigheden

Winkelsluitingstijden kennen nauwelijks regelmaat in Praag. Op werkdagen van 7.00 tot 18.00 uur en op zaterdag van 8.00 tot 12.00 uur is een populaire werkweek. Sommige warenhuizen *(blz. 208)* gaan op zaterdag en zondag door tot 19.00 uur. Gestructureerde avondverkoop bestaat in Praag niet, maar veel toeris-

Het hoofdkantoor van Pražská Informační Služba (PIS) in Na příkopě

Paard-en-wagen op het Plein Oude Stad

tenwinkels zijn tot 22.00 uur open. Banken zijn op werkdagen van 8.00 tot 16.00 uur open. De toegangstijden voor cafés en restaurants *(blz. 190-191)* wisselen enorm. Er bestaan geen regels voor deze gelegenheden, dus vaak sluiten cafés pas als alle klanten uit zichzelf zijn vertrokken.

UITGAANSBLADEN EN TOE-GANGSKAARTEN

De beste manier om erachter te komen wat er in de 160 galeries en 40 musea te zien is, is in de uitgaansbladen te kijken. Kiosken in het centrum van de stad verkopen het Engelstalige krantje *The Prague Post*, waarin u alles over wat er te zien en te doen is, kunt vinden. U vindt er ook toeristentips in en achtergrondverhalen over de stad, de politiek en de bevolking. Bij de **PIS** kunt u gratis een Engelstalige uitkrant krijgen. De prijzen van toegangskaarten voor musea wisselen sterk, u betaalt tussen de Kč60 en Kč300. Kerken zijn meestal vrij toegankelijk, maar er staat vaak een collectebus bij de ingang. Voor andere attracties kunt u kaartjes kopen bij bespreekbureaus in het centrum of bij de ingang van het terrein. Via grote hotels kunt u ook aan allerlei kaartjes komen.

GEORGANISEERDE TOCHTEN

Een van de mooiste manieren om Praag te bekijken, is op een rondrit door de stad. Veel touroperators bieden daartoe mogelijkheden *(zie Adressenlijst hiernaast)*, vaak in combinatie met uitstapjes naar kastelen als Karlstein en Konopiště *(blz. 168-169)*. De meeste excursiebussen vertrekken van Náměstí Republiky of het Wenceslasplein. Sommige tochten zijn heel duur, maar als u goed zoekt, zijn er ook goedkopere mogelijkheden. Het **Joods Museum** organiseert uitstapjes naar de Joodse Wijk en Theresienstadt *(blz. 87)*. Voor voordelige excursies kunt u bij de **PIS** terecht.

Een van de beste en goedkoopste manieren om het centrum te bezichtigen, is een rit met tramlijn 91 van het Museum voor Stadsvervoer. De rit vertrekt vanaf het Jaarbeurscomplex *(blz. 162)* en voert door Oude Stad, Nieuwe Stad en de Joodse Wijk. De tram rijdt in de weekeinden en op feestdagen tussen Pasen en eind oktober. U kunt in de tram een kaartje kopen. Op het Plein Oude Stad kunt u paardenkoetsjes huren en 's zomers rijdt er een toeristen-'treintje' van de Mosteckástraat langs de mooiste plekjes van Kleine Zijde en de Praagse Burcht.

Pragotur verzorgt hotels, geeft inlichtingen en wisselt geld

Veiligheid en gezondheid

Logo van de Praagse politie

Vergeleken met veel westerse steden is Praag een relatief veilige stad. In het extreme geval dat u onverwachts hulp van de politie nodig hebt, aarzel dan niet om deze te benaderen, want de agenten in Praag zijn in het algemeen zeer behulpzaam voor toeristen. Als u tijdens uw verblijf dringende medische hulp nodig hebt, krijgt u die gratis. Er is ook een aantal Engelstalige diensten voorhanden, waaronder medische centra, apotheken en tandartsen, en een aantal andere hulpdiensten.

ADVIES AAN BEZOEKERS

Praag is in het algemeen een heel veilige stad. Geweldsmisdrijven tegen toeristen zijn zeldzaam, maar kleine criminaliteit (inbraak in auto's en hotels, zakkenrollen) komt hier, net als in andere steden, wel voor. Vooral in de drukke zomermaanden moet u uw gezond verstand gebruiken om te voorkomen dat u een slachtoffer van de Praagse zakkenrollers wordt. Houd uw handbagage altijd in het zicht en vermijd het opbergen van uw paspoort, portemonnee of geld in uw achterzak of een open tas. Vooral op drukke punten als de Karelsbrug werken zakkenrollers in groepjes, waarbij de ene de aandacht afleidt en een andere uw spullen pikt. Wie eenmaal iets kwijt is, ziet

Politie-embleem van de stad Praag

Politie-embleem van Tsjechië

het waarschijnlijk nooit meer terug. Laat nooit waardevolle spullen in een auto achter, want zelfs een alarmsysteem schrikt dieven niet af. U kunt uw auto het best niet een ondergrondse parkeergarage achterlaten, vooral als het een buitenlandse wagen is. Sluit voor uw vertrek naar Praag een verzekering af, want die is in Praag moeilijk te regelen. Voor schadeclaims bij terugkomst thuis moet u aangifte bij de politie hebben gedaan. Straatspelletjes als balletje-balletje moet u mijden, want u verliest altijd.

Voor vrouwen is Praag redelijk veilig, verder dan wat roepen en fluiten gaat men niet. De uitzondering hierop is het Wenceslasplein bij avond, waar mannen van een vrouw alleen al gauw aannemen

dat ze een Praagse prostituée is.

Helaas bezit Praag weinig fatsoenlijke bars en cafés die tot laat op de avond geopend blijven. De woorden 'nonstop' en 'herna' wijzen meestal op enigszins louche gelegenheden; zo is een 'herna' vaak een soort amusementshal met automaten waar gokverslaafden zich ophouden. Voor een lijst van aanbevolen bars en cafés, zie blz. 204–205.

Hoewel er zelden naar zal worden gevraagd, is het verstandig om altijd een paspoort bij u te hebben. Maak voor uw vertrek fotokopieën van al uw reisdocumenten, want het vervangen van gestolen papieren kan een ingewikkelde procedure zijn.

POLITIE EN VEILIGHEIDSDIENSTEN

De sterke arm is in Praag verdeeld in diverse diensten. Als u in de problemen komt, moet u daarvan aangifte doen bij de geüniformeerde staatspolitie in een politiebureau. De belangrijkste bureaus zijn aangegeven op de kaarten van de Strategids *(blz. 238-249)*. De staatspolitie is gewapend en heeft de bevoegdheid om iemand te arresteren. Ze patrouilleren door de straat of rijden rond in groen-witte auto's. Verder is er in Praag stadspolitie. Deze heeft meer bevoegdheden dan de staatscollega's en opereert per wijk.

De verkeerspolitie zorgt voor een ordentelijk verloop van het verkeer en bestraft fout parkeren, te hard rijden en rijden onder invloed. De boetes voor fout parkeren en overtreding van de snelheidslimieten zijn heel erg hoog. Wie een auto bestuurt, mag *niets*

Mannelijke agent staatspolitie   **Mannelijke agent stadspolitie**   **Vrouwelijke agent staatspolitie**   **'Zwarte sheriff'**

Patrouillewagen van de staatspolitie

Praagse ambulance

alcoholhoudends hebben gedronken. Er worden af en toe controles gehouden, waarbij hoge boetes aan overtreders worden uitgedeeld. De verkeerspolitie plaatst ook wielklemmen en incasseert boetes *(blz. 232-233)*. Als u bij een botsing betrokken raakt, moet u onmiddellijk **Dopravni nehody** (verkeersongelukken) bellen. Voordat de politie komt, mag niets worden verplaatst.
Naast deze overheidsdiensten is er ook particuliere bewaking. Men noemt ze in Praag 'zwarte sheriffs' (hun uniform is ook vaak zwart) en ze worden ingezet voor bewaking van banken en beveiliging bij sportevenementen enzovoort. Ze zijn niet gewapend.

GEZONDHEIDSZORG

Apotheek

De gezondheidszorg is in Praag verdeeld in een particuliere en een overheidssector. Eerste hulp is gratis. Wilt u echter een behandeling die niet strikt noodzakelijk is, dan moet u water bij de wijn doen. Sluit dus altijd een goede reisverzekering af en zorg ervoor dat u creditcards of voldoende travellercheques hebt. Vergeet niet om een betalingsbewijs te vragen, anders

kunt u moeilijkheden ondervinden om uw geld terug te krijgen van de verzekering.
Via uw hotel kunt u het adres van een huisarts krijgen, maar voor dringender hulp kunt u dag en nacht bij nooddiensten terecht. Ziekenhuizen en eerste-hulpposten staan aangegeven in de Stratengids *(blz. 238-249)* achtern in deze gids.
Er zijn dag en nacht apotheken (*lékárna*) geopend *(blz. 209)*. Voor eenvoudige maar dringende hulp van medicijnen kunt u terecht bij de **Služba prbní pomoci** (eerstehulpdienst). Als u een Engels- of Duitstalige arts wilt raadplegen, kunt u bij de **Fakultní Poliklinika** in Nieuwe Stad of de **Diplomatieke gezondheidsdienst** voor buitenlanders in Na Homolce terecht.
Neem voor beide diensten uw paspoort mee en een creditcard of ander betaalmiddel.
Mensen met ademhalingsmoeilijkheden kunnen Praag tussen oktober en maart beter mijden, want de hoeveelheid zwaveldioxide in de lucht stijgt dan soms tot 3 keer de door de Wereldgezondheidsorganisatie toegestane norm; in de nabije toekomst zal dit waarschijnlijk zo blijven.

ADRESSEN

ALARMNUMMERS

Ambulance
Rychlá lékařská pomoc
155.

Politie
Tísňové volání policie
158.

Brandweer
Tísňové volání hasičů
150.

Alarmnummer
112 (in het Engels)

MEDISCHE HULP

Diplomatieke gezondheidsdienst
Nemocnice Na Homolce
Roentgenova 2.
25 72 72 144.
W www.homolka.cz

Eerste Hulp-/ Tandheelkundige nooddienst
První pomoc zubní
Palackého 5. **Kaart** 3 C5. *(ma-vr 19.00-7.00, za-zo 24 uur per dag).*
22 49 46 981.

Fakultní Poliklinika
Karlovo nám. 32. **Kaart** 5 B3.
22 49 04 111.

General Health Care Corporation
Krakovská 8. **Kaart** 6 D1.
Muzeum.
22 22 10 178.

24-uurs apotheek
Štefánikova 6. Anděl.
25 73 20 918.
Palackého 5. **Kaart** 3 C5.
Můstek Národní třída.
22 49 46 982.

ALGEMENE BIJSTAND

Nederlandse ambassade
Gotthardská 6/27,
16000 Praag 6, Bubenec.
233 015 200.

Belgische ambassade
Valdsteynská 6, Malá Strana,
10801 Praag 1.
Kaart 2 E2.
25 75 33 287.

Noodhulp bij autopech
Havariní služba pro motoristy
1230, 1240, 1054.

Gevonden voorwerpen
Ztráty a nálezy
Karoliny Světlé 5.
Kaart 3 A5. 22 42 35 085.

Geld, banken en wisselkantoren

Uithangbord van een wisselkantoor

Vergeleken met veel Europese steden is Praag nog altijd een tamelijk goedkope stad. De laatste jaren hebben honderden banken en wisselkantoren hun deuren geopend. De banken rekenen de minste commissie, maar daar staan wel de langste rijen. Met een creditcard kunt u op steeds meer plaatsen betalen, maar nog niet overal. Travellercheques kunt u uitsluitend bij banken verzilveren.

BANKZAKEN

Sinds 1989 schieten kleine bankjes en wisselkantoren als paddestoelen uit de grond. De grote moderne banken, meestal te vinden in het centrum, zijn op werkdagen van 8.00 tot 17.00 uur open. Banken gaan tussen de middag niet altijd dicht. Bij de wisselloketten hier staan altijd lange rijen, dus zorg dat u er ruim voor sluitingstijd bent. In de stad zijn honderden wisselkantoren gevestigd, vaak in kleine kantoortjes. Deze bieden gunstiger wisselkoersen, maar brengen veel meer commissie in rekening: soms wel 12 procent waar banken 1 tot 5 procent rekenen. Er geldt in ieder geval een minimum commissie van Kč20–50. Wisselkantoren zijn wel veel gemakkelijker in het gebruik, ze zijn tot laat open (soms non-stop) en u hoeft er nooit lang te wachten. In veel grote hotels kunt u ook geld wisselen, maar zij rekenen eveneens een stevige commissie. Als u bij vertrek nog Tsjechisch geld over hebt, dan kunt u dit terugwisselen. Banken wisselen uw kronen in voor een kleine commissie. Ga ten slotte nooit in op aanbiedingen om uw geld zwart te wisselen. Ten eerste is dit verboden, maar daarnaast is de koers niet noemenswaardig gunstiger en loopt u het risico valse of niet meer geldige biljetten te ontvangen. Er zijn nu tal van geldautomaten in het centrum van Praag. Soms bevinden ze zich bij de ingang van de bank en zijn ze ook geopend buiten openingstijden. Ze accepteren

Geldautomaat

Mastercard, Visa en Eurocard en geven instructies in het Engels, Duits, Frans of Tsjechisch.

CREDITCARDS

Betalen met creditcards wordt nu steeds meer gedaan. Toch kunt u, ook als er een sticker van een creditcardbedrijf op het raam hangt, eerst beter vragen of u daar daadwerkelijk mee kunt betalen. De meest geaccepteerde creditcards zijn Visa en MasterCard /Eurocard. Bij de meeste banken kunt u met uw creditcard geld opnemen (tot uw bestedingslimiet). American Express-kaarten worden slechts in enkele winkels en hotels geaccepteerd.

Gevel van de Československá Obchodní-bank

ADRESSEN

BANKEN

HVB-Bank
Revoluční 7. **Kaart** 4 D2.
☏ *22 11 19 761.*
FAX *22 11 19 762.*
W www.HUB.cz

Česká Národní Banka
Na Příkopě 28. **Kaart** 3 C4.
☏ *22 44 11 111.*
FAX *22 44 13 708.*
W www.cnb.cz

Česká Spořitelna
Rytířská 29. **Kaart** 3 C4.
☏ *22 41 01 111.*
W www.csas.cz

Tsjechische Handelsbank
ČESKOSLOVENSKÁ OBCHODNÍ BANKA
Na Příkopě 14. **Kaart** 3 C4.
☏ *22 41 11 111.*

Handelsbank
KOMERČNI BANKA
Spálená 51. **Kaart** 3 B5.
☏ *22 19 03 111.*
W www.kb.cz
Heeft verschillende filialen.

Union Banka
Národní 24. **Kaart** 3 B5.
☏ *22 49 34 122.*
FAX *22 49 34 444.*
W www.union.cz
Heeft verschillende filialen.

WISSELKANTOREN

American Express
Václavské náměstí 56.
Kaart 3 C5.
☏ *22 28 00 237.*
FAX *22 22 11 131.*
W www.aexp.com
Heeft verschillende filialen.

Čekobanka Chequepoint Rapid
Železná 2. **Kaart** 3 C4.
☏ *24 82 64 65.*
Heeft verschillende filialen.

Exact Change
Na Příkopě 12. **Kaart** 4 D4.
☏ *22 42 13 526.*
Heeft verschillende filialen.

TRAVELLERCHEQUES EN CONTANT GELD

Het Tsjechische geld bestaat uit kronen en hellers; een kroon is verdeeld in 100 heller. U mag Tsjechisch geld im- en exporteren. Als u niet met veel geld wilt rondlopen, zijn travellercheques het veiligst. U kunt het best een van de bekende merken – American Express, Thomas Cook – nemen, maar grote banken zullen andere niet gauw weigeren. Met travellercheques kunt u echter niet in winkels betalen; u moet de cheques altijd eerst verzilveren bij een bank. Bij American Express *(blz. 225)* kunt u travellercheques kopen en verzilveren. Als u hun eigen merk hebt of koopt, betaalt u geen commissie.

Bankbiljetten

Er zijn bankbiljetten van Kč20, Kč50, Kč100, Kč200, Kč500, Kč1000, Kč2000 en Kč5000.

Munten

Men kent in Tsjechië munten van: 10, 20 and 50 heller; Kč1, Kč2, Kč5, Kč10, Kč20 en Kč50. Op één zijde van elke munt staat een klimmende leeuw, het symbool van Tsjechië.

Kč5000

Kč2000

Kč1000

Kč500

Kč200

Kč100

Kč50

Kč20

50 heller

1 kroon (Kč1)

2 kroon (Kč2)

5 kroon (Kč5)

10 kroon (Kč10)

20 kroon (Kč20)

50 kroon (Kč50)

Communicatie

Het Tsjechische telefoonnet en de posterijen, samen Telecom, hebben een ingrijpende modernisering ondergaan. De oude munttelefoons zijn vervangen door digitale toestellen, en de posterijen zijn efficiënter georganiseerd. Deze overgang verliep niet altijd even soepel, maar de modernersering is inmiddels voltooid en u zou dus weinig problemen moeten ondervinden.

GEBRUIK VAN TELEFOON-CELLEN

In het straatbeeld van Praag ontbreken telefooncellen niet, maar u vindt ze ook op het postkantoor. Hier moet u een bedrag vooruit betalen. Na afloop van het gesprek verrekent u een en ander met de lokettist. In hotels kunt u meestal rechtstreeks bellen, maar men rekent buitensporig hoge commissies. Bedenk dat internationaal bellen überhaupt heel duur is, ongeacht de plaats en het tijdstip van de dag; na 19.00 uur en in het weekend is het in ieder geval iets goedkoper.

Naar het buitenland bellen is het goedkoopst via de Xcall-dienst van Telecom (hiervoor belt u 95 200).

U kunt op steeds meer plaatsen met een telefoonkaart bellen. Deze kaarten *(Telefonní karta)* zijn te krijgen bij kiosken en tabakswinkels, en de meeste postkantoren, supermarkten en benzinestations. Twee zeer populaire types kaarten zijn Karta X, een prepaid-kaart waarmee u vanaf elke telefoon nationaal en internationaal kunt bellen, en TRICK, een multifunctionele telefoonkaart waarmee u ook kunt internetten.

De Tsjechische kiestoon bestaat uit een kort en vervolgens een lang signaal. Als de telefoon overgaat, zijn lange tonen te horen, of korte tonen (deze geven aan dat de lijn bezet is).

PROBLEMEN

Als u een bepaalde abonnee niet kunt bereiken, kan het nummer in verband met de moderniseringen veranderd zijn. Bel dan Inlichtingen van Telecom en vraag naar iemand die Duits of Engels spreekt.

INTERNETCAFÉS

Ook in Praag heeft het internetcafé zijn intrede gedaan. Over het algemeen zijn de prijzen bescheiden en de verbindingen redelijk snel voor het zenden van e-mail. Een van de beste internetcafés is Káva, in Nieuwe Stad. Er is er ook een in het Beurspaleis *(blz. 164–165).*

MUNTTELEFOONS

1 Neem de hoorn van de haak en wacht op de kiestoon.

2 Doe een muntstuk van Kč1, 2 of 5 in de gleuf.

3 Op het schermpje ziet u voor hoeveel geld u nog kunt bellen. De mededeling *Vložte mince* geeft aan dat u opnieuw geld moet inwerpen.

4 Als de woorden *Volte číslo* verschijnen, toetst u uw nummer en wacht op verbinding.

5 Na beëindiging van het gesprek hangt u de hoorn weer op de haak. Ongebruikte munten komen vanzelf terug, maar u krijgt geen wisselgeld.

Munten die door deze telefoons worden geaccepteerd

Kč1   Kč2   Kč5

KAARTTELEFOONS

1 Neem de hoorn van de haak en wacht op de kiestoon.

2 'Steek uw kaart in de gleuf': *Vložte telefonní kartu.* Op het schermpje ziet u voor hoeveel geld u nog kunt bellen.

3 Als de woorden *Volte číslo* verschijnen, toetst u uw nummer en wacht op verbinding.

4 Als uw geld op is, komt de kaart automatisch uit de gleuf.

Door tijdens het gesprek op dit knopje te drukken, krijgt u steeds een Engelse vertaling van de instructies.

Alarmnummers

Multifunctionele TRICK-telefoonkaart

POSTKANTOREN

Er zijn diverse postkantoren in Praag *(zie Stratengids, blz. 238-249)*. Het **hoofdpostkantoor** staat in de Jindřišškástraat, vlak bij het Wenceslasplein. Het biedt vele diensten waaronder een grote telefoonzaal. Tussen 7.00 en 23.00 uur kunt u hier ook internationaal bellen. Dit postkantoor is in 2000 volledig gereorganiseerd en is nu verbazingwekkend modern en efficiënt in het gebruik, en biedt snelle, Engelstalige informatie. Trek een bonnetje bij het binnengaan van het gebouw en ga naar het loket met het aangegeven nummer; de loketnummers staan aangegeven op een elektronisch scherm. Tot grote vreugde van de Pragenaren zijn de voormalige lange rijen eindelijk vervangen door een snelle en efficiënte service.

Uithangbord postkantoor

Het postkantoor in het **Masarykovo-station** is 24 uur per dag geopend.

EEN BRIEF VERSTUREN

Het verzenden van post gaat nu snel, hoewel verwacht wordt dat de prijzen in de toekomst iets zullen stijgen. Expressepost bestaat niet in Tsjechië. Brieven komen in het algemeen binnen een

DE JUISTE VERBINDING

	Toets
• Inlichtingen binnenland Tsjechië	1180
• Inlichtingen binnen Praag en telefoniste	1180
• Internationale gesprekken en collect-calls	1181
(vraag naar een Engelssprekende telefonist)	
• Internationaal bellen (gevolgd door landnummer);	00
landnummer Nederland 31, België 32	
• Inlichtingen nummers buitenland	1181
• **Nummer voor noodgevallen (politie)**	**158**
• **Telefooncentrale noodgevallen (Engels)**	**112**

Tabakswinkel waar u briefkaarten en postzegels kunt kopen

paar dagen na verzending aan.

Als u kostbaarheden wilt verzenden, kunt u dat het best aangetekend doen, dat is een betrouwbare dienst. Het versturen van radiogrammen is niet mogelijk in Tsjechië. Brieven en briefkaarten kunt u in de oranje brievenbussen werpen. Vanuit Praag naar Nederland of België doet een poststuk er ongeveer vier dagen over. Postzegels zijn te koop bij postkantoren, kiosken en tabakswinkels. Daar weet men ook welke frankering is vereist voor de verschillende landen. Pakjes en aangetekende stukken moeten vanuit het postkantoor worden verstuurd. Als een brief veel haast heeft, kunt u het beste een internationale koeriersdienst als **DHL** gebruiken, die het betrouwbaarst is in deze gevallen.

POSTE RESTANTE

Poste restante verstuurde brieven worden bewaard op het hoofdpostkantoor aan de Jindřišškástraat. Neem legitimatie mee en vervoeg u bij loket 28 (ma-vr 6.30-20.00 uur, za 6.30-13.00 uur). Houders van creditcards van **American Express** kunnen hun post naar dit kantoor laten sturen. Men bewaart deze maximaal een maand.

NUTTIGE ADRESSEN

Hoofdpostkantoor
Jindřišská 14. **Kaart** 4 D5. 📞 *22 11 31 111.* 📞 *800 10 44 10* (algemene informatie). **Geopend** *dag. 7.00–20.00 uur.* 🅆 www.cpost.cz

Postkantoor Masarykovo-station
Hybernská 15. **Kaart** 4 E3. 📞 *22 42 19 714.* **Geopend** *24 uur per dag.*

American Express
Václavské náměstí 56. **Kaart** 4 D5. 📞 *22 28 00 237.* 📠 *22 22 11 131.* 🅆 www.aexp.com

DHL
Vaclavské náměstí 47. **Kaart** 4 D5. 📞 *800 103 000.* 📠 *22 15 12 424.* 🅆 www.dhl.cz

Káva
Narodní 37. **Kaart** 3 B5. **Geopend** *7.00–21.00 (za-zo vanaf 9.00 uur).* 🅆 www.kava-coffee.cz

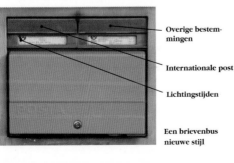

Overige bestemmingen

Internationale post

Lichtingstijden

Een brievenbus nieuwe stijl

Aanvullende informatie

De tax-free-winkels aan Na Příkopě trekken veel toeristen

GEHANDICAPTEN

Er zijn in Praag maar weinig voorzieningen getroffen voor gehandicapten. Een enkele keer zult u bij een gebouw wel eens een oprit voor een rolstoel tegenkomen, maar zoiets is eerder uitzondering dan regel. Belangengroepen zijn er nauwelijks, en de paar die zich wel met problemen van gehandicapten bezighouden, stuiten op desinteresse en gebrek aan geld. Heel langzaam komt in deze toestand echter verbetering. Vervoer in Praag is nog steeds een groot probleem, maar er bestaan tegenwoordig adressen waartoe u zich kunt wenden met vragen over geschikte rondritten door de stad, onderdak en hoe u ergens het beste kunt komen. Twee van de beste organisaties waarmee u voor vertrek contact kunt opnemen, zijn: **Tsjechische organisatie voor gehandicapten** en de **Praagse bond van rolstoelgebruikers**.

Tsjechische organisatie voor gehandicapten
Karlínské náměstí 12. **Kaart** 5 B2.
22 48 16 976 / 22 48 15 915.

Praagse bond van rolstoelgebruikers
Benediktská 6. **Kaart** 4 D3.
22 48 27 210 / 22 48 26 078.
FAX 22 48 26 079.

DOUANEBEPALINGEN EN IMMIGRATIE

Voor een bezoek aan Tsjechië hebt u een geldig paspoort nodig. Voor ingezetenen van Europese landen zijn visa tegenwoordig niet meer nodig, maar voor burgers uit veel andere landen nog wel. Een visum kan worden verkregen bij Tsjechische ambassades of consulaten. Bij aanvraag van een visum moet u een nog minstens acht maanden geldig paspoort kunnen overhandigen. Uw reisbureau kan u vertellen of u een visum nodig hebt. Bezoekers van Tsjechië mogen 2 liter wijn, 1 liter sterke drank en 250 sigaretten of eenzelfde gewicht aan andere tabaksartikelen meenemen. Artikelen met een waarde van minder dan Kč3000 mogen belastingvrij worden ingevoerd. Er is geen limiet gesteld aan het invoeren van buitenlandse valuta, maar het is niet toegestaan om meer dan Kč350.000 mee te nemen naar het buitenland. Voor het exporteren van origineel Tsjechisch antiek hebt u een speciale vergunning nodig *(zie Winkelen, blz. 208)*. Bezoekers hebben recht op teruggave van de BTW op goederen met een totale waarde van Kč1000 of meer, die binnen 30 dagen na aankoop het land uit worden gebracht. U moet hiertoe zelf een aanvraag indienen.

STUDENTEN

Voor wie daar aanspraak op kan maken, is het aanschaffen van een Internationale Studentenkaart (ISIC) de moeite waard. Wie een geldige kaart kan tonen, krijgt korting op de meeste grote toeristische attracties in Praag. Ook voor de bus in Praag en de trein in de rest van het land levert deze kaart korting op. Praag telt ook enkele jeugdherbergen *(zie Accommodatie, blz. 182-189)*. Voor meer informatie kunt u zich wenden tot de touroperator **Koleje a Menzy**.

Koleje a Menzy
Jednota Youth Hostel, Opletalova 38.
Kaart 4 D5. 22 49 30 010.
FAX 22 49 30 361.
W www.ruk.cuni.cz

AMBASSADES

Nederlandse ambassade in Tsjechië
Gotthardská 6/27,
16000 Praag 6, Bubenec.
22 43 12 190.
FAX 22 43 12 160.
@ nlgovpra@ti.cz
Geopend ma-vr 9.00-13.00, 14.00-17.00 uur.

Belgische ambassade in Tsjechië
Valdsteynská 6, Malá Strana,
10801 Praag 1. **Kaart** 2 E2.
25 75 33 283.
W www.diplomatie.be/praguenl

Tsjechische ambassade in Nederland
Paleisstraat 4, 2514 JA Den Haag.
070-346 97 12.

Tsjechische ambassade in België
Adolphe Buyllaan 154,
1050 Brussel.
02-641 89 30.
FAX 02-640 28 60.

KRANTEN, TV, RADIO

In Praag verschijnen dagelijks vele kranten, waaronder de Engelstalige *The Prague Post* en *The Prague Business Post*. Beide bladen zijn goed gemaakt en bieden zowel nuttige tips voor

De twee Engelstalige kranten die in Praag verschijnen

toeristen als actuele en informatieve artikelen over Praag, zijn inwoners en de politiek. Het laatste heeft een goed uitgaanssuplement, *Night and Day*. In de kiosken in de buurt van toeristische gebieden als het Wenceslasplein, het Plein Oude Stad en de Praagse Burcht kunt u kranten uit allerlei landen kopen, waaronder de *International Herald Tribune*. Er is ook een keur aan internationale kranten verkrijgbaar bij de krantenkiosk op Jungmannova 5.
Het aanbod op de televisie is de laatste jaren enorm gegroeid. Men kan

Een tweewegstekker en een adapter voor buitenlandse stekkers

tegenwoordig volop westerse films uitzenden en van die gelegenheid wordt duidelijk gebruikgemaakt. Bij deze films kan de Tsjechische nasynchronisering soms uitschakeld worden. Daarnaast worden er mooie natuurfilms en ook veel authentieke Tsjechische programma's vertoond, en zijn er een paar soapseries als *Dallas* te zien.
Er worden ook tal van programma's in het Engels uitgezonden, waaronder nieuwsprogramma's.
Radio Nederland Wereldomroep verzorgt dagelijks diverse Nederlandstalige programma's die in Praag te beluisteren zijn. Ook Radio Vlaanderen Internationaal zendt uit via de korte golf. Zendschema's met frequenties en uitzendtijden zijn in Nederland te krijgen bij de ANWB of Schiphol. In België kunt u inlichtingen aanvragen bij Radio Vlaanderen Internationaal.
De Engelstalige BBC World Service zendt 's morgens uit in Praag op 15.070 MHz (korte golf) en 's nachts op 648 MHz (middengolf).U kunt ook naar de BBC luisteren op internet; surf daarvoor naar de website www.bbc.co.uk

Radio Nederland Wereldomroep servicenummer
[C] 035-672 43 33.

Radio Vlaanderen Internationaal informatie
[C] 02-741 38 11 / 12.

ELEKTRISCHE APPARATEN

Zowel netspanning als stekkers en stopcontacten zijn identiek aan die in Nederland en België gebruikelijke, dus u kunt zonder problemen uw elektrische apparaten inpluggen.

TIJD IN PRAAG

De klok wijst in Praag dezelfde tijd aan als in Nederland en België. Ook de overgang van zomer- naar wintertijd en omgekeerd valt op exact dezelfde dag.

KERKDIENSTEN

Anglicaans
St.-Clementius; Klimentská 5.
Kaart 4 D2. [↑] *zo 11.00 uur.*

Doopsgezind
Doopsgezinde kerk Praag; Vinohradská 68. **Kaart** 6 F1. [C] 60 46 34 677. [↑] *zo 11.00 uur.*

Hussitisch
St.-Nicolaaskerk; Staroměstské náměstí. **Kaart** 3 C3. [C] 22 42 15 402. [↑] *zo 10.30 uur.*

Interkerkelijk
Int. Kerk; Peroutkova 57.
[C] 22 09 10 769.
[W] www.volny.cz/jx-studio
[↑] *zo 10.30 uur (in het Engels).*

Joods
Oud-nieuwsynagoge *(blz. 88-89).* Jeruzalemsynagoge, Jeruzalémská 7. **Kaart** 4 E4.
[W] www.kehilaprag.cz
[✡] *(in het Hebreeuws) vr zonsondergang, za 9.00 uur.*

Evangelisch
Ječná 19. **Kaart** 5 C2.
[C] 22 43 15 613, 25 75 30 020.
[W] www.praguefellowship.cz
[↑] *zo 17.30 uur.*

Rooms-katholiek
Er worden in talloze kerken rooms-katholieke diensten gehouden, twee daarvan zijn:
Kerk van het Kindeke Jezus van Praag; Karmelitská 9.
Kaart 2 E4. [C] 25 75 33 646.
[W] www.apha.cz
[↑] *zo 12.00 uur (in het Engels).*
St.-Thomaskerk; Josefská 8.
Kaart 2 E3. [C] 25 75 32 675.
[↑] *zo 11.00 uur (in het Engels).*

Rooms-katholieke dienst

DE REIS NAAR PRAAG

Door zijn centrale ligging is Praag vanuit heel Europa vrij goed bereikbaar – alleen zijn de snelwegen in de Tsjechische Republiek nog niet zeer talrijk. Er zijn dagelijks vliegverbindingen met alle grote Europese steden. Veel toeristen gaan per bus naar Praag, maar dan bent u met de reis al gauw een etmaal kwijt, terwijl vliegen slechts twee uur duurt; wel is de bus beduidend goedkoper. Ook de treinverbindingen zijn uitstekend, maar vooral 's zomers zitten de treinen stampvol. Het is dan ook verstandig om ruim van tevoren een plaats te reserveren. Het grootste spoorwegstation (Hlavní nádraží) ligt vlak bij het Wenceslasplein en ook andere aankomstpunten liggen redelijk centraal, met uitzondering van het vliegveld.

Toestel ČSA

PER VLIEGTUIG

Meer dan 40 internationale luchtvaartmaatschappijen onderhouden tegenwoordig een verbinding met Praag. De vlucht van Brussel of Amsterdam naar Praag duurt ongeveer anderhalf uur. U kunt vliegen met **ČSA**, de Tsjechische nationale luchtvaartmaatschappij, maar **KLM**, **SN Brussels Airways**, **British Airways**, **Air France**, **Lufthansa** en talloze andere maatschappijen vliegen ook regelmatig op Praag. De KLM vliegt dagelijks vanaf Schiphol op Praag (www.klm.nl), SN Brussels Airlines (de opvolger van Sabena, www. snbrusselsairlines.com) dagelijks vanaf Zaventem.

KORTINGEN

Omdat de populariteit van Praag als vakantiebestemming zo ontzettend snel toeneemt, vliegen steeds meer luchtvaartmaatschappijen op de stad. De enorme vraag naar vluchten met Praag als bestemming heeft ook tot een behoorlijke daling van de prijs van die reis geleid. Er vindt ook een toenemend aantal chartervluchten op Praag plaats. Informeer als eerste naar de mogelijkheid om van zo'n reis gebruik te maken, want chartervluchten zijn meestal goedkoper dan lijnvluchten. Sla de advertenties in de krant na op de voordeligste aanbiedingen of kijk op internet, waar u on-line kunt boeken en zo soms veel geld besparen. Door de concurrentie tussen de luchtvaartmaatschappijen worden er tal van kortingen geboden. APEX-, PEX- of SuperPEX-tarieven kunnen erg voordelig zijn. Deze tickets moeten enige tijd van tevoren worden geboekt en zijn aan een bepaalde tijdsduur gebonden, en ze kunnen na reservering niet kosteloos worden gewijzigd. Laat u niet uit het veld slaan door de officiële prijzen voor lijnvluchten; via internet, het

Kruiers op het vliegveld

reisbureau of kort voor vertrek worden de tickets vaak een stuk goedkoper. Websites met aanbiedingen voor tickets zijn: www.airfair.nl en www.vakantieportaal.nl

LUCHTVAART-MAATSCHAPPIJEN

Air France
Václavské náměstí 57. **Kaart** 3 D5.
☎ 16 62 662. Ⓦ www.airfrance. com

British Airways
Vliegveld Ruzyně.
☎ 22 21 44 444.
Ⓦ www.britishairways.com

ČSA
V Celnici 5. **Kaart** 4 D3.
☎ 22 01 04 111. Ⓦ www.csa.cz

Delta Airlines
Národní 32. **Kaart** 3 B5. ☎ 22 49 46
733. Ⓦ www.delta-air.cz

KLM
Na Příkopě 21. **Kaart** 3 C4.
☎ 223 30 90 933.
Ⓦ www.klm.com

Lufthansa
Ruzyně Airport. ☎ 22 01 14 456.
Ⓦ www.lufthansa.cz

De gerenoveerde centrale hal van vliegveld Ruzyně

Vliegveld Ruzyně

De enige internationale luchthaven bij Praag, Ruzyně, ligt 15 km ten noordwesten van het stadscentrum. Het vliegveld is weliswaar klein, maar ook schoon, efficiënt, functioneel en voorzien van moderne faciliteiten. Het werd in de jaren zestig geheel gemoderniseerd en biedt nu alle voorzieningen die men van een internationale luchthaven gewend is: 24 uur per dag geld wisselen, autoverhuurbedrijven, een belastingvrije winkel, een postkantoor en een loket

Paspoortcontrole

waar u uw bagage in bewaring kunt geven. Andere veranderingen zijn de pas geopende catering-faciliteiten. De kwaliteit van het eten in de restaurants van de luchthaven en ČSA-vliegtuigen is sterk verbeterd – een Franse kok werd in dienst genomen om zowel op de bereiding van de traditionele Tsjechische als de internationale gerechten toe te zien.

Vervoer van het vliegveld naar de stad

Vanaf het vliegveld is het centrum van Praag te bereiken met een pendelbus-dienst van CEDAZ, die op regelmatige tijdstippen vertrekt. Voor de terugreis naar het vliegveld kunt u instappen bij de metrostations Náměstí Republiky en Dejvická. Het tarief voor 1–4 personen is Kč350; voor 5–8 personen Kč720. De minibussen rijden ook naar adressen buiten de stad, en kunnen

Logo van de CEDAZ-busjes op metrostation Náměstí Republiky

zelfs gehuurd worden om Tsjechië te bekijken. De busjes moeten in ieder geval enkele uren voor vertrek gereserveerd worden: dagelijks tussen 8.00 uur en 22.00 uur. Er is ook een regelmatige busdienst (lijn 119) van metrostation Dejvická naar de luchthaven. Voor de aankomsthal staat altijd wel een aantal taxi's te wachten. Vraag bij de informatiebalie hoeveel de rit naar de stad ongeveer gaat kosten en gebruik dit bedrag als richtlijn voor andere taxiritten.

CEDAZ
22 01 14 296 of 22 42 81 005.
FAX 22 01 14 286. @ cedaz@cmail.cz

Het plein voor het vliegveld, waar u een bus of taxi naar de stad kunt nemen

Luchtverbindingen met Praag

Praag, gelegen in het hart van Europa, onderhoudt vliegverbindingen met vrijwel alle grote steden in dat werelddeel. Vanaf alle op dit kaartje aangegeven vliegvelden is het maximaal tweeënhalf uur vliegen naar Ruzyně.

Het ruime interieur van het treinstation Masarykovo Nádraží

dat vijf minuten lopen van het centrum ligt. Het oorspronkelijke Jugendstil-gebouw werd in de jaren zeventig uitgebreid en nu is de grote, moderne vertrekhal nadrukkelijk aanwezig. Het station is groot, overzichtelijk en schoon. U kunt uw bagage dag en nacht bij een speciaal loket in bewaring geven. Het gebruik van de bagagekluizen is voordelig. Verder kunt u in het station eten kopen, geld wisselen en reizen boeken.

De andere Praagse stations zijn Masarykovo nádraží (het oudste station), het moderne Holešovice en het kleine Smíchov.

VERVOER PER TREIN

Per trein kunt u vanuit alle grote Europese steden naar Praag reizen. Hoewel de trein niet altijd even snel is, blijft het spoor een aangename manier om te reizen. In de internationale treinen zijn restauratiewagens en couchettes aanwezig. Bovendien zijn bij de spoorwegen voordelige retourtickets te krijgen,

Hlavní nádraží van buiten

de zogenaamde Apex Superretours, die met name voordelig zijn als u met 2 of meer personen reist (informatie www.ns.nl).

Het spoor in Tsjechië is in handen van de staat (České Dráhy – ČD). Op alle stations vindt u loketten voor inlichtingen met Engelssprekend personeel. Bij PIS en Čedok *(blz. 219)* kunt u dienstregelingen krijgen. Er rijden vier soorten treinen in Tsjechië: de *rychlík* (sneltreinen), de *osobní* (stoptreinen) die op alle stations stoppen en vaak niet harder dan 30 km/u rij-

den, de EX (nationale sneltreinen) en de EC (Eurocity, internationale sneltreinen). Internationale treinen rijden het snelst, maar ondervinden oponthoud bij de grenzen. Kaartjes kunnen vooruit of op de dag van de reis op de stations of bij het reisbureau van de Tsjechische spoorwegen, Ceské Dráhy *(blz. 184)*, worden gekocht. De treinen zijn vaak snel volgeboekt en als u vlak voor uw vertrek een kaartje wilt kopen, dient u met lange rijen rekening te houden. Als u een kaartje koopt, moet u precies zeggen waar u heen wilt, welke klasse u wenst en of u een enkele reis of een retour wilt. In de meeste treinen is een eerste klasse en daar is ook altijd zitplaats. Als er in de dienstregeling bij een bepaalde trein een blokje met een 'R' daarin staat, betekent dat dat u voor die trein een gereserveerde plaats dient te hebben. Een 'R' zonder blokje betekent dat reserveren alleen aanbevolen is. Als u in de verkeerde klasse zit, moet u ter plekke een boete betalen.

STATIONS

Het grootste en drukste station in Praag is Hlavní nádraží *(blz. 148)*,

Een ČSD-beambte in uniform

VERVOER PER BUS

De bussen van Eurolines (zie www. eurolines.nl of tel. 020-5608788, in België zie www.eurolines.be of tel. 02-2741350) rijden van een aantal plaatsen in Nederland en België naar Praag in ongeveer 15 uur. Dit is een van de goedkoopste manieren om de stad te bereiken, zij het minder comfortabel dan vliegen.

Het grootste busstation is Florenc, aan de oostkant van Nieuwe Stad. In de zomermaanden gaan er talloze bussen van Praag naar de vakantiecentra aan de kusten van Zuid-Europa. Reserveer een plaats in deze bussen ruim van tevoren, want veel Tsjechen maken ook gebruik van deze diensten. De internationale busdienstregeling is verwarrend, bij de PIS *(blz. 218-219)* kan men u daar meer over vertellen.

Een interlokale bus vlak voor vertrek

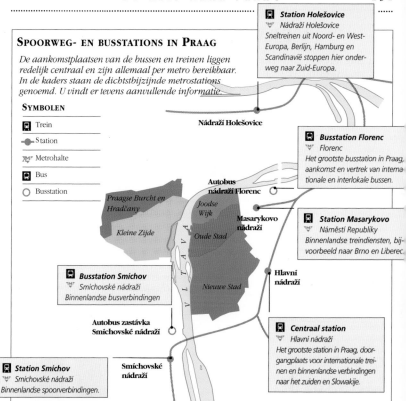

SPOORWEG- EN BUSSTATIONS IN PRAAG

De aankomstplaatsen van de bussen en treinen liggen redelijk centraal en zijn allemaal per metro bereikbaar. In de kaders staan de dichtstbijzijnde metrostations genoemd. U vindt er tevens aanvullende informatie.

SYMBOLEN

🚆 Trein

●— Station

Ⓜ Metrohalte

🚌 Bus

◯ Busstation

Station Holešovice
Ⓜ *Nádraží Holešovice*
Sneltreinen uit Noord- en West-Europa, Berlijn, Hamburg en Scandinavië stoppen hier onderweg naar Zuid-Europa.

Nádraží Holešovice

Busstation Florenc
Ⓜ *Florenc*
Het grootste busstation in Praag, aankomst en vertrek van internationale en interlokale bussen.

Autobus nádraží Florenc

Praagse Burcht en Hradčany

Joodse Wijk

Kleine Zijde

Oude Stad

Masarykovo nádraží

Station Masarykovo
Ⓜ *Náměstí Republiky*
Binnenlandse treindiensten, bijvoorbeeld naar Brno en Liberec.

Busstation Smíchov
Ⓜ *Smíchovské nádraží*
Binnenlandse busverbindingen

Nieuwe Stad

Hlavní nádraží

Autobus zastávka Smíchovské nádraží

Centraal station
Ⓜ *Hlavní nádraží*
Het grootste station in Praag, doorgangsplaats voor internationale treinen en binnenlandse verbindingen naar het zuiden en Slowakije.

Station Smíchov
Ⓜ *Smíchovské nádraží*
Binnenlandse spoorverbindingen.

Smíchovské nádraží

Bewegwijzering Tsjechische snelweg

VERVOER PER AUTO

Bestuurders van een auto moeten in Tsjechië ten minste 18 jaar oud zijn. Rijbewijzen uit Europese landen worden geaccepteerd, maar als u een rijbewijs hebt dat in een niet-Europees land is afgegeven, kunt u het best voor uw vertrek bij de Tsjechische ambassade informeren of u een internationaal rijbewijs dient mee te nemen. Als u met de auto naar Praag gaat, moet u de volgende papieren bij u hebben: een geldig rijbewijs, kentekenbe-

wijs deel II en III, als u een huurauto gebruikt een bewijs waar en wanneer u de wagen hebt gehuurd, als u een geleende auto bestuurt een mede door de ANWB getekende verklaring van de eigenaar en ten slotte een groene kaart als bewijs van verzekering. Als u op de snelweg rijdt moet u ook een speciale kaart tonen die verkrijgbaar is aan de grens, bij benzinestations en bij postkantoren. In de auto zijn een setje reservelampen, een gevarendriehoek en een eerstehulpdoos verplicht en achter op de auto moet een landensticker zijn geplakt. Ontsteek koplampen overdag tussen november en april en als het zicht beperkt is. Gebruik van

veiligheidsgordels is verplicht en kinderen onder de twaalf mogen niet voorin zitten. Een bestuurder mag absoluut geen alcohol hebben gedronken en mag tijdens het rijden ook niet mobiel bellen.

Er zijn nu goede snelwegverbindingen tussen Praag en de grote steden in de Tsjechische Republiek, zoals Brno en Bratislava, en het wegennet wordt in de toekomst nog verder uitgebreid.

De verkeersborden spreken grotendeels voor zichzelf. Op snelwegen is de maximumsnelheid 130 km/u, op andere wegen buiten de bebouwde kom 90 km/u en in de bebouwde kom 50 km/u. De verkeerspolitie is heel streng; overtreders worden hard aangepakt.

De geliefde Tsjechische auto, de Skoda

VERVOER IN PRAAG

Praag heeft een overzichtelijk klein centrum en de meeste bezienswaardigheden zijn te voet dan ook eenvoudig bereikbaar. Als u iets wilt bekijken dat verder weg ligt, kunt u een beroep doen op het goede en goedkope openbaar vervoer. Er rijden trams, bussen en metro's, die alle onder beheer staan van het Praagse vervoerbedrijf (Dopravní-podnik). In deze gids is steeds aangegeven welk openbaar vervoermiddel

Praag is een wandelstad

u het dichtst bij een bezienswaardigheid brengt. Metro en tram rijden in de binnenstad, de bus ontsluit de buitenwijken. Voor alle drie de vervoermiddelen is één en hetzelfde kaartje geldig. In kiosken en tabakswinkels (*tabák*) is een stadsplattegrond met de meeste trajecten verkrijgbaar. Op de binnenkant van het achteromslag van deze gids vindt u ook een kaart met metro-, tram- en buslijnen.

AUTORIJDEN

U kunt in het centrum van Praag beter zo min mogelijk zelf autorijden. Er zijn veel straten met eenrichtingsverkeer, grote delen van de oude stad zijn alleen toegankelijk voor voetgangers en natuurlijk kent ook Praag een tekort aan parkeerplaatsen. Het goede openbaar vervoer

is een prima alternatief voor de auto.

Als u toch per auto Praag in gaat, moet u er rekening mee houden dat een boete voor een verkeersovertreding ter plekke betaald dient te worden. Ook is een waarschuwing op zijn plaats voor de afnemende discipline bij Tsjechen in het verkeer. Er wordt in Tsjechië rechts

gereden en passagiers zijn verplicht om veiligheidsgordels te dragen als deze in de auto aanwezig zijn. Tenzij anders vermeld, geldt in de stad een snelheidslimiet van 50 km/u. De verkeersborden wijken niet erg af van die elders in West-Europa. Voor

Eénrichtingverkeer en stopverbod behalve voor leveranciers

PRAAG TE VOET

De aangenaamste manier om Praag te bezichtigen, is te voet. Als een zebrapad van voetgangerslichten is voorzien, moet u uitsluitend oversteken als het groene licht brandt, en zelfs dan is het uitkijken geblazen. Het is nu bij de wet verboden voor auto's om zebrapaden te negeren, maar doorrijden is een oude Tsjechische gewoonte die moeilijk slijt. Bij zebrapaden zonder licht moet u net zo lang wachten tot er geen auto meer aan komt. De vele trams maken het oversteken extra onoverzichtelijk. Ze rijden vaak erg snel en duiken soms heel plotseling op. Omdat de straten niet altijd even recht betegeld zijn en er veel steile straten in Praag zijn, is een paar degelijke wandelschoenen geen overbodige luxe.

Voetgangersgebied

Zebrapad

Straatnaambord en wijkaanduiding

Huis-nummer   **Kadastraal nummer**

Bruine wegwijzers met toeristische informatie

een bezoek aan een bezienswaardigheid buiten de stad kunt u een auto huren, wat niet duur is, maar met het openbaar vervoer kunt u ook overal snel komen (*zie ook blz. 229 en 230, e.v.*).

PARKEREN

Er is maar weinig parkeerruimte in Praag en de boetes voor fout parkeren zijn hoog. Veel parkeerplaatsen zijn gereserveerd en eigenlijk kunt u in de binnenstad alleen voor het stadhuis Nieuwe Stad aan Karlovo náměstí, aan Na Florenci en bij station Hlavní vrij parkeren. Er worden veel auto's gestolen en daarbij zijn westerse auto's een populair doelwit. U kunt het beste een plaats zoeken in een – liefst ondergrondse – parkeergarage *(zie Stratengids, blz. 244-249)*. Deze zijn echter duur en 's ochtends al vroeg vol. Veel parkeerruimte is gereserveerd voor kantoorpersoneel en gehandicapten en ook bij hotels kunt u uw auto slechts mondjesmaat kwijt. Het beste is om uw auto op een bewaakte parkeerplaats aan de rand van de stad te parkeren en dan op het openbaar vervoer over te stappen. Er zijn

weinig parkeermeters maar veel parkeerwachters.

WEGSLEPEN EN WIELKLEMMEN

Inwoners van Praag parkeren vaak op de stoep, maar als u dat doet, zult u óf uw auto vaak in een wielklem aantreffen óf merken dat hij is weggesleept. Vooral buitenlandse auto's zijn een favoriet slachtoffer van de parkeerbewaking. Als uw auto weg is, kunt u nummer 158 bellen om te horen of hij is weggesleept of gestolen. Als uw auto is weggesleept, vertelt de politie bij welke parkeerplaats u hem – tegen betaling van een hoge boete – kunt terugkrijgen. Als

Ook in Praag heeft de wielklem zijn intrede gedaan

u een wielklem om uw wiel aantreft, vindt u op de bon onder de voorruit het adres waar u uw boete moet betalen. Daarna moet u bij uw auto wachten tot iemand de wielklem komt verwijderen.

Parkeerbord

OPENBAAR VERVOER

De beste manier om het centrum te doorkruisen, is per tram of metro. De spitsuren vallen 's ochtends tussen 6.00 en 8.00 uur en 's middags tussen 15.00 en 17.00 uur, maar dan worden ook veel extra trams, bussen en metrowagons ingezet. Enkele bussen naar de buitenwijken rijden alleen in de spits. In juli en augustus is een zomerdienstregeling van kracht, waarbij minder frequent gereden wordt. Er zijn informatiekantoren voor het openbaar vervoer in de metrostations Muzeum en Karlovo nám. (dag. 7.00-21.00 uur), en op vliegveld Ruzyně (dag. 7.00-22.00 uur); men spreekt er Engels.

Een van de vele krantenkiosken op het Wenceslasplein

KAARTJES

Men vertrouwt er in Praag op dat elke gebruiker van het openbaar vervoer een kaartje koopt. De enige controle daarop vindt steekproefsgewijs tijdens de rit plaats. Als u geen kaartje hebt, dient u ter plekke een forse boete te betalen. Voor het hele openbaar vervoer – bus, tram en metro – is hetzelfde kaartje geldig. U kunt zo'n kaartje overal in de stad kopen, maar vergeet niet het in een van de automaten te stempelen, want anders is uw kaartje niet geldig. U kunt een enkele rit kopen bij *tabák*-zaken en metrostations, of bij de buschauffeur, als u gepast betaalt. In de metrostations en in de treinen zelf staan kaartautomaten *(blz. 234)*. De kosten variëren afhankelijk van het type reis: tot 15 minuten zonder overstap (of 30 minuten en vier stations in de metro) of tot 60 minuten met routewijzigingsmogelijkheid.

Kinderen onder de 6 jaar reizen gratis, van 6 tot 15 jaar voor de halve prijs. U kunt ook een openbaarvervoerspas (*sít'ová jízdenka*) kopen (van 1 tot 30 dagen geldig).

Dagkaart

15-dagenpas

Reizen per metro

De ondergrondse, ook in Praag de metro genoemd,
is de snelste, comfortabelste en meestgebruikte
vorm van vervoer. Met de aanleg van de metro, die
wordt geëxploiteerd door het Praagse vervoerbedrijf
(blz. 232), werd in 1967 begonnen. Er zijn nu drie
lijnen (A, B en C) en 55 haltes. De metro rijdt tussen
5.00 uur en middernacht.

**Herkenningsbord van
metrohalte Můstek**

HOE MAAKT U GEBRUIK VAN DE METRO

De ingang van een metro-
station is niet altijd even
gemakkelijk te vinden. Het
groene bord met de witte 'M'
in een omgekeerde driehoek
(rechts) geldt als herkenningsteken. Vanaf de straat
komt u meestal op een trap
terecht, en soms hoort u bij
de ingang een hoge piep-
toon. Hiermee worden
blinden gewaarschuwd. Als u
een kaartje hebt gekocht en
de onbemande tourniquets
voorbij bent, leiden roltrap-
pen naar de perrons. Onderaan de snelle roltrap bevindt
zich een lange gang waar aan
weerszijden treinen in de
tegenovergestelde richting
vertrekken. Aan het plafond
van het station hangen borden die de bestemming van
de treinen aangeven (blz.
235). Langs de rand van de
perrons staan witte stippellij-
nen. Deze mag u pas over-
steken als de trein tot
stilstand is gekomen. De
deuren openen en sluiten
automatisch. Vlak voordat de
deuren dicht gaan, waar-
schuwt een stem op een
bandje het publiek. Alle
namen van stations worden in
de metro in het Tsjechisch
omgeroepen.
Boven alle deuren van de
metro vindt u een kaart van
het metronet.
Voor toeristen zal lijn A vaak
het belangrijkst blijken, deze
komt immers vlak bij veel
bezienswaardigheden:
Praagse Burcht, Kleine Zijde,
Oude Stad, Nieuwe Stad en
het winkelgebied rond het
Wenceslasplein.
Bij sommige zitplaatsen ziet u
een gehandicaptenvignet.
Ouderen, gehandicapten en
ouders met kinderen kunnen
hierop aanspraak maken.

Het ruime metrostation Můstek

KAARTAUTOMATEN

U kunt kaartjes kopen bij
kaartverkooppunten
(kader blz. 233) of
bij de automaten in
het metrostation. De
kaartautomaten en
kaartjes kunnen wat
betreft uiterlijk en kleur
verschillen, maar ze zijn
geldig voor alle vormen
van openbaar vervoer.
Bij de automaat kunt u
kiezen uit kaartjes van
verschillende prijzen, en
voor volwassenen,
kinderen, fietsen en
andere omvangrijke
bagage. Een enkele reis
is na afstempelen één
uur geldig.

1 Ga na welke
tariefklasse u
nodig hebt en druk
op de knop met het
juiste opschrift.

2 Op het schermpje
kunt u lezen welk
type kaartje u hebt
gekozen.

3 Als u inderdaad
het juiste type
kaartje gekozen hebt,
druk dan op výdej
om uw keuze te
bevestigen. (Als u
verkeerd gekozen
hebt, druk dan op de
knop storno en begin
opnieuw.)

4 Als u uw keuze hebt
bevestigd, werp dan
munten in deze gleuf.
De meeste automaten
geven wisselgeld terug.

5 Pak uw kaartje en
eventueel wisselgeld
uit het bakje onderaan
de machine.

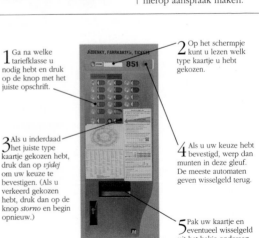

Een ritje met de metro

1 Deze letters, met elk hun eigen kleur, staan voor de drie metrolijnen. Boven de letters staat hoe lang de metro doet over de reis van de ene naar de andere eindhalte.

Deze kaart van het metronet kunt u kopen bij tabakswinkels en kiosken. Op de binnenkant van het achteromslag van dit boek vindt u ook een kaart van de metro.

2 Zoek uw bestemming op in de *Stratengids (blz. 244-249)*, zoek de dichtstbijzijnde metrohalte op en bepaal uw route op een kaart van het metronet.

Op de borden aan het plafond kunt u lezen welke richting een trein uit gaat

3 In de metro kunt u een enkelereiskaart *(links)* of een openbaarvervoerspas *(onder)* kopen. De laatste biedt onbeperkt reizen per bus of tram gedurende een bepaalde periode *(kader blz. 233)*. Kinderkaartjes kosten de helft van de prijs.

5 U ziet dit bord aan het plafond boven het perron hangen. Het geeft de bestemming van de metro die daar stopt aan. De trein die links gaat stoppen, heeft Haje als eindbestemming. Op uw kaart van het metronet kunt u zien dat deze metro naar het zuiden rijdt.

'Stanice' betekent station

4 Voor u met de roltrap naar beneden gaat, moet u uw enkelereiskaartje in deze automaat stempelen. Zonder stempel is uw kaartje ongeldig en kunt u beboet worden. Stempel een toeristenkaart niet af.

'Směr' betekent richting

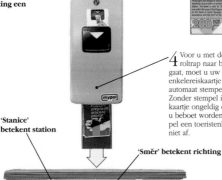

| Kolej 2 | Směr Stanice Háje | Směr Stanice Nádraží Holešovice | Kolej 1 |

Naam halte bestemming

6 Dit bord vindt u op het perron. De witte stip geeft aan waar u zich nu bevindt, de gekleurde letters geven aan waar u op de lijnen A en B kunt overstappen. Voor de haltes links van de witte stip moet u de metro links nemen, voor die rechts van de stip stapt u rechts in.

De witte stip geeft aan in welk station u bent

| Kolej 2 | A | B | Kolej 1 |

⬆ Výstup ⬆

7 Als u op uw bestemming bent, volgt u de borden naar de uitgang *(Výstup)*, die u weer naar de straat leiden.

Reizen per tram

De tram is de oudste vorm van openbaar vervoer in Praag. In 1879 reed er al een paardentram en in 1891 kreeg Praag zijn eerste elektrische tram. Op de metro na is de tram de snelste manier om Praag te doorkruisen. Sommige lijnen rijden alleen in de spits. Alle nachttrams hebben een halte bij Lazarská in Nieuwe Stad.

TRAMKAARTEN

De Praagse tram is in handen van het Praagse vervoerbedrijf *(blz. 232)*. U kunt uw tramkaartjes ook in de bus en de metro gebruiken *(kader blz. 233)*.
U moet uw tramkaartje kopen voordat u instapt. In de tram zult u twee of drie stempelautomaten aan metalen buizen zien hangen. Steek uw kaartje in de gleuf, dan wordt het automatisch gestempeld. Ongestempelde kaartjes zijn niet geldig en bij controle zult u, als u niet hebt gestempeld, een boete moeten betalen *(blz. 233)*. Een enkele-

reiskaart is voor één reis geldig, ongeacht de lengte daarvan *(blz. 233)*.
Bij elke tramhalte hangt een dienstregeling van die lijn; de halte waar u zich bevindt, is daarop onderstreept. Alle haltes daaronder zijn volgende bestemmingen van de tram. De trams rijden met tussenpozen van 10 à 20 minuten. De deuren openen en sluiten automatisch en de komende halte wordt door een opgenomen stem afgeroepen. 's Nachts rijden er elke 30 minuten een paar nachttrams (nummers 51 tot 58). Voor meer informatie, zie de website www.dp-praha.cz

Borden bij de tramhaltes
Deze borden, die u bij elke halte ziet staan, geven aan welke trams er stoppen en in welke richting ze rijden.

Naam tramhalte — Tramlogo

JINDŘIŠSKÁ

Richting waarin de trams rijden — Cijfers geven aan welke trams hier stoppen

Een van de nieuwe trams in de Praagse straten

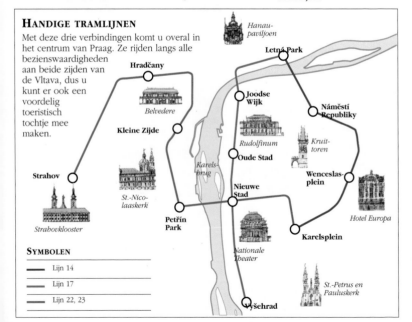

HANDIGE TRAMLIJNEN

Met deze drie verbindingen komt u overal in het centrum van Praag. Ze rijden langs alle bezienswaardigheden aan beide zijden van de Vltava, dus u kunt er ook een voordelig toeristisch tochtje mee maken.

Hanau-paviljoen
Letná Park
Hradčany
Belvedere
Joodse Wijk
Náměstí Republiky
Kleine Zijde
Rudolfinum
Kruittoren
Oude Stad
Karelsbrug
Strahov
St.-Nicolaaskerk
Nieuwe Stad
Wenceslasplein
Petřín Park
Hotel Europa
Strahovklooster
Nationale Theater
Karelsplein
St.-Petrus en Pauluskerk
Vyšehrad

SYMBOLEN

Lijn 14

Lijn 17

Lijn 22, 23

Reizen per bus

De bus is vooral handig als u een van de Praagse buitenwijken wilt bezoeken. De bus mag niet door het centrum van de stad rijden vanwege de te smalle straatjes, dus verzorgt de bus vervoer van de buitenwijken naar tram- en metrohaltes buiten het centrum.

Logo Praagse bus

BUSKAARTEN

Bus van het Praagse vervoerbedrijf

Tenzij u gepast kunt betalen, moet u uw buskaartje kopen voordat u instapt. Ze zijn bij vele adressen verkrijgbaar *(blz. 233)*. Ook in de

bus moet u uw kaartje stempelen. Als u een enkele-reiskaartje koopt, moet u bij elke overstap een nieuw kaartje aanschaffen. Dit geldt niet als u een openbaarvervoerspas hebt gekocht *(blz. 233)*. De deuren openen en sluiten automatisch en een schril piepgeluid geeft aan dat u niet meer mag instappen. Voor ouderen en gehandicapten moet u opstaan. Bij elke halte hangt een dienstregeling waarop de rijtijden van alle bussen die die halte aandoen, staan

aangegeven. De frequentie van busdiensten loopt sterk uiteen: in de spitsuren rijden sommige lijnen wel twaalf of vijftien keer per uur, op andere tijden niet meer dan drie keer per uur.
's Nachts onderhouden twaalf nachtbussen verbinding met die delen van de stad waar de nachttrams niet komen. Voor meer informatie, zie de website www.dp-praha.cz

Reizen per taxi

De taxi's in Praag kunnen handig zijn, maar u moet te allen tijde alert zijn bij het gebruik ervan. Het taxibedrijf was tientallen jaren deel van het vervoerbedrijf, maar het is nu geprivatiseerd. Sommige chauffeurs rekenen schaamteloos elke prijs die ze denken te kunnen vangen, dus neem nooit onvoorbereid de taxi. Begin met uit te zoeken wat de standaardtarieven zijn.

TAXITARIEVEN

Een van de vele taxistandplaatsen in het centrum

De taximeter begint bij een vastgesteld bedrag te tikken zodra u instapt, waarna de gereden afstand de prijs bepaalt. Dit is de theorie, maar in de praktijk wordt hier volop de hand mee gelicht. De taximeter kent vier verschillende tarieven en voor een rit binnen Praag dient tarief één (het goedkoopste) te worden gerekend. Het is echter verstandiger om voor het vertrek een prijs met de

chauffeur af te spreken, want met de taximeters wordt ook veel geknoeid. Even stevig onderhandelen kan u handenvol geld schelen. Engels beheersen de chauffeurs meestal nauwelijks, Duits wellicht iets beter, maar als u gaat onderhandelen, kunt u het beste uw bestemming en uw prijsvoorstel opschrijven, dat voorkomt misverstanden achteraf. 's Nachts kost een taxi het dubbele of zelfs

Een reçu is, op aanvraag, wettelijk verplicht.

De gereden afstand / Het betaalde bedrag

Bord bij een taxistandplaats

drievoudige van de prijs overdag. Betrek ook bijkomende kosten (voor veel bagage) in uw onderhandelingen. Als er toch nog moeilijkheden dreigen, moet u een reçu vragen, dat schrikt overvragende chauffeurs meestal wel af. De taxi's in het centrum zijn vaak het allerbrutaalst. Toch is de taxi een veilig vervoermiddel en ook vrouwen alleen hoeven zich in een Praagse taxi geen zorgen te maken.

De meter geeft aan hoeveel u moet betalen.

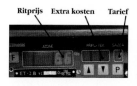

Ritprijs / Extra kosten / Tarief

STRATENGIDS

De verwijzingen naar de kaarten bij alle bezienswaardigheden, hotels, restaurants, winkels en uitgaansgelegenheden die in dit boek zijn gegeven, hebben betrekking op dit hoofdstuk. Op de volgende bladzijden treft u een compleet register aan met alle straatnamen en bezienswaardigheden die op de kaarten zijn aangegeven. Op de overzichtskaart (rechts) ziet u welk gedeelte van Praag in de *Stratengids* is verwerkt. De meeste bezienswaardigheden en de buurten met de meeste hotels, restaurants en uitgaansgelegenheden staan op de kaarten.

Net als op Tsjechische kaarten is het Tsjechische woord voor straat *(ulice)* weggelaten (u zult dit woord wel vaak op straatnaamborden zien staan). Zo staat Celetná ulice zowel op de kaart als in het register als Celetná vermeld. Straatnamen die met een cijfer beginnen vindt u onder de eerste letter: 17. listopadu (17 november) staat onder de 'L'.

EVROPSKÁ

PATOČKOVA

Praagse Burcht en Hradčany

MYSLBEKOVA

VANÍČKOVA

SYMBOLEN PLATTEGROND

	Belangrijke bezienswaardigheid
	Bezienswaardigheid
	Andere gebouwen
'M'	Metrohalte
	Station
	Busstation
	Tramhalte
	Kabelbaan
	Aanlegplaats
	Taxistandplaats
P	Parkeerplaats
i	Toeristenbureau
	Ziekenhuis met eerste hulp
	Politiebureau
	Kerk
	Synagoge
	Postkantoor
===	Spoorlijn
	Eénrichtingverkeer
	Stadswal
	Voetgangersgebied

SCHAAL VAN DE KAARTEN

```
0 meter          200
                 1:10.000
```

Uitzicht op de Karelsbrug, Kleine Zijde en de Praagse Burcht vanaf de Bruggetoren Oude Stad

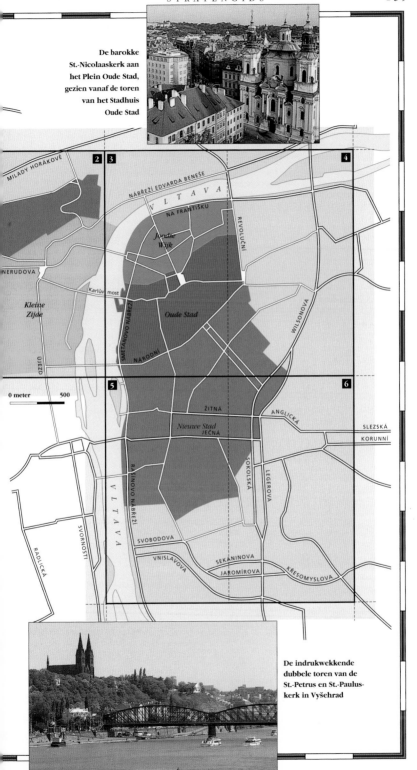

De barokke
St.-Nicolaaskerk aan
het Plein Oude Stad,
gezien vanaf de toren
van het Stadhuis
Oude Stad

De indrukwekkende
dubbele toren van de
St.-Petrus en St.-Paulus-
kerk in Vyšehrad

Straatnamenregister

De volgorde van de ingangen in dit register wordt beïnvloed door het gebruik van de *háček*, het omgekeerde dakje op sommige letters. In het Tsjechisch gelden **č**, **ř**, **š** en **ž** als aparte letters. Straatnamen die met een **Ř** beginnen, komen na degenen die met een **R** beginnen.

Kerken, gebouwen, musea en monumenten staan op de kaarten van de Stratengids met zowel hun Nederlandse als hun Tsjechische naam aangegeven. In het register staan beide namen vermeld. Nederlandse namen voor straten en pleinen, bijvoorbeeld het Wenceslasplein, worden niet op de kaarten vermeld; wel in het register, met de Tsjechische naam erachter.

NUTTIGE WOORDEN	
dům	huis
hrad	kasteel
kostel	kerk
klášter	klooster
most	brug
nábřeží	rivieroever
nádraží	station
náměstí	plein
sady	park
schody	trap
třída	brede laan
ulice	straat
ulička	steeg
zahrada	tuin

A

Aartsbisschoppelijk	
paleis	**2 D3**
Albertov	**5 C4**
Alšovo nábřeží	**3 A3**
Americká	**6 F3**
Anenská	**3 A4**
Anenské náměstí	**3 A4**
Anežská	**3 C2**
Anglická	**6 E2**
Anny Letenské	**6 F1**
Apolinářská	**5 C4**
Arcibiskupský palác	**2 D3**
autobusové	
nádraží Praha,	
Florenc	**4 F3**
autobusová zast.	
Hradčanská	**2 D1**

B

Badeniho	**2 F1**
Balbínova	**6 E2**
Bartolomějská	**3 B5**
Barvířská	**4 E2**
Bazilika sv. Jiří	**2 E2**
Bělehradská	**6 E2**
Belgická	**6 F3**
Bělohorská	**1 A4**
Belvedér	**2 E1**
Belvedere	**2 E1**
Benátská	**5 B3**
Benediktská	**4 D3**
Besední	**2 E5**
Bethlehemkapel	**3 B4**
Betlémská	**3 A5**
Betlémská kaple	**3 B4**
Betlémské náměstí	**3 B4**
Bij St.-Thomas	**2 E3**
Bij de Drie	
Struisvogels	**2 F3**
Bílkova	**3 B2**
Biskupská	**4 E2**

Biskupský dvůr	**4 E2**
Blanická	**6 F2**
Bolzanova	**4 E4**
Boršov	**3 A4**
Botanická zahrada	**5 B3**
Botanische tuinen	**5 B3**
Botič	**6 D5**
Botičská	**5 B4**
Boženy Němcové	**6 D4**
Břehová	**3 A2**
Břetislavova	**2 D3**
Brugstraat	
(Mostecká)	**2 E3**
Bruselská	**6 E3**
Brusnice	**1 C2**

C

Carolinum	**3 C4**
Celetná	**3 C3**
Chaloupeckého	**1 B5**
Charvátova	**3 B5**
Chodecká	**1 A5**
Chotkova	**2 E1**
Chotkovy sady	**2 F1**
Chrám sv. Víta	**2 D2**
Cihelná	**2 F3**
Clam-Gallaspaleis	**3 B4**
Clam-Gallasův palác	**3 B4**
Clementinum	**3 A4**
Cukrovarnická	**1 A1**
Czerninpaleis	**1 B3**

Č

Čechův most	**3 B2**
Čelakovského sady	**6 E1**
vervolg	**6 D1**
Černá	**5 B1**
Černínská	**1 B2**
Černínský palác	**1 B3**
Čertovka	**2 F4**
Červená	**3 B3**

D

Daliborka	**2 E2**
Daliborkatoren	**2 E2**
Dělostřelecká	**1 A1**
Diskařská	**1 A5**
Dittrichova	**5 A2**
Divadelní	**3 A5**
Dlabačov	**1 A4**
Dlážděná	**4 E4**
Dlouhá	**3 C3**
Dražického	**2 F3**
Dražického náměstí	**2 E3**
Dřevná	**5 A3**
Dům pánů z	
Kunštátu	**3 B4**
Dům U Dvou	
zlatých medvědů	**3 B4**
Dušní	**3 B2**
Dvořákmuseum	**6 D2**
Dvořákovo nábřeží	**3 A2**

E

Elišky Krásnohorské	**3 B2**
Emmaüsklooster	**5 B3**

F

Fausthuis	**5 B3**
Faustův dům	**5 B3**
Florenc (metro)	**4 F3**
Franciscanentuin	**3 C5**
Francouzská	**6 F2**
Františkánská	
zahrada	**3 C5**
Fügnerovo náměstí	**6 D3**

G

George van	
Poděbradpaleis	**3 A4**
Gogolova	**2 F1**
Gorazdova	**5 A3**

Gouden Straatje	
(Zlatá ulička)	**2 E2**
Grootprioraatsplein	
(Velkopřevorské	
náměstí)	**2 E4**

H

Hálkova	**6 D2**
Harantova	**2 E4**
Haštalská	**3 C2**
Haštalské náměstí	**3 C2**
Havelská	**3 B4**
Havelská ulička	**3 C4**
Havířská	**3 C4**
Havlíčkova	**4 E3**
Heilige Geestkerk	**3 B3**
Helénská	**4 F5**
Hellichova	**2 E4**
Helmova	**4 E2**
Hládkov	**1 A3**
Hladová zeď	**1 B4**
Hlávkův most	**4 F1**
Hlavní nádraží	**4 E5**
Hlavní nádraží	
(metro)	**4 E4**
Hlavova	**5 C4**
Hlavsova	**3 B4**
Hoge synagoge	**3 B3**
Hongermuur	**1 B4**
Horská	**5 C5**
Hotel Europa	**4 D5**
Hotel Evropa	**4 D5**
Hradčanská (metro)	**2 E1**
Hradčanské náměstí	**1 C3**
Hradební	**4 D2**
Hroznová	**2 F4**
Huis bij de Twee	
Gouden Beren	**3 B4**
Husitská	**4 F4**
Husova	**3 B4**
Hvězdárna	**2 D5**
Hybernská	**4 D3**

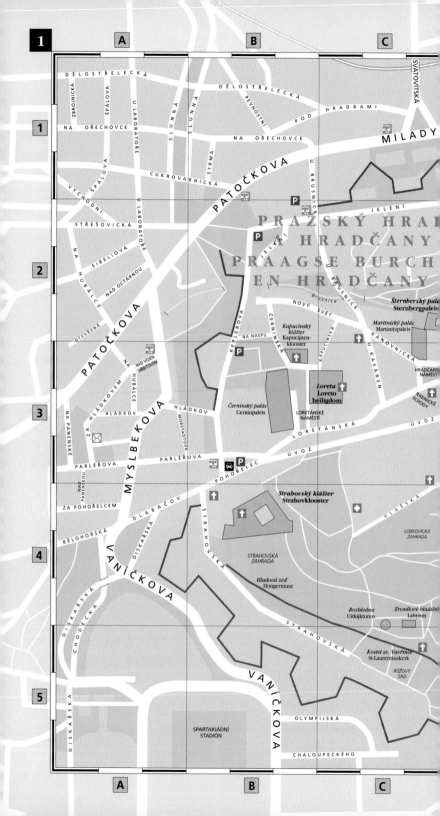

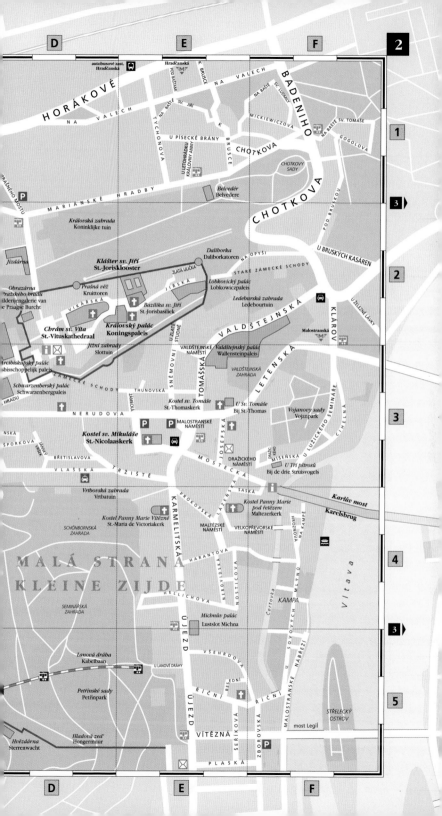

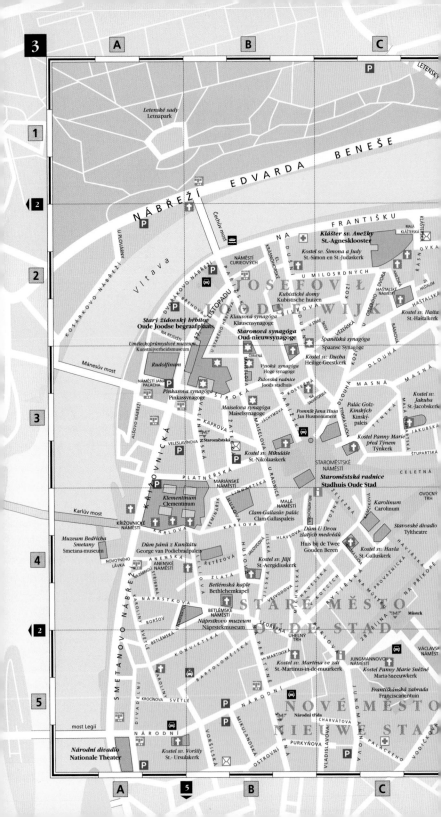

A **B** **C**

1

2

2

3

4

5

LETENSKÝ

Letenské sady
Letnapark

NÁBŘEŽÍ EDVARDA BENEŠE

FRANTIŠKU

Klášter sv. Anežky
St.-Agnesklooster

MALÁ
KLÁŠTERSKÁ

KLÁŠTERSKÁ

Vltava

Čechův most

NÁMĚSTÍ
CURIEOVÝCH

Kostel sv. Šimona a Judy
St.-Simon en St.-Judaskerk

U MILOSRDNÝCH

HAŠTALSKÉ
NÁMĚSTÍ

ANEŽSKÁ

HRADEBNÍ DVORA

HAŠTALSKÁ

JOSEFOV
JOODSE WIJK

Kubistické domy
Kubistische huizen

KOŽNÁ

Kostel sv. Haštala
St.-Haštalkerk

Starý židovský hřbitov
Oude Joodse begraafplaats

Klausová synagóga
Klausensynagoge

Staronová synagóga
Oud-nieuwsynagoge

ČERVENÁ

Španělská synagóga
Spaanse Synagoge

Umělekoprůmyslové muzeum
Kunstnijverheidsmuseum

NA REJDIŠTI

NÁ PŘÍKOPĚ

Vysoká synagóga
Hoge synagoge

Kostel sv. Ducha
Heilige-Geestkerk

DLOUHÁ

MASNÁ

Rudolfinum

NÁMĚSTÍ JANA
PALACHA

Pinkasova synagóga
Pinkassynagoge

Židovská radnice
Joods stadhuis

ŠIROKÁ

Maiselova synagóga
Maiselsynagoge

Palác Golz-Kinských
Kinský-paleis

Kostel sv. Jakuba
St.-Jacobskerk

MALÁ ŠTUPARTSKÁ

Pomník Jana Husa
Jan Husmonument

Kostel Panny Marie před Týnem
Týnkerk

z Staroměstská

ŠTUPARTSKÁ

Kostel sv. Mikuláše
St.-Nikolaaskerk

STAROMĚSTSKÉ
NÁMĚSTÍ

CELETNÁ

PLATNÉŘSKÁ

MARIÁNSKÉ
NÁMĚSTÍ

Staroměstská radnice
Stadhuis Oude Stad

OVOCNÝ
TRH

Karlův most

KŘIŽOVNICKÉ
NÁMĚSTÍ

Klementinum
Clementinum

MALÉ
NÁMĚSTÍ

Clam-Gallasův palác
Clam-Gallaspaleis

Karolinum
Carolinum

Stavovské divadlo
Tyltheatre

Muzeum Bedřicha Smetany
Smetana-museum

NOVOTNÉHO
LÁVKA

Dům pánů z Kunštátu
George van Podiebradpaleis

ANENSKÉ
NÁMĚSTÍ

ŘETĚZOVÁ

KARLOVA

Dům U Dvou zlatých medvědů
Huis bij de Twee Gouden Beren

Kostel sv. Havla
St.-Galluskerk

Kostel sv. Jiljí
St.-Aegidiuskerk

ZLATÁ

Betlémská kaple
Bethlehemkapel

BETLÉMSKÉ
NÁMĚSTÍ

Náprstkovo muzeum
Náprstekmuseum

STARÉ MĚSTO
OUDE STAD

Můstek

UHELNÝ
TRH

VÁCLAVSKÉ
NÁMĚSTÍ

KONVIKTSKÁ

Kostel sv. Martina ve zdi
St.-Martinus-in-de-muurkerk

JUNGMANNOVO
NÁMĚSTÍ

Kostel Panny Marie Sněžné
Maria-Sneeuwkerk

BARTOLOMĚJSKÁ

NÁRODNÍ

Františkánská zahrada
Franciscantuin

NOVÉ MĚSTO
NIEUWE STAD

most Legií

Národní třída

PURKYŇOVA

Národní divadlo
Nationale Theater

Kostel sv. Voršily
St.-Ursulakerk

A **B** **C**

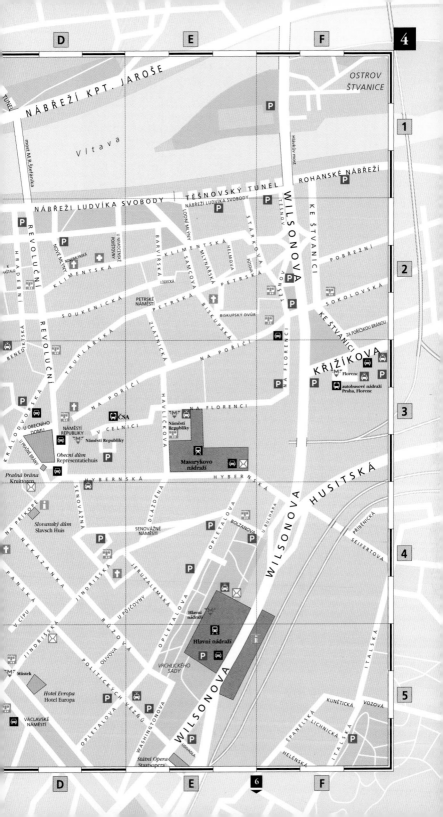

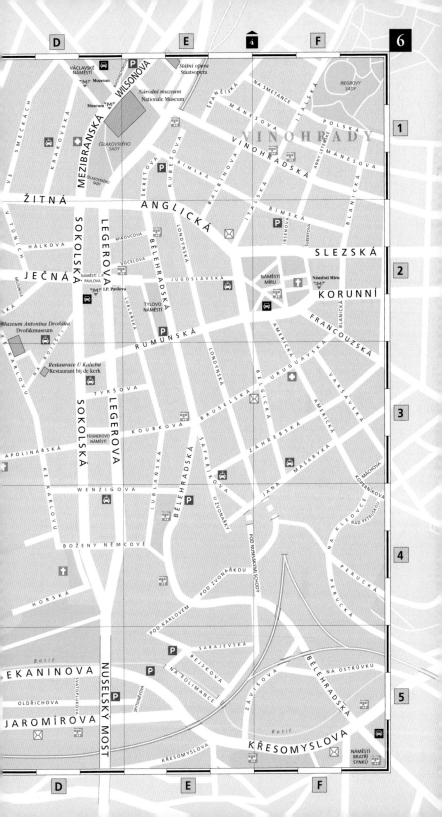

Register

Dankbetuiging

De uitgever bedankt de volgende personen en instellingen voor hun hulp bij de samenstelling van dit boek.

AUTEUR

Vladimír Soukup werd in 1949 in Praag geboren. Hij werkte 20 jaar bij het dagblad *Evening Prague*, waar hij het tot adjunct-hoofdredacteur bracht. Hij heeft een groot aantal populaire boeken over Praag geschreven.

MEDEWERKERS

Ben Sullivan, Lynn Reich.

REDACTEUREN, ONDERZOEKERS EN ONTWERPERS

Tessa Bindloss, Caroline Bowie, Anne-Marie Bulat, Lucinda Cooke, Vanessa Courtier, Michelle Crane, Russell Davies, Stephanie Driver, Simon Farbrother, Fay Franklin, Alistair Gunn, Elaine Harries, Charlie Hawkings, Jan Kaplan, Dr. Tomáš Kleisner, Steve Knowlden, David Lamb, Susannah Marriott, Georgina Matthews, Sam Merell, James Mills-Hicks, David Pugh, Robert Purnell, Marian Sucha, Salim Qurashi, Ellen Root, Carolyn Ryden, Sands Publishing Solutions, Hilary Stephens, Helena Svojsikova, Helen Townsend, Daphne Trotter, Conrad van Dyk, Karen Villabona, Christopher Vinz.

AANVULLENDE FOTOGRAFIE

DK Studio/Steve Gorton, Otto Palan, M Soskova, Clive Streeter, Allan Williams.

FOTOVERANTWOORDING

We hebben onze uiterste best gedaan om alle rechthebbenden te achterhalen. Onze verontschuldigingen voor de gevallen waarin dat niet is gelukt. In een volgende uitgave zullen wij graag de rechthebbende(n) onze dank betuigen.

b = boven; lb = links boven; mb = midden boven; rb = rechts boven; mlb = midden links boven; mb = midden boven; mrb = midden rechts boven; ml = midden links; m = midden; mr = midden rechts; mlo = midden links onder; mo = midden onder; mro = midden rechts onder; ol = onder links; o = onder; om = onder midden; or = onder rechts; d = detail.

De kunstwerken op de aangegeven bladzijden zijn afgedrukt met toestemming van de volgende rechthebbenden:
Aristide Maillol *Pomona* 1910 © ADAG, Parijs, en DACS, Londen, 1998: 164mr. Gustav Makarius Tauc (An der Aulenkaut 31, Wiesbaden, Duitsland) onder toezicht van de orde der minderbroeders in Rome: 35or.

De uitgevers zijn dank verschuldigd aan de volgende personen, bedrijven en fotoarchieven voor hun toestemming voor het afdrukken van hun foto's c.q. het verlenen van medewerking om bij hen te fotograferen:

ARCHEOLOGICKÝ ÚSTAV ČESKÉ AKADEMIE VĚD: 20b; ARCHIV FÜR KUNST UND GESCHICHTE, BERLIN: 17o, 18lb (d), 18rb, 18om (d), 18or(d), 19lb (d), 19mb (d), 19rb (d), 19m (d), 19om (d), 20ml, 20ol, 23mo (d), 29 mlb (d), 32b (d), 32ol, 34mb (d), 35mb (d), 35ol, 43lb, 50o (d), 105mr, 118b, Erich Lessing 28mb (d), 31ol (d), 88m, 89mo; ARCHÍV HLAVNÍHO MESTA. PRAHY (CLAM-GALLASŮV PALÁC): 23ml, 24ol, 28ol, 28or, 30o, 33mlo, 33om, 72b, 136or, 137or (d), 138mb, 168m.

BILDARCHIV PREUSSISCHER KULTURBESITZ: 4b (d), 19ol (d), 29or, 34om, 68rb, 104ol (d); BRIDGEMAN ART LIBRARY, Londen: Prado, Madrid 29o; Rosegarten Museum, Constanz 26mb. ČESKÁ TISKOVÁ KANCELÁR: 19or, 35mro, 195mr; ČSA: 228o; JEAN-LOUP CHARMET: 18ol (d), 21m, 31or, 33b, 33ol, 33or (d), 34rb (d), 34ol, 62m, 69mb; ZDENEK CHRAPPEK: 50M; COMSTOCK: Georg Gerster: 10; JOE CORNISH: 58-59, 60, 148or.
MARY EVANS PICTURE LIBRARY: 9, 59, 138mo, 181, 217.
GRAFOPRINT NEUBERT: 31mlo, 38mlo, 116m.
ROBERT HARDING PICTURE LIBRARY: Michael Jenner 128lb; Christopher Rennie 24mb, 103rb; Peter Scholey 30b, 129lb; HUTCHISON LIBRARY: Libuše Taylor 51o, 52b, 175lb; 197m. THE IMAGE BANK: Andrea Pistolesi 14o; Met toestemming van ISIC, GB: 226c. KANCELÁŘ PREZIDENTA REPUBLIKY: 20-21, 21rb, 21ol, 21or, 22m; OLDRICH KARA-SEK: 56mb, 62rb, 101mro, 134b, 176b, 197m, 211b, 225ml, 233mo; KARLŠTEJN: 25lo; Vladimír Hyhlík 24-25, Oldrich Karasek 135o; KAREL KESTNER: 35mlo; KLEMENTINUM: 23lo; Prokop Paul 22o; THE KOBAL COLLECTION: 35lo; DALIBOR KUSÁK: 164ol, 166-167, 16-19 allemaal. IVAN MALÝ: 210b, 210m; MUZEUM HLAVNÍHO MĚSTA PRAHY 32-33; MUZEUM POŠTOVNÍ ZNÁMKY: 149ml; NÁRODNÍ FILMOVÝ ARCHIV: 34or; NÁRODNÍ GALERIE V PRAZE: 24or, 40o; Grafická sbírka 26b, 27ol, 31b, 67o, 69m, 100b, 102o, 121b, 125mo, 129or, 138o, 157mo, 175o, 178o; Klášter sv. Anežky 39rb, 83b, 92-93 allemaal, 133o; Klášter sv. Jiří 16, 37or, 38br, 97mlo, 106-107 allemaal, m.u.v. 106m, 108-109 allemaal, Šternberský palác 38mb, 112-113 allemaal, 114-115 allemaal, Veletržní palac 164-165 allemaal; Zbraslav 40o; NÁRODNÍ MUZEUM, PRAHA: 147o; NÁRODNÍ MUZEUM V PRAZE: Vlasta Dvořáková 20mlo, 26-27, 26ol, 26om, 26or, 27bf, 27ml, 27mr, 27or, 29ol, 39mo, 75o, 72o, Jarmila Kutová 20m, 22ol, Dagmar Landová 28om, 126m, Muzeum Antonína Dvořáka 39o, Muzeum Bedřicha Smetany 32mb, Prokop Paul 75o, Tyršovo Muzeum; 34mo, 149ol; NÁRODNÍ TECHNICKÉ MUZEUM: Gabriel Urbánek 41b. OBRAZÁRNA PRAŽSKÉHO HRADU: 98o; ÖSTERREICHISCHE NATIONALBIBLIOTHEK, WENEN: 25mlo, 26mo. PIVOVARSKÉ MUZEUM: 196rb, 196m; BOHUMÍR PROKŮPEK: 25ol, 30b, 120m, 121m, 121ol, 163o. REX FEATURES LTD: Alfred 35rb, Richard Gardener 232b. SCIENCE PHOTO LIBRARY: Geospace 11, 38mro; SOTHEBY'S/THAMES AND HUDSON: 104m; STÁTNÍ ÚSTŘEDNI ARCHIV: 23o; STÁTNÍ ÚSTAV PAMÁTKOVÉ PÉČE: 23mb; STÁTNÍ ŽIDOVSKÉ MUZEUM: 39mb, 85b, 85m, 90o; LUBOMÍR STIBUREK: www.czfoto.cz: 55o, 132m, 145mb, 163b, 176m, 234m, 235ml, 235om, 236mr; MARIAN SUCHA binnenomslag voor lo, 55b, 56mo, 94, 127o, 174b, 197ol, 197b, 225o, 229rb, 229m; SVATOVÍTSKÝ POKLAD, PRAŽSKÝ HRAD: 14b, 21lb, 24b, 24mo, 28b, 40rb. UMĚLECKOPRŮMYSLOVÉ MUZEUM V PRAZE: 39lb, 40lb, 149m, 149or, Gabriel Urbánek 28mlo, 41o; UNIVERZITA KARLOVA: 25rb. PETER WILSON: 4o, 191b, 216-217, 238. ZEFA: 33mrb.
Binnenkant omslag voor: speciale of aanvullende fotografie behalve (midden) JOE CORNISH.

OMSLAG

Voor - DK PICTURE LIBRARY: Clive Streeter om; Stanislav Tereba mlo; Vladimir Kozlik mro; GETTY IMAGES: Joe Cornish hoofdfoto. Achter - DK PICTURE LIBRARY: Peter Wilson b, o. Rug - GETTY IMAGES: Joe Cornish.

Alle andere illustraties © Dorling Kindersley. Voor meer informatie, kijk op www.dkimages.com

Algemene uitdrukkingen

BIJ NOOD

Help!	Pomoc!	*po-mots*
Stop!	Zastavte!	*za-stav-te*
Bel een	Zavolejte	*za-vo-lej-te*
dokter!	doktora!	*dok-to-ra!*
Bel een	Zavolejte	*za-vo-lej-te*
ziekenwagen!	sanitku!	*sa-nit-ku!*
Bel de	Zavolejte	*za-vo-lej-te*
politie!	policii!	*poll-tsi-i!*
Bel de	Zavolejte	*za-vol-ej-te*
brandweer!	hasiče	*ha-si-tsje*
Waar is een	Kde je	*gde je*
telefoon?	telefón?	*tele-fohn?*
het dichtstbijzijnde	nejbližší	*nej-blis-zi*
ziekenhuis?	nemocnice?	*ne-mots-njitse?*

BASISWOORDEN

ja/nee	Ano/Ne	*ano/ne*
alstublieft	Prosím	*pro-ziem*
dank u	Děkuji vám	*dje-ku-ji vahm*
pardon	Prosím vás	*pro-ziem vahs*
hallo	Dobrý den	*do-brzbe den*
tot ziens	Na shledanou	*na s-hle-da-no*
goedenavond	Dobrý večer	*dob-rzbe vetsj-er*
morgen	ráno	*rah-no*
middag	odpoledne	*od-po-led-ne*
avond	večer	*ve-tsjer*
gisteren	včera	*vtsje-ra*
vandaag	dnes	*dnes*
morgen	zítra	*ziet-ra*
hier	tady	*ta-di*
daar	tam	*tam*
Wat?	Co?	*tso?*
Wanneer?	Kdy?	*gdi?*
Waarom?	Proč?	*protsj?*
Waar?	Kde?	*gde?*

NUTTIGE UITDRUKKINGEN

Hoe gaat het?	Jak se máte?	*jak-se mah-te?*
Goed,	Velmi dobře	*vel-mi dob-rzbe*
dank u.	děkuji.	*dje kuji*
Aangenaam kennis	Těší mě.	*tjesb-ie mje*
te maken.		
Tot gauw.	Uvidíme se	*u-vi-djie-me-se-*
	brzy.	*br-zi*
Dat is goed.	To je v	*to je vpo-*
	pořádku.	*rzbahdkoe*
Waar is/zijn...?	Kde je/jsou ...?	*gde je/jso ...?*
Hoe lang doe ik	Jak dlouho to trvá	*yak dlo ho to tr-va*
er over naar...?	se dostat do..?	*se do-stat do...?*
Hoe kom ik bij...?	Jak se	*jak se*
	dostanu k ..?	*do-sta-nu k ...?*
Spreekt u	Mluvíte	*mlu-vie-te*
Engels?	anglicky?	*an-glits-ki?*
Ik begrijp het niet.	Nerozumím.	*ne-ro-zu-miem*
Kunt u wat	Mohl(a)* byste	*mobl- (a) bis-te*
langzamer praten?	mluvit trochu	*mlu-vit tro-kbu*
	pomaleji?	*po-malej?*
Wat zegt u?	Prosím?	*pro-ziem?*
Ik ben verdwaald.	Ztratil(a)*	*stra-tjil (a)*
	jsem se.	*jsem se.*

NUTTIGE WOORDEN

groot	velký	*vel-kie*
klein	malý	*mal-ie*
warm	horký	*bor-kie*
koud	studený	*stu-den-ie*
goed	dobrý	*dob-rie*
slecht	špatný	*shpat-nie*
oké	dobře	*dob-rzbe*
open	otevřeno	*ot-ev-rzbe-no*
dicht	zavřeno	*zav-rzbe-no*
links	do leva	*do le-va*
rechts	do prava	*do pra-va*
rechtdoor	rovně	*rov-nje*
dichtbij	blízko	*blie-sko*
ver weg	daleko	*da-le-ko*
naar boven	nahoru	*na-bo-ru*
naar beneden	dolů	*do-loe*
vroeg	brzy	*br-zi*
laat	pozdě	*poz-dje*
ingang	vchod	*vkbod*
uitgang	východ	*ivee-kbod*
toiletten	toalety	*toa-leti*
niet bezet, vrij	volný	*vol-nie*
gratis	zdarma	*zdar-ma*

TELEFONEREN

Ik wil graag	Chtěl(a)* bych	*kbtjel(a) bikh*
bellen.	volat	*vo-lat*
Ik wil graag op	Chtěl(a)* bych	*kbtjel(a) bikh*
kosten van de	volat na účet	*volat na oe-sjet*
ontvanger bellen.	volaného.	*volan-eb-bo*
Ik bel later wel terug.	Zkusím to	*skus-iem to*
	později.	*poz-djej*
Kan ik een -	Mohu nechat	*mo-bu ne-kbat*
boodschap	zprávu?	*sprab-vu?*
achterlaten?		
Een ogenblik.	Počkejte.	*posj-kej-te*
Kunt u iets harder	Mohl(a)* byste	*mo-bl (a) bis-te*
praten alstublieft?	mluvit hlasitěji?	*mluvit bla-si-tjej?*
lokaal gesprek	místní hovor	*miest-njie bov-or*

DE STAD BEZICHTIGEN

bibliotheek	knihovna	*knji-bov-na*
bushalte	autobusová	*au-to-bus-o-vab*
	zastávka	*za-stab-vka*
galerie	galerie	*ga-ler-riye*
gesloten i.v.m.	státní	*stabt-njie*
de feestdagen	svátek	*svab-tek*
inlichtingen	turistické	*toeristi-tske*
toeristen	informace	*in-for-ma-tse*
kerk	kostel	*kos-tel*
museum	muzeum	*muz-e-um*
station	nádraží	*nah-dra-zbie*
tuin	zahrada	*za bra-da*

WINKELEN

Wat kost dit?	Co to stojí?	*tso to-to sto-jie?*
Ik wil graag ...	Chtěl(a)* bych ...	*kbtyel(a) bikh...*
Hebt u ...?	Máte ...?	*maa-te ...?*
Ik wil alleen kijken.	Jenom se dívám.	*je-nom se djie-vabm*
Accepteert u	Berete kreditní	*be-re-te kred-it*
creditcards?	karty?	*njie karti?*
Hoe laat gaat u	V kolik	*v ko-lik*
open/sluit u?	otevíráte/	*o-te-vie-rab-te/*
	zavíráte?	*za vie rab-te?*
deze	tento	*ten-to*
die	tamten	*tam-ten*
duur	drahý	*dra-bie*
goedkoop	levný	*lev-nie*
maat	velikost	*vel-ik-ost*
wit	bílý	*bee-lie*
zwart	černý	*tsjer-nie*
rood	červený	*tsjer-ven-ie*
geel	žlutý	*zblu-tie*
groen	zelený	*zel-en-ie*
blauw	modrý	*mod-rie*
bruin	hnědý	*bnyed-ie*

SOORTEN WINKELS

antiekwinkel	starožitnictví	*sta-ro zbit-njits-tvie*
apotheek	lékárna	*leb-kab-rna*
bank	banka	*banka*
bakker	pekárna	*pe-kabr-na*
boekhandel	knihkupectví	*knib-koepets-tvie*
delicatessen	lahůdky	*la-boe-dki*
drogist	drogerie	*drog-erje*
fotowinkel	obchod	*op-kbot*
	s fotoaparáty	*sfoto-aparabti*
glaswerk	sklo	*sklo*
groentewinkel	potraviny	*pot-ra-vini*
kapper		
(dames)	kadeřnictví	*ka-derzj-njits-tvie*
(heren)	holič	*bo-lich*
kiosk	novinový	*no-vi-novie*
	stánek	*stab-nek*
markt	trh	*trkb*
postkantoor	pošta	*posj-ta*
reisbureau	cestovní	*tses-tov-nji*
	kancelář	*kantse-laarzb*
slager	řeznictví	*rzbez-njits-tvie*
supermarkt	samoobsluha	*sa-mo-ob-slu-ba*
tabakswinkel	tabák	*ta-babk*
warenhuis	obchodní dům	*op-kbod-njie doem*

Alternatieven voor vrouwelijke sprekers staan tussen haakjes.

VERBLIJF IN EEN HOTEL

Hebt u een kamer?	Máte volný pokoj?	mah-te vol-nie po-koj?
tweepersoonskamer	dvoulůžkový pokoj	dvo-loezh-kovie po-koj
met tweepersoonsbed	s dvojitou postelí	sdvoj-to pos-telie
suite	pokoj s dvěma postelemi	po-koj sdvje-ma pos-tel-emí
kamer met bad	pokoj s koupelnou	po-koj s ko-pel-no
piccolo	vrátný	vrabt-nie
portier	nosič	nos-itsj
sleutel	klíč	klietsj
Ik heb gereserveerd.	Mám reservaci.	mahm rez-ervatsi

UIT ETEN

Hebt u een tafel voor ...?	Máte stůl pro ...?	mah-te stoel pro ...?
Ik wil graag een tafel reserveren.	Chtěl(a)* bych rezervovat stůl.	kbtjel(a) bikh rez-er-vov-at stoel
ontbijt	snídaně	snjie-danje
lunch	oběd	ob-jed
avondeten	večeře	vetsj e-rzhe
De rekening alstublieft.	Prosím, účet.	pro-ziem oe-tsjet
Ik ben vegetariër.	Jsem vegetarián(ka)*.	ysem veghe-tariabn(ka)
ober!	pane vrchní!	pane vrkb-njie!
juffrouw!	slečno	sletsj-no
toeristenmenu	standardní menu	stan-dard-njie men-u
dagschotel	nabídka dne	nab-ied-ka dne
voorgerecht	předkrm	przbed-krm
hoofdgerecht	hlavní jídlo	blav-njie jied-lo
groenten	zelenina	zel-en-jin-a
nagerecht	zákusek	zah-kusek
prijs couvert	poplatek	pop-la-tek
wijnkaart	nápojový lístek	nah-po-jo-vie lie-stek
saignant (biefstuk)	krvavý	kr-va-vie
medium	středně udělaný	strzbed-nje ud-jel-an-ie
doorbakken	dobře udělaný	dobrzbe-ud-jel-an-ie
glas	sklenice	sklen-jitse
fles	láhev	lab-bev
mes	nůž	noezb
vork	vidlička	vid-lisj-ka
lepel	lžíce	lzbie-tse

DE MENUKAART

biftek	bif-tek	biefstuk
bílé víno	bie-leb vie-no	witte wijn
bramborové knedlíky	bram-bo-ro-veb kne-dlieki	knoedels
brambory	bram-bo-ri	aardappels
chléb	khlebb	brood
cibule	tsi-boe-le	ui
citrónový džus	tsi-tron-o-vie dzbuus	citroensap
cukr	tsukr	suiker
čaj	tsjay	thee
čerstvé ovoce	tsjer-stveb-o-vo-ce	vers fruit
červené víno	tsjer-ven-eb vie-no	rode wijn
česnek	tsjes-nek	knoflook
dort	dort	cake
fazole	fa-zo-le	bonen
grilované	gril-ov-a-neb	gegrild
houby	bo-bi	champignons
houska	bous-ka	broodje
houskové knedlíky	bo-sko-veb kne-dlieki	knoedels
hovězí	bov-je-zie	rundvlees
hranolky	bran-ol-ki	patat
husa	boe-sa	gans
jablko	ja-bl-ko	appel
jahody	ja-bo-di	aardbeien
jehněčí	je-bnje-tsjee	lamsvlees
kachna	kakb-na	eend
kapr	ka-pr	karper
káva	kab-va	koffie
krevety	krev-et-i	garnalen
kuře	ku-rzbe	kip
kyselé zelí	kis-el-eb zel-ie	zuurkool
maso	ma-so	vlees
máslo	mab-slo	boter
minerálka	min-er-abl-ka	mineraalwater
šumivá/ nešumivá	sjum-i-vab/ ne-sjum i-vab	met/ zonder prik

mléko	mleb-ko	melk
mořská jídla	morzh-skab-jied-la-	zeevruchten
ocet	ots-et	azijn
okurka	o-koe-rka	komkommer
olej	olej	olie
párek	paa-rek	(knak-)worst
pečené	petsj-en-eb	uit de oven
pečené	petsj-en-eb	geroosterd
pepř	peprzb	peper
polévka	pol-eb-vka	soep
pomeranč	po-me-rans	sinaasappel
pomerančový džus	po-me-ran-s-o-vie dzbuus	sinaasappelsap
pivo	pi-vo	bier
rajské	rajskeb	tomaat
ryba	rib-a	vis
rýže	rie-zbe	rijst
salát	sal-at	salade
sůl	soel	zout
sýr	sier	kaas
šunka	sbun-ka	ham
vařená/ uzená	varzb-enah/ u-zenah	gekookt/ geroookt
telecí	te-le-tsie	kalfsvlees
vajíčko	va-jie-tsjko	ei
vařené	varzb-en-eb	gekookt
vepřové	vep-rzbo-veb	varkensvlees
voda	vo-da	water
vývar	vie-var	bouillon
zelí	zel-ie	kool
zelenina	zel-enjina	groenten
zmrzlina	zmrz-lin-a	ijs (toetje)

GETALLEN

1	jedna	jed-na
2	dvě	dvje
3	tři	trzbi
4	čtyři	tsjti-rzbi
5	pět	pjet
6	šest	sjest
7	sedm	sedm
8	osm	osm
9	devět	dev-jet
10	deset	des-et
11	jedenáct	je-de-nahtst
12	dvanáct	dva-nahtst
13	třináct	trzbi-nahtst
14	čtrnáct	tsjtr-nahtst
15	patnáct	pat-nahtst
16	šestnáct	sjest-nahtst
17	sedmnáct	sedm-nahtst
18	osmnáct	osm-nahtst
19	devatenáct	de-va-te-nahtst
20	dvacet	dva-tset
21	dvacet jedna	dva-tset jed-na
22	dvacet dva	dva-tset dva
23	dvacet tři	dva-tset-trzbi
24	dvacet čtyři	dva-tset tsjti-rzbi
25	dvacet pět	dva-tset pjet
30	třicet	trzbi-tset
40	čtyřicet	cbti-rzbi-tset
50	padesát	pa-de-saht
60	šedesát	she-de-saht
70	sedmdesát	sedm-de-saht
80	osmdesát	osm-de-saht
90	devadesát	de-va-de-saht
100	sto	sto
1000	tisíc	tji-siets
2000	dva tisíce	dva tji-sie-tse
5000	pět tisíc	pjet tji-siets
1.000.000	milión	mi-li-obn

TIJD

één minuut	jedna minuta	jed-na min-uta
één uur	jedna hodina	jed-na bod-jin-a
een half uur	půl hodiny	poel bod-jin-i
dag	den	den
week	týden	tie-den
maandag	pondělí	pon-dje-lie
dinsdag	úterý	oe-ter-ie
woensdag	středa	strzbe-da
donderdag	čtvrtek	tsjtvr-tek
vrijdag	pátek	pab-tek
zaterdag	sobota	so-bo-ta
zondag	neděle	ned-jel-e

DE GIDS DIE LAAT ZIEN WAAR ANDERE ALLEEN OVER SCHRIJVEN

LANDEN-, STEDEN- & REGIOGIDSEN

AMSTERDAM • AUSTRALIË • BALI & LOMBOK • BARCELONA & CATALONIË • BERLIJN
BOEDAPEST • BRETAGNE • BRUSSEL, ANTWERPEN, GENT & BRUGGE CALIFORNIË
CANADA • CANARISCHE EILANDEN • CORSICA • CUBA • DELHI, AGRA & JAIPUR
DUBLIN • DUITSLAND • EGYPTE • EUROPA • FLORENCE & TOSCANE • FLORIDA
FRANKRIJK • GRIEKENLAND/ATHENE & HET VASTE LAND • GRIEKSE EILANDEN
GROOT-BRITTANNIË • HASSELT & LIMBURG • HAWAII • IERLAND • INDIA • ISTANBUL
ITALIË • JAPAN • JERUZALEM & HET HEILIG LAND • KROATIË • LISSABON • LOIREDAL
LONDEN • MAASTRICHT & ZUID-LIMBURG • MADRID • MAROKKO • MEXICO
MILAAN & DE MEREN MOSKOU • NAPELS MET POMPEJI & DE AMALFI-KUST • NEDERLAND
NEW ENGLAND • NEW ORLEANS • NEW YORK • NIEUW-ZEELAND • NOORWEGEN
OOSTENRIJK • PARIJS • POLEN • PORTUGAL MET MADEIRA EN DE AZOREN • PRAAG
PROVENCE & CÔTE D'AZUR • ROME • SAN FRANCISCO & NOORD-CALIFORNIË
SARDINIË • SCHOTLAND • SEVILLA & ANDALUSIË • SICILIË • SINGAPORE • SPANJE
STOCKHOLM • ST.-PETERSBURG • THAILAND TURKIJE • USA-ZUIDWEST & LAS VEGAS
VENETIË & VENETO • WASHINGTON, DC • WENEN • ZUID-AFRIKA

CAPITOOL COMPACT

BARCELONA • BERLIJN • KRETA • LONDEN • PARIJS • PRAAG • PROVENCE
ROME • TOSCANE • VENETIË

CULINAIRE- & WIJNREISGIDSEN

CULINAIR: NEDERLAND • TOSCANE • WIJNREISGIDS: FRANKRIJK

HOTEL-, RESTAURANT- & CAMPINGGIDSEN

DE BESTE RESTAURANTS IN NEDERLAND • DE MOOISTE CAMPINGS IN NEDERLAND
DE MOOISTE HOTELS IN EUROPA • DE MOOISTE HOTELS IN NEDERLAND
DE MOOISTE HOTELS IN BELGIË EN LUXEMBURG

PROVINCIEGIDSEN

NOORD-BRABANT

WANDELGIDSEN

DE MOOISTE WANDELINGEN IN NEDERLAND

VELDGIDSEN

VOGELS VAN EUROPA

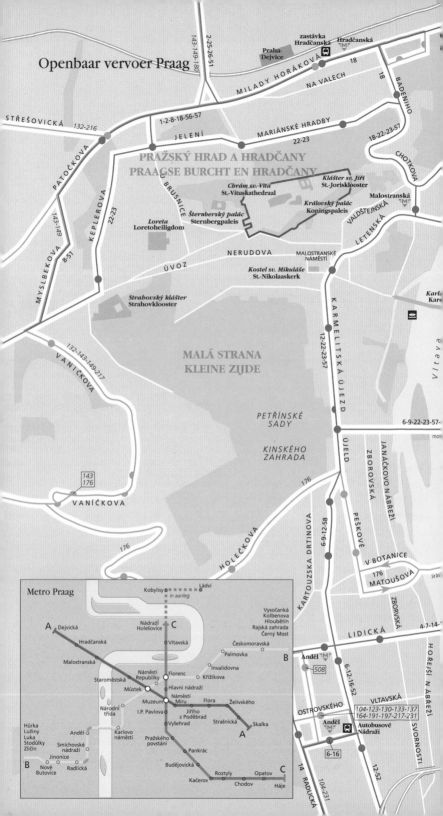

Openbaar vervoer Praag

143-149-180

2-25-26-51

zastávka Hradčanská
Hradčanská

Praha-Dejvice

MILADY HORÁKOVA   NA VALECH   18

18

BADENIHO

STŘEŠOVICKÁ   132-216

1-2-8-18-56-57

JELENÍ   MARIÁNSKÉ HRADBY   22-23

18-22-23-57

CHOTKOVA

PATOČKOVA

KEPLEROVA   22-23   BRUSNICE

PRAŽSKÝ HRAD A HRADČANY
PRAAGSE BURCHT EN HRADČANY

Klášter sv. Jiří
St.-Jorisklooster

Chrám sv. Víta
St.-Vituskathedraal

143-149   8-51

Loreta
Loretoheiligdom

Šternberský palác
Sternbergpaleis

Královský palác
Koningspaleis

Malostranská

VALDŠTEJNSKÁ

LETENSKÁ

NERUDOVA   MALOSTRANSKÉ
NÁMĚSTÍ

ÚVOZ

Kostel sv. Mikuláše
St.-Nikolaaskerk

Karl
Kare

MYSLBEKOVA

Strahovský klášter
Strahovklooster

KARMELITSKÁ ÚJEZD

12-22-23-57

132-143-149-217

VANIČKOVA

MALÁ STRANA
KLEINE ZIJDE

PETŘÍNSKÉ
SADY

6-9-22-23-57-

KINSKÉHO
ZAHRADA

JANÁČKOVO N ÁBŘEŽÍ

ZBOROVSKÁ

143
176

ÚJELD

176

ZBOROVSKÁ

VANÍČKOVA

176

HOLEČKOVA

KARTOUZSKA DRTINOVA

6-9-12-58

PEŠKOVÉ

V BOTANICE

176   MATOUŠOVA

Jiřás

Metro Praag

Kobylisy   Ládví
in aanleg

Vysočanská
Kolbenova
Hloubětín
Rajská zahrada
Černý Most

A Dejvická

Nádraží
Holešovice   C

Českomoravská

Palmovka

B

LIDICKÁ   4-7-14-

Hradčanská

Vltavská

Invalidovna

Anděl

Malostranská

Křížíkova

508

6-12-16-52

VLTAVSKÁ

Náměstí
Republiky   Florenc

Staroměstská

Hlavní nádraží

Flora

Želivského

OSTROVSKÉHO

104-123-130-133-137
164-191-197-217-231

Můstek

Muzeum
Náměstí
Miru

Národní
třída

I.P. Pavlova

Jiřího
z Poděbrad

Strašnická

A

Anděl

Autobusové
Nádraží

SVORNOSTI

Hůrka
Lužiny
Luka
Stodůlky
Zličín

Anděl

Karlovo
náměstí

Vyšehrad

Pražského
povstání

6-16

Smíchovské
nádraží

Pankrác

HOŘEJŠÍ N ÁBŘEŽÍ

B   Nové
Butovice

Jinonice

Radlická

Budějovická

Roztyly

Opatov

C

14   RADLICKÁ

104-231

12-52

Kačerov   Chodov   Háje